Sunny文庫

275

內聖外王的智慧

給大人物的現代治國策

天際雲◎著

前　言

　　作者在十八歲的時候明心見性，獨立提出「本心」、「氣質」、「性」、「情」等詞彙，上大學接觸到國學後，才發現前人已經研究了幾千年。此後注釋王陽明的《傳習錄》，感覺以此標準，應該也是能夠接近於聖人的。大學後不久，有兩個同學提示作者去看《推背圖》，接觸到紫薇聖人的傳說。如今作者研究國內外二十三大預言有十年了，出版了《推背圖中的未來：從全球預言看紫薇聖人》。當前作者所做的事，和紫薇聖人的事業能較好地掛鉤。

　　從紫薇聖人的事業中，作者瞭解了未來社會的走向，並有了許多社會責任，經常以紫薇聖人的事業來警醒自己。在琢磨透《推背圖》44象聖人入朝合作的內容後，也便準備推動《推背圖》44象的事業。

　　從2020年到2022年，作者接連發出十三封諫書，其中有一封信是把未來一百四十年中國國運按照年份進行排列。

　　目前作者正在推動三項事。第一項，是希望十三封諫書能到達最高領導人。因為郵件會淹沒在每年上百萬封信裡，幾乎是不可能達到效果，所以需要在社會上先發出一些聲音。

　　第二項，是舉辦一次網路科舉大賽，以較低的成本吸引民間遺落的賢能。現在國學走向沒落，比如「國學大師」這個稱謂就說明國學沒落了，正常的情況下應該是推崇聖賢。等挖到了一百位師資力量，共同組建新的「國子監」，我們將應《推背

圖》44象，以「百靈」的名義來入朝合作，每人帶兩個左右的政務諮詢產品。所謂「百靈來朝」，目的是吸引社會更大範圍的「百家爭鳴」。這是一個系統工程，如果成功的話，我們就託管孔子學院，改成「人子監」，打造未來新的教廷，以培育「人子」的方式，在全球籠絡政治和經濟人才。獲得一個國家的政治，就在於獲取這個國家的人才，獲取一個國家，在於獲取這個國家的民心，我們將以人才為著手點，來推動世界大同。

　　作者個人的科舉文章，現在總結成為《王道書》，希望能開未來百年王道，作為世界大同的指導方案。

　　第三項，就是以紫薇聖人的名義在網路製造一些聲音。目前紫薇聖人的生態非常不好，很多假聖人在網路叫囂，其水準比不上一個普通的人，而且作者也並不完全肯定自己是紫薇聖人，甚至紫微星和聖人可能是兩個人，所以目前效果還不是太好。

　　現在把給高層的十三封諫書，作者參加科舉考試寫的《王道書》，以及作者根據高中時期明心見性狀況寫的初版《明至書》，集結成冊並出版，嘗試打造一些影響力。

　　十三封諫書的內容是從《王道書》裡選取觀點，結合實務進行撰寫的，因此和《王道書》有一些相同的內容。如果說《王道書》是思想方面成型的產品，那麼十三封諫書就是產品路演推介的話術。

　　也感謝讀者對本書的支持，通過《十三封諫書》，大家可以對當今的社會局勢有更深的瞭解，準確把握未來三十年將會發生的的大事；通過《王道書》，可以對貞朝的政治、經濟、文化設計有一個初步的印象；通過《明至書》，可以瞭解一種新的明心見性的方法。我們這個時代是一個有巨大變化的時代，在歷史上會添加濃墨重彩的一筆，而這一筆，現在才剛剛開始書寫。作

者在未來的角色，應當是和明朝的劉伯溫一樣，能夠預言未來發展，並參與其中。現在這些內容是帝王之術，也是治國理政的內容，普通人看懂以後可以避免災禍，有才學的人能從中挖出巨大的價值。

C O N T E N T S

C O N T E N T S

三、明至書（初稿）

CONTENTS

一、十三封諫書

十三封諫書是給高層郵寄的，關於政務的內容。諫書是為了將來的合作做鋪墊，根據預言，陳立強將通過科舉考試的方式，選出百位秀才進士，也就是「秀士登紫殿」，參加殿試。帶領百靈入朝合作，和商鞅見秦孝公，甘龍和杜摯審查專案一樣，由最高權位者主持，一位官員審核外交專案，另一位高官審核官員輸送專案。最終託管孔子學院，主持部分外交，「四夷重譯稱天子」，但是輸送高官的合作會不成功，也就是「紅帽無一人」。雖然知道人力輸送業務不會成功，但是人力資源是為政的根本，比改革的效果要好得多，我們還是要和孔子一樣把握人才，通過輸送人力來改善為政。

關於這段故事，已經製作了一個MG動畫《紫薇聖人傳奇》。

一個朝代向下走的時候，這個趨勢不能改變，就像一個人生老病死。但是我們也會從民間通過自己的努力，號召百家爭鳴來提高效率，為過渡期的穩定貢獻一份力量。君主既然能在那個位置上，即使忍受力再差，我想也必定能夠原諒我的莽撞。

為了減少敏感內容，對諫書做了一些詞彙上的修改。

1. 諫用賢安邦書

一、成就有為之主、美名之主

凡有為之主，如果不是碰見危亡大事，就是因為在位時間長，可以貫徹戰略。有美名的君主，不是因為重賢愛民，就是因為開創可垂治的法度。盛世依賴明君，明君下必有賢人。如果沒有賢人，則百姓不服；沒有新法度，則百官不服；沒有清正剛直的屬下，則奸佞不服；沒有協統天下的戰略，則夷人不服。

因此，做好這四點，可以長久貫徹戰略。

1、賢人

亂世之下有大能，太平盛世有賢人。古代有賢人在朝，沒有大的是非，能達到海清民晏。一切社會問題都是政治問題，一切政治問題都是為君子的問題，君子修改自身問題，天下就沒有問題了。賢人通過修身來為政，幫助受國之垢，轉個身就能解決問題，是最節省成本的治理方式。

如果把外部問題看做外部問題，那麼永遠不會解決問題，反而不斷加大治理成本。「敏則有功」，賢人有覺他的「敏」。要想挖掘這樣的賢人，必須依靠傳統的選賢制度，改進後的科舉是可取的方法之一。

2、新法度

不興文教，則百姓不安。不興禮教，則朝臣不安。法制約民，管理成本會不斷增大，禮制約身，百官會爭相約束自身。

「殷因於夏禮，所損益可知也；周因於殷禮，所損益可知也。其或繼周者，雖百世，可知也」。

禮制是最能落地的行政標準，可以在三千年的變遷中知曉其利弊，古代的改革都逃不過其因果。即使亂世難以發現它的作用，但是想要成就百年以上的功業，不可不用禮制。

禮制是成本最低的管理，是真正的市場化、民本。使用禮制，能夠顛覆西方士族、外戚集權的政治制度。

3、清正剛直的屬下

清正的人善於修身，急百姓之所急；剛直的屬下能趨利避害，化解災禍。當前緊缺的是一文臣一武將，為火兔和火龍。文在前，定盛世禮儀；武在後，保身後安泰。

古代賢君，都有賢臣輔佐。商湯有伊尹，周文王有姜子牙，齊桓公有管仲，這三個都是有著經天緯地之才。

4、協統天下的戰略 —— 王道

帝道是聖王道，霸道是小王道，把握「王道」，上可以成就帝業，差一些也可以成就霸道。王道的基礎，仍舊是禮制。

推帝道，各國政府願意做中國的分部門；推王道，各國政府願意做分公司；推霸道，各國政府願意做產業鏈上的友商；推雄道，和當今美國一樣，全球都是競爭者。

如果推王道，可以用「國子監」、「人子監」挖掘各國賢人，培養人子。賢人是哲學王的2.0版本，從行政、文教、文旅

方面多角度開展外交事業，讓夷人震服。當今西方推行普選，未來不必通過和總統交往來完成外交，直接爲他們培養哲學王來掌權即可。

綜上所述，以「禮制」爲基礎，以「國子監」爲把手，用科舉來選賢（做全球的公務員考試），在全球推廣「王道」（培育人子、哲學王），是成就有爲之主、美名之主的可行策略。

只要將現在的孔子學院修改爲「人子監」，即可開展王道事業。

二、如何安民安邦

內患莫大於民，百姓安樂就不會有危機；外患莫大於臣，有賢臣修文德可保安泰。

「均無貧，和無寡，安無傾。夫如是，故遠人不服，則修文德以來之。」

1、安民

內患多在於經濟，經濟的問題在於行政管理、人力成本高。古代大多數變法就此而論，一是減少人力成本，精兵簡政；二是將自身管理成本轉嫁給百姓。改革七分毒，往往事與願違，即使做好，也只是中興。

政府主業不振，成爲地域壟斷企業，也是市場的一部分，與民爭利越多，漏洞就越多，運營成本就會不斷增加。清朝賣官，縣長每年有五百多萬元的利潤空間，壟斷越大，官員專權越大，利潤空間越大，腐爛就越多。

「先進於禮樂，野人也」，行政資源來自鄉野百姓，政府做二手加工，趨向於不斷增加百姓行為成本來完成管理；百姓自我消化行政資源，會產生利潤。百姓自己的行政是免費的，達到「比屋可封」，人人都是執政官，社會的運行就會通暢，能夠達到無貧、無寡，自然就沒有動盪。

「聖人不易民而教，知者不變法而治。因民而教，不勞而成功；緣法而治者，吏習而民安之。」

改革是商鞅之道，將存量資源閃轉騰挪，成功後二世而亡。簡身用賢是孔子之道，騰出更多市場空間，為政府管理提質增效，破解負債、成本難題。大醫治未發之病，小醫挖肉補瘡，卻不能阻止繼續潰爛。不如先換血，再長新肉。換血的關鍵在於用賢，長肉的關鍵在於放權。一個健康的文教禮制體系，能夠不變法而生長新東西。治國最終會落實到一個個人身上，是見功業的地方。有賢人，天下就會歸心。使用得當，百國來朝取經。

2、安邦

軍事之功在外交。當今美國年軍事投資在六千億美元，好的投資一定是從國際上把錢賺回來。蘇秦合縱連橫，秦國十五年不敢出函谷關，一張嘴頂九萬億美元。

外交之功在經濟。姜子牙依託齊國的鹽鹼之地與魚鹽之利，成為周朝最富足的國家，後來齊桓公成就春秋第一霸業。

經濟之功在改革。商鞅變法讓秦國併購六倍以上的國土、人口。

改革之功在禮制。鄒忌諷齊王納諫，第二年，燕、趙、韓、魏都來朝拜齊國。

一切的根本在賢人，周文王用姜子牙，保周朝八百年江

山。用賢方略是強國的捷徑，人才是安邦的第一要素。現在全球是一個新的春秋戰國，挖掘遺落的賢能，以市場化的百家爭鳴來爲行政提質增效，是成就王道的重要方略。

綜上所述，堯舜之治「簡在帝心」。削減對百姓的限制，就可以普及到天下的百姓；減少行政的贅餘，就可以留出精力恩澤天下。受國之垢要內明，內明後要用賢；受國不祥要簡行，簡行後要放權。內聖則外王，是長久之道，也是安民定國、成就王道的方法。

三、漢朝功臣士族、外戚之危

高祖劉邦封王又攻王，以「馬」盟誓，欲垂法度於後世，卻是集權於一家，讓皇族和功臣派結爲一體。後來周勃聯合陳平、灌嬰滅呂氏外戚，立新主。

毛澤東認爲賈誼之才史上少有，稱其分析漢初功臣鬥爭的《治安策》是西漢最好的政論，並立「馬克斯」主義。鄧小平則在粉碎四人幫後談論了「厚重少文」的周勃、陳平的典故。

古代有文官、皇族、功臣、外戚、宦官五種勢力。西漢亡於外戚；東漢成於士族，亡於外戚、宦官、士族門閥之爭。觀漢朝勢力，皇族造反，社會動盪；功臣墮落爲士族門閥，讓國家四分五裂，社會缺乏生氣；一代代外戚爭利和操縱皇帝，最後西漢亡於王莽外戚家族；宦官是密不透風的管理體制下的產物，同類有當今韓國的檢察官制度；文官如果缺乏市場化，也趨向於士族。

「馬」之盟在劉邦死後就被違抗，到漢景帝廢除「馬」

盟，沒有垂治，卻成為皇室、功臣和外戚爭利的利刃。「馬」主義遜於白馬之盟，被用來宰割、愚弄天下百姓。功臣士族、外戚分天下之利，遠超七國。士族門閥是政治失靈，想要避免災禍，應去「馬」，引市場化的文官制度以利民。

自夏以來，權勢壟斷形成利潤。春秋戰國有行政市場化的百家爭鳴來提高效率，各國引人才變法以避免危亡之禍。秦漢以來，皇權斷代，功臣裂國，外戚貪利，宦官爭權，唯有與民間智力合作的文官平衡各方，維持大局。觀歷代，皇權囿於獨斷，士族固權固階層，外戚多來葬國，宦官勢大亂國，其根基在於權與利。政府成為地域壟斷企業，集權並與民爭利；肉食者鄙，喪失主業經營亦即治政能力；各派爭搶，政府缺智力，錢就總不夠花。朝代開明與否，在於是否留有賢人存在的空間，來主導治政主業。

如今中東有皇權；歐美將「誰聲音大，聽誰的民主」和「士族門閥」結合，外戚操控，推普選戰爭以奪利；中國有士族門閥傾向；韓日有宦官、士族門閥、外戚。天下無文官、無政治，其危亡存續逃不過古代先例。

當今缺少法度，如同漢朝。然而又是制法利於後世的最佳時期。

漢文帝聽賈誼之策，改正朔、易服色，又下詔舉賢良、直言極諫者，親自問策；漢景帝重用晁錯，平定國內，並開道家、儒家之辯，沿襲休養生息策略；漢武帝平定國外，並採用董仲舒尊儒家的策略，垂法兩千年，為後世典範。

有權威的皇帝能重視市場化的文官力量，成就盛世。文官是民間PPP合作，儒家推薦最適合管理的群體，來自民間，也最能造福民間。文官的產生需有體系，現在是漢武帝時期，卻還沒

有這個體系，只是通過公務員考試招募許多雜役。現在雖有文景之憂，不如急取武帝之功，補隋唐科舉，避免士族門閥之亂。集天下之美，以周之禮，堯舜禪讓賢明，國之君子爲政，孔老爲政標準，文官之利民，察舉之便利，科舉之宜民，行政市場化的百家爭鳴之利事，民選之均衡，或成未來典範。

四、古代可效仿的君主：漢武帝

　　大致觀察古代有作爲的君主，漢武帝是較接近的人物。漢武帝即位第一年，下詔百官舉賢良方正，發現董仲舒，出《天人三策》，包括新王改制（改正朔，易服色）、大一統尊王攘夷、興太學（舉賢良成爲制度）、尊儒、更化。後有對他的評價，開創了六個第一。這裡配以「立言、立功、立德」來闡述。

立言：

1、第一個用儒家學說統一行政的皇帝
　　儒家是政治標準制定者，代表兩千年的正統，最起碼有三千年壽命。如今已開辦孔子學院，只教授漢語。應當依託孔子學院硬體設施，用儒家禮法統一全球行政。其功勞不會比漢武帝差。

2、第一個創立太學培養人才的皇帝
　　中國最高學府從夏朝就有。現在應當恢復「國子監」，改爲「人子監」，推廣到全球，培養人子、哲學王，從全球挖掘賢人、培養人才，掌握人才便是掌握世界。其功勞不會比漢武帝

差。

立功：

3、第一個大力拓展中國疆土的皇帝

拓展疆土應當用「王道」，爲各國行政提質增效。沒有貧窮的地區，只有貧窮的政治，以行政輸出爲各國百姓謀福利，百姓嚮往，中國重新成爲亞洲宗主國，和唐朝一樣百國來朝。其功勞不會比漢武帝差。

4、第一個開通西域的皇帝

漢武帝啓用張騫開絲綢之路，是聯通世界的和平道路。當今有一帶一路的提議，是線條狀。世界是立體的。其中科技、金融是面，行政、文教是立體。以行政、文教聯通世界，其功勞不會比漢武帝差。

立德：

5、第一個用皇帝年號來紀元的皇帝

年號可以代表爲政期望，是「德治」、「禮治」的輔助，有收有放，漢武帝的年號均在五年左右，比「五年計劃」水準要高。一般由君主發起，遇到祥瑞、內訌外憂等大事，一般要更改。諡號是後人對君主生平、事蹟與品德修養的評定，一眼看出爲政得失，生前給君主警示，身後給後人警示。加上其他標準，可稱爲「古代行政體制中的政信指數」。依禮修明內政，創建合適的政信體系，串聯行政得失，「簡在帝心」，爲後世垂法，其功勞不會比漢武帝差。

6、第一個用罪己詔形式進行自我批評的皇帝

後人評論漢武帝「有亡秦之失而免亡秦之禍」，最重要的一點是用了罪己詔。古今中外但凡有自責的名人，往往會受到褒揚。人最難看清的是自己，修身是最大的爲政。齊桓公遇到「愚公之谷」，管仲危言正色，請求修明政治。唐太宗遭遇蝗災，口吞蝗蟲，「但當蝕我心，無害百姓」，創貞觀盛世。天災、疫情尚且是罪己的好時機，更何況是人造的經濟危機。罪己思賢，國泰民安。罪己是要借用百姓、市場的力量來爲自己正身明政。察人之過，不能避免災禍；反省自身過失，才是斷除爲政弊端的正確方法。

聰者聽於無聲，明者見於未形，罪己可以結合特赦令。看到新聞哪裡有斷案不公、害民的地方，比如百姓爲了辦理孩子異地入學手續，節省兩地來回奔波的時間，製作本來不重要的假證明，以至於遭受司法不公正待遇，那麼一定要簽發特赦令，後面一定要再修改相關法律後貫徹特赦效果。不去除妨害，百姓會不斷犯罪。仁者愛民，愛民就要移除爲害百姓的法度，用百姓之力來明政。緹縈「上書救父」，漢文帝特赦其父，廢肉刑、惠後人。即使只用好特赦令，其功勞不會比漢武帝差。

從建國算起，君主上任差不多是漢武帝即位時間。漢武帝元年招賢，六年誘兵匈奴不成功，七年用董仲舒策略，將儒家推到極高地位。當今幾年是確定對外戰略，衛青直搗匈奴祭祀祖先的聖地龍城的時間。現在正是確立對內法度、對外戰略的最佳時期。

五、成就功業最便捷的方法在恢復中華

度量自古以來的功利。功莫大於存族，利莫大於繼統。春秋時期四夷交替進攻中華，中華像差一點就要斷掉的線一樣，齊桓公和管仲力挽狂瀾，九合諸侯一匡天下，成就霸業。漢朝遵從周禮，成爲秦後延續時間最長的朝代，並爲歷代所效法。

度量自古以來的罪過。罪莫大於亡族，敗莫大於愚民。石敬瑭本不是漢人，可是一直被罵漢奸賣國賊，把後來的宋朝亡於元歸罪於他。秦始皇廢先王之道，焚百家之書，以愚黔首，成爲人生最大敗筆。防民之口甚於防川，周厲王禁謗，國人道路以目，最終引發國人暴動。

中華爲世界的根基。馬列不是中國人、不是賢人、沒有美名，稱其道沒有功，固其知對百姓沒有利。每年在學校教育、宣傳推廣上消耗許多成本，本來可以成就更大的功業。

建功業，恢復中華是捷徑。恢復中華，應當從建設禮制新法度開始。推廣禮制新法度，從挖掘賢人開始。挖掘賢人，要用國子監科舉。

1、適當恢復舊體制，能夠開創新法度

「先進於禮樂，野人也。後進於禮樂，君子也。如用之，則吾從先進。」

新法度很難創制，可以一點點恢復。禮法來自於百姓，成型於君子。以順百姓爲心法，以君子從禮爲功法。先變禮，法會跟著變。可以先從一些固定的章法中慢慢恢復。

以賈誼爲漢文帝提出的「改正朔，易服色，法制度，定官名，興禮樂」來尋找靈感。

（1）改正朔，改曆法

老祖宗創制農曆用於生活，到現在也不能斷絕。現在人過耶誕節比過年還要高興，傳統節日不興，是因為曆法的緣故。當初沒有依從百姓，使用了西方曆法，不僅不合百姓使用習慣，而且造成了中國很多傳統的喪失。現在把農曆做成官方曆法，是要緊的事。

（2）易服色，可類比改衣服

漢高祖劉邦為赤帝，漢文帝時有黃龍出現，擬定土德的律曆制度，並改元，到漢武帝徹底改變為黃色，類似改國旗。現在漢服興起，成為尋找傳統的重要力量。為君者的禮服應當回歸傳統，應用於重大禮儀場合。

（3）法制度

制度包括生活的方方面面。如今已經形成了許多新的制度，但是一些根基需要找回來，這些方面不必完全效仿古代。比如每個新年，為君者需要造訪祖廟，關於祖廟，需要有新的規劃，包括太極殿、民樂廣場、祖祠、宗祠、民祠、社祠。民心為帝，祭祀天地為順民心。祖宗傳教，尊奉先人能淳樸民心。

衛國國君用孔子為政，孔子要先正名。正名的範圍很廣，包括歷史課本、官方宣傳、文化理念等，其中以文化理念最為重要。現在的社會較之古代，不僅在制度、文化理念上缺乏新意，而且有很大的退步，可以收集古人關於社會、文化的理念，形成《資治文鑒》。「名不正則言不順，言不順則事不成，事不成則禮樂不興，禮樂不興則刑罰不中，刑罰不中則民無所措手足」。正名後有禮樂，禮樂後有法制。法制依託於權貴和財產而起變化，管理成本極高。禮制下才有法制，才會「法者所以愛民也，禮者所以便事也」，自主的規矩才是低成本的律法治理。想要推

動變革，需要依從百姓，為傳統正名，否則只是變異。

（4）定官名

想要推行政體制改革，正官名是一個可以出發的角度，古代很多職位和現在一樣，行政成本也比較低，有很多維護禮制的職位，能提高行政效率。可以選擇其中比較突出的官職進行恢復，比如國君、言官、禮官等等。打開相關市場，整個社會會幫助來進行這方面的維護和督促。

（5）興禮樂

禮是法度，樂是法度和於民，做得好可以推廣到全球。君子不認同祖宗的法度，沒有榮譽感，那社會的思維就會下流。想要恢復傳統文化，還需要正「天朝上國」的威德之名。「封建」、「劣根」、「迷信」是西方的特色，「滅人之國，必先去其史」，需要從教科書將這些外來品去除。歐洲依靠搶劫、販毒、拐賣人口發家，將原罪帶往全世界。張騫通西域、鄭和出海，帶著的是財富和正義。中國自古在世界上清清白白，百姓富足，政治清明，是世界中心、唯一有文明的地方，也是唯一能主導未來全球大同的地方。在這之前，需要先立禮樂的根基。要恢復國子監等傳統機構，依靠這些機構，來傳播天朝上國的威德。

2、依靠國子監科舉來挖掘賢人

大的功勞是反省自身，來達到天下太平；大的治理是挖掘社會力量，依靠賢人來完成治國。心的阻礙比行更大，因此聖人的美名比帝王更久遠。治國，潛力就是實力，人品就是能力，賢人通過修身來治國。

民心被不同程度地掩蓋。君子尊禮，百姓就是堯舜，能建立漢唐盛世；在位者是桀紂，百姓就都是為非作歹的人，建立的

是五代十國南北朝。民心在為君者之心，發現一個小的星火，可以燎原。以賢人推法度，以法度推改革，以改革振經濟，繼而成就王道霸道的功業。

自古朝廷和民間開展智力合作，有察舉制和科舉，民不嫉恨。修文德，江山穩固。禮制在民，用民之力，成民之事，百姓皆曰我自然，所以聖賢無功，卻成為典範。

（1）興國子監

最高大學在夏為「東序」，在商為「右學」，在周為「上庠」，兩漢為「太學」，後有國子監。董仲舒說：「立太學以教於國，設庠序以化於邑。」國家沒有亡，在於文化沒有亡。朝代在更替，法統沒有滅，可以從最高學府來觀察。

教育部做的是民間事務，黨校做的是黨務。國子監做文化監察，是缺失的國務。自古國子監經營有一定市場因素，可由民間託管，依靠孔子學院的建制，進行文化推廣。

基督教世界，耶穌再臨自稱「人子」，衣著為漢服，「萬王之王（帝道）」必用禮制來統領全球大同。而「哲學王」具有天然法統，不必經過推選，可以名正言順參與國政。國子監在世界為「人子監」，培養人子、哲學王，從行政、文教方面都具有天然的合理性。未來可通過行政標準、人力、文旅、影視等多個角度來向外國傳播中國文化。

拉攏各國的賢能，就是拉攏各國的政治：

一貢監：考試入監，為秀才，全日制，全球通用；

一例監：財經界、企業主等捐資入監，主要用於歐美；

一舉監：現有官員入監，選擇科目，修一定課時，主要用於中華及周邊國家；

一蔭監：各國高層官員及其子弟，可函授或聽取網課，主

要用於家族制管理的國家。

（2）興科舉

科舉有成型的章法，根據需求，可以創立如下的考題。

經義：修身題、治國題。

策論：政信行政、政信經濟、政信變法、政信外交、政信軍民。

第一屆科舉採用網路投稿，選取其中一科以上，只要足夠深入就可以。

童子試是入監考試，中者爲秀才；鄉試爲正式科舉的第一次考試，中者爲舉人，文章檢查疏漏錯誤，更正理念，修整題目，重新規劃題綱，不斷更新完善；會試爲第二次考試，中者爲貢士，再對文章進行精簡，縮短篇幅，選取能留文百年、應用於當代者爲進士；殿試將進士排名，由君主根據其實用程度，分三甲榜單。三甲約一百人，製作文集以資政。

第一屆科舉，可以是君主下詔「舉賢良、直言極諫者」的具體行動。

中等人才看市場，大才一定不入俗。這次選拔，一定要選出一些民間遺落的賢能，這些人甚至不知道自己有治國才能。

得一時之功，用能。得百世之功，用賢。秦穆公用五羖大夫調內政，計賺由余霸西戎，沒人說他是偷來搶來的霸業，反而成就美名，成爲秦國統一大業的開始。在選才上，走不得捷徑。科舉只是選出一些人才，更多的人才需要不拘一格來提拔。賢人在朝，天下大公，禮樂自然興盛。

2. 諫御夷書

問：如何御夷？

答：明「三邪」，用「四御」。

背景說明：當今和歐美世界的關係一直是政府的痛點，從政治、金融、科技等方面受到壓制和排斥。然而和非洲等地區的合作，實在是獲利不多，還埋藏下許多隱患，不可持續。打敗競爭對手，並不在於直接和對手接觸，而在於利用創新手段，提高政治行業效率，從市場完成顛覆。本策問針對歐美合作，用作科舉、舉賢良的策論。

傳統中，中國一直是世界的中心。近代世界的重心轉移到了歐美，製造了許多混亂，未來還會轉移回中國。在這個過程中，是政治、經濟、文化、金融、科技的全方位轉移。找好自身定位，抓住市場痛點，提供更好的解決方案，才能主導未來的世界走向。

歐洲的政治、經濟、文化全都是市井文化，在當地根深蒂固。用無賴的方法很難打敗無賴，中國應打破框架，創新方案，盯緊全球市場，以百姓爲客戶，統御四夷。這裡以「三邪、四御」來說明。

一、歐洲「原罪」人群的「三邪」與解決方法

1、政治邪：新士族門閥就是沒有政治，用科舉來克服

歐洲傳播到美國，用來傾軋世界的「民主」，是從古希臘廣場選舉「哪撥人聲音大，就聽哪撥人的」演變而來，逐漸形成當今新的士族門閥社會。士族門閥出資，總統、黨派爭搶，和中國魏晉南北朝的士族門閥沒有本質區別。

其「民主」也並非「民主」，政府已經成為廣告公司，掩人耳目，打擊賢能，對政策資源的調配是在維護世家大族利益。不過其中的普選有一定的市場因素。

若以「行政」為「資源」，只有賢人才能正確調配資源，天下順之如同江河，以最小的管理成本，達成社會均衡。

一切政治歸結到底都會是人治，大眾的人際關係體現到政治上，會影響治理的效果。其中賢人的行為為「清」，各種利益關係的糾纏為「濁」。某些固定的企業建制，能夠盡量減少「濁」的影響。我們可以尋找一些較優的設置，它本質上不是「禮」，我們姑且稱之為「法度」。

其中「法度」之一，就是科舉，是士族門閥的剋星。

科舉不是一個完美的制度，但在行政資源不平衡的情況下，它是一個趨向於市場化的行政方略。只是種地前簡單翻土，就能夠減少很多政治缺失。百家爭鳴將行政可外包的部分進行了充分的市場化，達到了更為突出的效果。科舉翻的是行政更加深層、更難以外包的部分，能夠將藏汙納垢的地方消除。總體來看，行政市場化程度更深一點，就會對治政效率產生極大的提升，包括「禮制」在內的「法度」，從根本上就是要讓行政資源

更好地市場化，它才是眞正的「民主」力量。

　　政府是一個仲介機構、平臺，賢人利用這個平臺「無爲而治」，用民之力，成民之事，在控制盡量少的資源、盡少與民爭利下，達成行政資源調配工作，這不僅是「民主」，而且是眞正的「市場化」。

　　建議成立「人子監」，效仿孔子的大一統路線，在全球培養賢人，做全球化的公務員考試「科舉」，掌握了人才便是掌握了世界。以人子監推出百家爭鳴，是利用市場的力量來重構世界政治格局，可以「不勞而成功」。

2、經濟邪：當代金融體系是一場騙局，用貨幣民間化的傳統來打破

　　價格的基礎是稀缺性，稀缺性的基礎是有價值，因此比特幣等虛擬貨幣有缺陷。而金銀、布帛等都是行業商品。

　　貨幣也只是一種商品，需要增加其價值，才能獲得更好的交換效果，獲得牌照的王侯造幣，也會通過產品設計、行銷、推廣合作、促銷等活動，來幫助競爭存量市場、獲取增量市場。

　　自古貨幣都是偏市場化的，政府並不擅長貨幣經營，其適量壟斷是爲了獲利來維持政府運營，無創新，不產生利潤，造成了大大小小的市場困局。「法定貨幣」和鹽鐵茶酒等其它行業一樣，如果政府專營，其背後是集權壟斷，因此產生了有欺詐屬性的「信用貨幣商品」。宋朝出現紙幣「交子」，並未推廣開，明朝紙鈔造成通脹，是因爲紙幣本身就有缺陷，政府又不容易抵御誘惑，是一種店大欺客的企業幣。「信用貨幣」本身就是「沒有信用」的體現。

　　貨幣不是鋼需，交換才是鋼需。因此產生的流通需求，本

質是一種行政資源，政府需要「無為而治」，要調節而不是介入並爭利。紙幣本身不產生增量價值，不是生產資源，政府專營，只是增加流程、製造泡沫。

政府任何專營都是自營模式的「重新分配」，而不是平臺模式的「調整資源」，政府經營能力僅限於「均輸、平準」。

所以，首先，現代的紙幣是集權、政府地域壟斷的表現，割裂了世界，造成了百姓資產流失、經濟週期，衍生了許多龐大而無用的產業。其次，貨幣增發本身是一種欺詐行為，其衍生品更具有明顯的欺詐屬性。現代金融就是一場騙局，只是這種騙局維持時間比較長，敗裂後容易轉移成本和視線。

近兩百年才產生的現代金融十分脆弱，是泡沫金融。美國習慣推動戰爭來讓美元商品的流通能力大過石油商品，是一種低劣的行銷、不健康的競爭。這種情況很容易打破，那就是通過貨幣民間化來打破。中國在貨幣民間化方面的經驗遠超歐美，秦始皇統一貨幣本身，也是順應著貨幣民間化的主流。

土地是最穩定的幣種，原產物是最容易流通消化的貨幣。當前中國政府壟斷土地，可以在這個基礎上推廣土地數位資產貨幣和糧票流通貨幣，嘗試將它結合區塊鏈等科技以後市場化，能夠顛覆整個歐美的貨幣、證券市場。分享貨幣紅利給市場，整個市場都會幫助中國建立新的金融秩序，中國進而能獲得更多的市場。歐美沒有政府壟斷土地的文化環境，中國可以嘗試彎道超車，主導新的全球金融。

3、文化邪：野蠻人的「本體文化」與天朝上國的「本心文明」

人文體現為一個群體的「體質」，體質分為內、外，在內為心性，在外為身體。

首先，「本心」是光明的，是「文明」。中國「人人心裡有一個理，有一個太極」，產生的心性文明光輝燦爛。「心外無物」，「本心」是人類一切潛能的來源，也是一切美好的來源，是「人之初，性本善」的根基，世界上只有中國有「文明」。

其次，「本體」是晦暗的，是「罪惡」。歐洲人有著「原罪」，產生的人文是閉塞、不通暢的。「本體」是哲學研究的終極，認為它是黑體，是不可知的，產生許多荒唐、消極的思想。哲學本身也不具有創造性，它只是從否定之否定中認為萬物「不是什麼」，而不知道它「是什麼」。歐洲本體文化起始於「智慧就是奸詐」（伊甸園），在哲學上延伸到了希特勒，教化上延伸到「七宗罪」。本體文化在全球的放縱是很有毀滅性的。

再次，介於這兩者之間，是「本心文明約束」與「本體放縱」之間的鬥爭。比如佛教，認為人有「貪、嗔、癡」，這三個屬性是對「本體」的總結，不加約束會產生「七宗罪」，加以約束會成就本心文明。

另外，簡單來說，「Philosophy」是一種小兒科；心理學分為心學和理學，而「Psychology」應當翻譯為「精神病人思路猜想集」；歐洲的「民主」是亂政，禮制的「無為而治」調整行政資源而不佔用，用民之力，成民之事，是真正的市場化、民主。

總之，「本體文化」類似於牲口吃的草料，不適合應當吃精糧的中國人，會拉肚子。但是牲口的草料裡摻點精糧，是會讓牲口更加精神有幹勁的，中國的「本心文明」潛能巨大。

二、未來天朝上國的「四御」

1、術御：以王道為全球行政管理提質增效

中國傳統行政方略有「帝道、王道、霸道、雄道」，對應佛教以金輪聖王治理四方，銀輪聖王治理三方，銅輪聖王治理二方，這三者為「財輪王」，以經濟協調世界。鐵輪聖王是「軍輪王」，以武力統一一方。

帝道是聖王道，制定標準，全球願意做你的分部門；王道輸出管理和行銷，全球願意做你的分公司；霸道輸出產業鏈合作，全球政府願意做你的友商；雄道之下全球都是競爭者。

未來全球化依靠「王道」。「王道」的核心是十分優秀的管理能力，能夠通過反省自身來達到天下大同。君子內明，行政昌明，行政成本低，會在不同範圍為人所用，表現為王道覆蓋的面積不一樣。

政府應當聚焦治政主業，輕資產運營，錢多了會縮短事業的壽命，遲早被各種競爭和人力成本拖累。當你的管理理念、運營策略只能養護一個企業的時候，業務拓展能力就沒有了。當你開始做具體的業務，說明你的管理理念只能養活一個企業。做得越多，效率越低；做的越少，反而能夠有更多精力來恩澤天下。

民生總歸會交給一個個政府、企業來做。當你把具體業務出讓，養了一群閒人（賢人），別人都圍繞在你身邊，競爭者也採用你的標準，四夷競相來朝拜，事業就會迅速拓展開。

全球企業能做到三千年的，有孔子、釋迦牟尼、老子等。這三人擁有最好的管理，在三千年不斷有新的力量加入，並對自身進行改善；最好的產品，創造的IP經久不衰；最好的輕資產運營，製作標準，讓別人去做重資產。別人的經營不善，不會影響

自身品牌。

「與民爭利」是大忌。壟斷經營的大平臺，超過三百年的只有漢朝、宋朝，而且中間都經歷了二次創業。壟斷能力最強的秦朝只存活十五年。歷代變法往往是增強政府壟斷，在短暫緩解政府運營成本後，迅速衰弱和滅亡。讓利於民，理念不斷創新，被廣泛採用，大量的依附者、子公司、分公司就會出現。

政府是市場的一部分，市場的失靈是因為政府的干涉，需要用更開放的市場來克服市場的失靈。國與國之間的不融通，產業之間的隔閡是政府製造的，這也是歐美當今最容易攻擊的弱點。

君子受國之垢、受國不祥是調理內政、外交的最簡便方法，當一切社會問題聚焦到自身，君子轉個身，就能解決問題。外交上，小而無內，對方沒有攻擊目標。大而無外，變對方為己方，戰場在外。當對方的百姓是你的百姓，對方的國土是你的國土，他又能怎麼進攻你呢？

神農氏、黃帝炎帝、商湯伊尹、周文王姜子牙都是做全球大一統的，當今有建立相似功業的機會。

2、文御：禮制推廣真正的市場化和民主

哲學家執政是柏拉圖理想國家的核心，離開哲學王統治，正義的實現就成了一句空話。哲學王統治是合法的，其合法性不在於人們的同意，而在於哲學家基於智慧統治的自然正當性，無需經過人們的同意。

不跟柏拉圖繞圈子，直接說，「賢人」是「哲學王」的2.0版本。天下為公的基礎是賢人得位，因此賢人有天然正當性。孔子的說法是「臧文仲其竊位者與！知柳下惠之賢而不與立也」。

哲學王不必覬覦位置，成為具體的管理者。真正的哲學王、賢人，已經自然在執政了，孔子被稱為「素王」，行政標準能夠延續三千年。

行政資源產自百姓，君子想好自己怎麼可以不摻和，百姓就能用市場化的方式處理好政務。採用「禮制」，是百姓對君子發佈行政信號，君子通過「敏」來解碼並行動，因此，「禮制」就是民主，只是賢人才能保證這種「民主、禮制」的正確實施，才有了正當性。賢人是十字路口的交通指揮員，居其所，眾星拱之，大多數政府則傾向於在十字路口建個收費站。

禮制的民主含義可以通過兩句話洞察。一是堯舜時期「比屋可封」，百姓淳樸，可以挨家挨戶封爵位。最大的行政在民間，百姓調理好自身事務，是最好的行政官。二是「孝乎惟孝、友於兄弟、施與有政，是亦為政」。百姓生活方方面面都屬於行政，最大的行政是百姓對自身鄉鄰、家族、社會關係和事務的處理。

「行政」、「政治」這兩個詞已經包含「民主」，把行政看成一種資源、和糧食一樣的產物，它源自百姓。可以說「禮」就是行政資源的處理方式。上禮來自下民，「先進於禮樂，野人也，後進於禮樂，君子也」。行政資源來自於百姓，由百姓消化，是產生利潤的方法。

相比較而言，從古希臘開始的「誰聲音大，就聽誰的」，是亂政而不是民主，每天都是各種團體的鬥爭，沒有中庸之道的和諧，只是通過各種方式掩藏矛盾，社會治理成本巨大。「禮制」才是真正的民主，是兼顧全民的「大器」，是最低成本的社會治理。

「禮制」也是真正的市場化。

法制下的商業模式，是百姓不能做什麼，如徵信系統，效率低下，相互不通融。對外則產生了國家、民族、法定貨幣、跨國罪犯等，造成區域不平衡。

因為有關稅，所以有跨國貿易犯罪；因為有稅收，所以有偷稅漏稅；因為有專營，所以有非法經營。「民不畏死，何以死懼之」，正是因為各種條條框框的存在，所以出現了各種新奇的詐騙、各種違背道德的行銷，「導之以政，齊之以刑，民免而無恥」，只要不違法，就可以敗壞道德，不斷創新詐騙方式，增大社會運行成本。形成行政法律填補和創新詐騙的惡性循環，社會問題就不能解決了。市場的失靈是政府這個壟斷企業造成的，必須用更大的市場化來破解市場失靈。

禮制下的商業模式是真正市場化的商業模式，是可以為你提供什麼方便，人與人、商與商之間融通方便。禮治側重君子內治，外部無邊界，覆蓋面大，百姓免費幫助治理行政顧及不到的角落。

總體來看，禮治是低成本的市場化治理，百姓免費幫助治理。禮制下有法制，法制下無法制。法制約民，經濟蕭條。禮制約君，百姓和樂。

春秋戰國的百家爭鳴，都是一個個有能力的企業家，他們的觸手下至百姓商貿、工業、技術、農業的改善，上能改進行政效率，以自身來改變政治經濟生態。跟不上變革的國家會眼睜睜看著自身衰弱下去。

在這個基礎上，一國的關稅部門，可以服務於另外的一個國家。如果統一標準，培訓和學習成本也會大大降低。可以在全球成立行政市場化的工作部門，以極高的效率，來提供零關稅貿易、免簽證等業務，一方面服務於百姓，一方面對接政府。只要

有提質增效空間，就一定有市場，剩下的是看企業主如何打造合作模式和談業務。

3、政御：以人子監打造行政標準

成立「人子監」，託管孔子學院，打造為全球的黨校、文旅的連鎖品牌、新的基督教廷。

基督教中「人子」專指和耶和華聯繫密切之人，後來是彌賽亞的獨稱。新約中，耶穌以「人子」隱喻自己。在福音書中，接近八十次記載了耶穌使用「人子」的自稱。啟示錄中則記載，「燈檯中間有一位好像人子的，身上穿著直垂到腳的長衣，胸間束著金帶」。這似乎是說明耶穌再臨的時候穿著書生漢服。

舊約《以西結書》記載神多次稱以西結是人子，耶穌也用「人子」來自稱。

國子監在國際上培養「人子」，耶穌是「萬王之王彌賽亞」，從信仰和行政上有著關聯，便於推廣。

科舉制度作為全球性的公務員考試，可以挑選「人子」，培育「哲學王」，託管聯邦州、政府。

孔子學院作為國子監在全球的分支，教授語言和行政。現在孔子學院和大學合作比較多，未來它將成為大學的政府管理系。

一流企業做標準，二流企業做政府平臺，三流企業做產業。

孔子的標準已經延續兩千五百年，在這個標準之上，我們加以創新，形成道、德、仁、禮四層架構，有儒、釋、道、神等多執行緒運作，並以國子監為凝聚點，形成最強處理器，處理經濟民生問題，做政務諮詢。

　　作業系統以道家聖人之治爲心法，儒家禮治爲工具，相容聯合國等各類國際組織、WTO等各類貿易組織等應用，形成改良，促成新時代、新國際組織的出現。

　　打造全球統一的標準協議，包括較爲統一的法律體系、貨幣體系、政信指數以及選才體系等。主導科舉，爲全球性的公務員考試。未來爲進士安排各國實習職位，和孔子一樣，走行政人力外包事業。

　　全球不同地域的人文教化構成我們的顯示，容納的文化類型越多，核心越多，越能發揮更好的效果。而群體的評價，比如免簽證制度、戶籍制度取消、民族自然融合、關稅調整和取消等，將構成直接顯示效果。

　　背靠中華強大的語言（代碼語言），通過國子監的人才（RAM）及機構管理（主機板），與中華強大的人口和文化（ROM）結合，可以爲各類人才和思想提供舞臺。

　　古代家天下，孔子不得不依附於國君。在普選制度的國家，可以繞開總統，以「哲學王的自然合法性」來競選州長、總統、總理，形成對聯邦州的託管，推動政務諮詢業務發展。

　　比如，通過人子監培養哲學王、賢人，在美國可以形成印第安人、華人州長和總統。

　　在家族制的國家，則可以推動本國的政務外包業務、行政獵頭業務和客卿制度三個。本國政務外包是百家爭鳴的業務，有春秋戰國作爲實例，可以推動。行政獵頭也是有春秋戰國實例，其中孔子是佼佼者，培養了許多國師、總理。客卿制度則是當時各國或主動或被動發起的，比如燕國招賢「千金買馬骨」，齊國「鄒忌諷齊王納諫」，李斯解除秦國的「逐客令」，以及呂不韋案例中各國爭相聘請異國總理做顧問。

4、教御：以文旅建立人間天國

在教化方面，基督教是草料，如果加入精料，需要採用的手段是介乎兩者之間的「佛教」。可以把基督教做成佛教的分支，然後把佛教傳遞給世界。

第一，基督教的天堂是佛教、道教的欲界天，可以建設天堂小鎮。

基督再臨會在人間建立天國。佛教的欲界天，就是基督教的天國。天堂小鎮設計靈感，是佛教、基督教、道教諸天。

根據基督教說法，天共有七層或者九層，其中最高的第七層或者第七、八、九層，因為太過閃耀，普通的天人不能夠直視。希伯來人認為是九層，是因為他們自認為是座天使轉生，也就是色界天民轉生，能看清楚更高層一些的地方。

基督教能解釋清楚的六層天，和佛教欲界六層天不僅是相似的，還是能夠互相彌補的，其中各層天的管理者也能夠對應，這一點不再詳述。天堂小鎮的具體建設也不再詳述。如圖：

7图：天堂小镇-翅头末科技新区

大自在天	他化自在天	化自在天	兜率天	夜摩天	忉利天	四天王天
	智能物流园	龙域影视VR电商		天堂北街		
	科技产业园	科技商业中心	极乐公园			春秋战国孔子文化主题影视基地
大自在天社区	体育小镇	双剑园	华林道 兜率公园	虚拟现实高空游乐场	唐城大明宫会展中心	
	现代农业产业园	天池婆娑摄影	娑婆道 琉璃广场			
				天堂南街		
房地产	高端设备制造、体育小镇、智能物流、农业产业园	双创、影化园区、VR商业体验、VR电购、影视、婚纱拍摄	虚拟现实佛经表演、婚庆拍摄	高空游乐、3D影视体验	酒店、会展、禅修、旅游、3D影视	民俗表演、古商街、文娱节目、国学教育、影视拍摄

　　第二，基督教的天使完美對應佛教的天人，可以設計天使園林景區。

　　基督教、伊斯蘭教都來自於猶太教，有一個共同的大天使：基督教的米迦勒、伊斯蘭教的彌額爾，其對應佛教的彌勒，在第四層天居住，太陽天也即兜率天。也對應阿波羅、太陽神密特拉等。成系統的教化中，天堂及天使是比較共性的存在，普通天使可達的六層天國是佛道的欲界天，熾天使是無肉體的脫離輪迴者，智天使為無色界天民，座天使為色界天民。可把這些內容做成一個文旅園林。

　　佛教、基督教、道教IP合一的關鍵團體——天人及九階天使：

　　按照基督教已經公認的天使體系，天使分成三類九等，其中較低的六等分佈在欲界天，對應欲界六層天的教化。還有三等高等天使，分別是熾天使、智天使、座天使。基督教對他們的描述完美對應佛教對各天人的描述。

　　第三，《啟示錄》就是《彌勒上升經》的人間版本，可以修建啟示錄園林。耶穌再臨的時候，和彌勒上升的場景是一樣的，可以說把兜率天的淨土帶到了人間，實現耶穌人間天國的願望。

　　第四，根據基督教的描述，「上帝」就是「道」，《聖經》第一句就翻譯為「太初有道」，「道」在人這裡為「太極」。基督教為「religion」，「ligion」是「團體的」，「re」為首碼，「religion」是「社團教」。根據這些，將建設「祖廟」，包括太極殿、民樂廣場、本心樹、本體樹、祖祠、宗祠、民祠、社祠。太極殿有「道德仁義禮樂」的AR體驗，民樂廣場有「啟示錄」MR體驗，本心樹、本體樹有MR體驗，社祠將耶

穌、穆罕默德、摩西加入歷史人物封神台，作爲某個角度的標竿、模範。通過百教融合，將它們分類放置在一個教化超市，收納入中華文化。

3. 諫改制稱霸書

此諫書是繼《諫用賢安邦書》《諫御夷書》後的第三封諫書，是爲君主的處境憂慮，也爲天下百姓、民族發展憂慮。

最近在微信、百度等網路軟體看見君主鋪天蓋地的報導，言論限制卻越來越嚴格。當初魏武侯乘船順西河而下，對吳起說：「山河穩固，是魏國之寶！」吳起說：「在德不在險。君不修德，舟中之人盡爲敵國。」因此感覺君主的處境並不樂觀。

一、君主的三大憂患

君主當前已經面臨三大憂患，第一，是百姓的憂患；第二，是朝臣的憂患；第三，是外夷的憂患。總體來看，是沒有新制度的憂患。

第一，百姓的憂患，在民心的喪失。

聽某計程車司機評論，君主剛上任打擊貪腐，看起來很是英勇有擔當，可現在把國家、民生管成這樣。百姓不能發表不利的言語，我聽到有人說，現在歌舞昇平，媒體歌功頌德，百姓發不出不同的言論，比上幾任的言論環境還要差。朝中官員尚且會隔開君主和百姓的距離，加上如此自絕於百姓，恐怕未來民心更加喪失。如果只是歌功頌德，如同踩在沙子堆積成的宮殿上，將

自己置於危險中。

第二，朝臣的憂患，在沒有更化下的利益不饜足。

君主前些年打擊貪腐，去除一些小的士族門閥，但是並沒有從根本改掉士族門閥制度形成的基礎。經過多年修政和更換朝臣，仍舊有士族門閥掌控局面，更何況自古憂患多發於內部親近的人。如果政治經濟環境越來越差，那麼再集中的權力管理，也會如同潛到水裡的船，再怎麼補漏洞，也會從各處滲透、敗裂。

第三，外夷的憂患，在日益窘迫的中西分化。

中國當今與歐美的對立，是歐洲非主流（馬克斯）與主流之間的爭執，並不牽涉到中國本身的歷史文化體系。糾纏於此，像是駕著獨木舟在波濤洶湧的大河裡行進，再好的駕駛員也難以駕馭其未來。

以上三類困境，在於沒有新制度。

制度變革在十幾年前就已經開始提了，當前中國所有的改革最終都難以湊效，在於政治制度變革無力。不改制，不興禮樂，不可能帶來長治久安，誰主政對百姓來說都是一樣的，都不可能帶領中國走向世界第一。實際上君主的改制已經走出第一步，君主接任之前已經遭受朝臣的憂患，後面的換屆又沒有新章程。君主恰逢改制的時期，有意無意間都在進行改制，不管未來改制效果如何，《推背圖》等均預言二十年後的換屆很可能引發內亂，而在這之前是長時間的國困民乏。制度的貫徹，理念的端正，賢人的出現，才能盡量減少對百姓的妨害。

「受國不祥，是為天下王」。受命改制，一定會朝著天下霸主的方向走。這樣外能揚國威，內能制亂局，讓百姓和朝臣有

更多順服，即使照顧不周，也無愧於天地民心。建議採用「尚古改制」，改正朔、易服色、制禮樂，以示受命。西方的政治是在愚弄百姓，可中國的政治有「天」在看著。這裡建議君主先要做好六大更化，能夠有稱霸的基礎，接管世界的主導權。

二、君主成就「新霸主」的六大更化

中國有最優秀的百姓、唯一的文明、最優質的市場，自古是世界的第一大國，是天朝上國。但是目前有一些執政理念有偏差，這裡提出六大更化，做好後，可以為未來奪回世界主導權鋪平道路。

第一，用「賢」勝過用「改革」。

歷朝歷代最終都是被高昂的人力成本（貪腐）拖垮的，自古變法一是精簡機構，分利於民，減少人力成本；二是加強壟斷，把經營不善的成本轉嫁給百姓。前者基本上是新王改制，發奮者比如漢武帝會使用「新王必應天改制、應人制禮」，舉賢用能、擊匈奴、開西域、平南北；後者是朝代中後期面對社會矛盾的被迫應對，在打激素以後走向混亂和衰亡。

改革是個天使投資，「利不百，不變法；功不十，不易器」，改革七分毒，帶不動經濟發展，大多數只能帶來政府財務報表的好看和百姓的更加貧苦，改革是遮掩矛盾之術，隨便的改革不如不改革。

「聖人不易民而教，知者不變法而治」，賢人才能帶動好的改變。制度是死的，律法都是相差不多的，一個刀具在廚師和

殺人犯手裡會產生不同的效果。變法往往不是因為「法」本身有問題，一切的治理到最後都是人治，只有好的人才選拔機制和成熟的禮制環境，才能「不變法而治」。用賢人來強經濟、節政，這是做霸主的基礎，也是任何霸業的起點。

第二，用「禮」勝過用「依法治國」。

眞正有用的都是「潤物細無聲」，口號式執政都是因為欠缺。提出「依法治國」是因為沒有權威的法律執行。

「失道而後德，失德而後仁，失仁而後義，失義而後禮。夫禮者，忠信之薄而亂之首」。提倡禮制尚且不能達到好的效果，提倡法制的世界就是一個亂世。

「禮樂不興則刑罰不中，刑罰不中則民無所措手足」，沒有禮樂就沒有法制，「依法治國」只是用來限制百姓手足。最高層各種自貿區、新區的設置本身就是不遵從法律，卻很難被意識到。所以「依法治國」不會帶來法律的有序調整，只會帶來更多的法律操控、利益紛爭。

「道之以政，齊之以刑，民免而無恥；道之以德，齊之以禮，有恥且格。」官員不守法，是因為沒有「禮」的自覺，利益空間又大。「依法治國」就是在不斷更換法律和不斷拓寬違法邊界之間惡性循環，社會治理成本會越來越大。

「代大匠斫，稀有不傷其手者矣」。對內來說，君子重禮，下屬會貫徹法制；執政者重法，下屬會貪贓枉法。對外來說，「依法治國」用來束縛官民尚且自顧不暇，「禮」則是春秋第一霸主齊桓公駕馭各國的法寶。興禮樂文明，是中國在世界上樹立標竿的重要法寶。

第三，用「孔子」勝過用「馬克斯」。

用「馬」可以奪天下，但是用「馬」不可以治天下。當初毛強制用馬克斯主義，許多人反對，民間和朝廷都發生血案。鄧要摒棄馬克斯，卻留下了「政府壟斷」這個讓士族門閥快速生長的溫床。對外則形成了中國與歐美的直接對立，當前歐美對中國文化心嚮往之，然而對馬克斯卻避而遠之。

因為沒有「中國特色」，所以才會提「中國特色」。君主如果只是繼承前人的「口號式執政」，沒有依賴自己的新制度謀局，就很難得到普遍認同，恐怕未來會有許多被動。

「其或繼周者，雖百世，可知也」。孔子創造三千年的行政標準，形成完善的選才體系、執政體系，能夠保證江山穩固，以威德照耀四夷。用孔子是有百利而無一害，使用儒家體系，能招攬天下賢才，用科舉打破歐美士族門閥的政治體系。

第四，用「王道」勝過用「互不干涉內政」。

和流氓交涉，如果急於為自己辯解，那麼永遠也不能擺脫困擾。「互不干涉內政」本身就發源於歐美，卻沒有成為他們干涉他國內政的限制，我們為什麼要遵守？

大國外交，最直接、最節省成本、見效最快的就是參與別國內政，這也是外交的主要職責。如果不影響到對方內外政治，那還需要外交做什麼？

官辦外交機構是打工，「互不干涉內政」可能對他們來說比較實惠。百家爭鳴的蘇秦、張儀、公孫衍，都是直接參與別國內政，把線下成本巨大、達不到效果的外交，以線上資訊溝通的方式達成。因此，「不干涉他國內政」本質是外交無能，不合情理也不合實際，毫無說服力。

　　跟「王道」相比，「互不干涉內政」又是「不義」。天子以天下百姓為自己的百姓，看到別的國家存在不合理，對百姓形成欺壓，要以上天的名義來糾正這個錯誤。

　　霸主駕馭大國內政，主導小國內政。王者「修廢官，四方之政行焉（主導大國行政人才選拔，政通人和）；興滅國，繼絕世，舉逸民，天下之民歸心焉（主導小國建設和秩序調整，替他們選擇有才能的人來治理，百姓歸心）」。「互不干涉內政」不是有責任的大國應當秉承的原則，也不是能夠讓四夷順服的原則。

　　如果把中國的制度拉回正軌，以王道提攜，能夠化解中西對立。用於燎原的星火，就是將中國傳統的「國子監」修改為「人子監」，「匯人子，育哲學王」，用科舉做全球高層行政人員選拔，以新的基督教庭來統領西方的政治、文教。

第五，用「民」勝過用「權貴」。

　　有效的人才流動是政治清明的基礎，百姓有晉升和參政的空間，是政治穩固的基礎。自古注重選賢任能，用民之力，成民之事，形成人才和階層的「鬆土」。科舉出現，士族門閥便逐漸消失。科舉下的文官對各方勢力形成制衡，天下才能昌平。

　　自從使用馬克斯，門閥士族尋找到新的寄生土壤，恐怕未來造成中國如同魏晉南北朝一樣惡劣的風氣，不能興強盛朝代的禮樂教化。政府運營能力僅限於「平準、均輸」，士族門閥只會用權力與民爭利，在這樣的利益分配下，所有的改革都會是無效的，經濟會長久低落，人才很難有出頭之日，中華就很難成為全球的統領。如果只為士族門閥代理，做君主久了又有什麼意義呢？更何況士族門閥的政治環境很不穩定。

　　民爲政本，縱觀歷史，只有順民心，使用中華原本的禮樂和經濟制度，才能在中國建立百年以上的朝代。本朝國運也有定數，需要有大能或有德的人重新修正禮樂教化、經世濟民，恢復天朝上國的歷史主流。君主應當因勢利導做賢君，興科舉、創「人子監」會是不傷大局的燎原星火，直接從美國點燃，引燃歐洲。美國政治家的猖狂是因爲其容易被攻破，需要有合適的工具來攻破。

第六，興「禮樂」勝過重「憲法」。

　　禮樂就是比憲法更深入民心的行爲章程，是「居其所而百姓和朝臣拱之」的行爲法則，人人都會由此萌生出社會責任感，進而達到「比屋可封」，人人都能幫助執政。

　　孔子說「安無傾」，百姓之不安，在於沒有文教。文教在於興禮樂，先進於禮樂的是鄉野百姓，後進於禮樂的是君子，只要放開文藝和言論的限制，禮樂自然興盛。君主重點要管理的，是朝廷的禮樂秩序，興科舉，辦人子監，從一些並不引起強烈變革的地方來推動，四兩撥千斤，達到「聖人不易民而教，知者不變法而治」。

　　王者、霸者應當以新的法度安民。興禮樂是改善土壤，只有土壤改善了，才能生長出新東西。現在舊的土壤已經毒害過深，百姓不安於外，朝臣不安於內，災害與污染嚴重，外夷虎視眈眈，君主的處境會越來越危險。所以一定要有不能離開君主的法度變化，改制度、興禮樂，讓新民、新官仰賴自己的新法度，進而催生新的外部環境。

　　孔子周遊列國，只有禮制、王道可以賣；商鞅尋覓明君，是爲解私人困窘，所以拿了帝道、王道、霸道三種產品。我雖然

發於私人的困窘，但是只有王道、禮制的一些細枝末節可以賣，
推薦的霸道也不成型。言論雖然不合法規限制，但也是較爲忠直
的想法。囿於他人會喪失賢能和解困的方法，囿於自身會陷入閉
目塞聽的牢籠。望歷史長河，竊認爲，行有德之政，承襲禮樂文
明，無愧於民族大義，是爲君者應當謹記的。

4. 諫用民強政書

此封信是《諫用賢安邦書》、《諫御夷書》、《諫改制稱霸書》後的第四封諫書。古人說「事君三諫不從則去，不去則必召禍」。「以道事君，不可則止」，三諫不從，已經盡到君臣之義，我身為一個小民，這次斗膽寫第四封諫書，作為最後一封諫書，是假託仁心報百姓之恩。如果能得到君主回信，會萬分感激。如果得不到回信，或者給君主造成困擾，也希望能得到諒解。

近日買了一本歷朝諫書的集子，讀了幾篇，幾乎都可以作為現在的警示，只是現在歌舞昇平，很少有人能正視這些問題。於是感覺，我們相對古人已經十分落後了。即使漢文帝、唐太宗這些靠近朝代前期的君主，承受的壓力也不比君主小，改制的難度也不比君主小。君主的痛苦是百姓的福分，身在高位，受國憂患，國泰民安；稍有懈怠，就會損國疲民。言辭不激烈，不能夠引發重視；不發奮痛斥，難以去除積屙。因此在這裡斗膽將心裡所想的事情直言，期待明君的重視。

第一，內部經濟的畸形、爛瘡。當前的百姓與政府已經越來越對立，不成系統的人才選拔、士族門閥的猖獗、政府壟斷的強勢、階層的固化，都讓百姓和政府之間的關係越來越疏遠。觀國內經濟，看起來肚子很大，但裡面全是寄生蟲，百姓已經皮包骨頭了，卻不正眼看一下。朝廷主導各類民生建設，眼睛裡全是錢，一動一靜都關乎錢，官員先富了自己的腰包，卻把真正的執

政方略拋諸腦後。行政依靠口號和夢想，肆意擺佈法律政策，誤導民資，有些行動一兩年之內就可以把行業搞垮。很多奇怪、有想像力的口號、戰略剛出來，就被人看出來已經死了，卻還能一層層壓下去，執行得不倫不類，為了一個人的業績，造成眾多百姓的痛苦和損害。貪官污吏充斥朝堂，打走一波又來一波，廉潔的人恥於與朝堂上的人為伍。

第二，內部經濟的高血壓。「均無貧」，貧窮是因為分配不均衡引起的，政府隨意摻和各行各業，想要脫離貧窮的人找不到工作，努力工作的人掙不上錢。各層官員為了創造業績和方便管理，聚攏百姓資財回應「城市化」，百姓背井離鄉、妻離子散，兒童和老人得不到養護。政府壟斷民生資源，老百姓、企業有一半的精力是在給政府打工。百姓忙碌卻沒有收穫，勒緊褲腰帶，和政府、銀行、房地產商簽訂三十年賣身契，很多人想賣身卻不得，養了房子就沒錢養兒女，組建家庭就是一輩子的苦力，大齡未婚、家庭不幸的情況遍地都是。「不貴難得之貨，使民不為盜」，政府用「看得見的手」隨意主導市場價值，高喊口號給百姓鼓勁，騙子和道德敗壞的人賺得盆滿缽滿，勤苦老實的人撸起褲腿加油幹也掙不上錢，社會暴戾之氣嚴重。這些都是行政的過失。為政者轉身就能解決的問題，為什麼要讓幾億百姓拼命卻無所收穫呢？

內部經濟已經有畸形、爛瘡、高血壓。再看外部環境，行政、文教有軟骨病，經貿有糖尿病。

第三，對外的軟骨病。行政、文教向蠻夷卑躬屈膝，威嚴盡失，實在是讓人痛惜。天朝上國的子民，罕見地成為世界上的低等民族。狼性的奴化文化盛行，國內百姓生活、工作毫無尊嚴，富人長期以移民、留學為榮；對外忍氣吞聲，對百姓秀肌

肉，用言論和教育控制來愚民。各層官吏不感到恥辱，反而加大宣傳來刷存在感，爭執於名利，把百姓的血汗錢當做自己的榮耀。英語在各種場所普及，在教科書裡仍舊把中國描繪爲積貧積弱，讓恥辱橫加於年輕人，讓他們缺乏自主決斷。拋棄祖先幾千年的耕耘，把一個外來的馬克斯作爲屏障，搗毀重器，敗壞禮樂，讓成年人氣質萎靡。自古以來，一個安定朝代的淪喪莫大於今。

第四，對外的糖尿病。自古中國就是自然經濟，百姓生產，百姓消費。過去四十年政府的精心經營趨向於不斷弱民，百姓生產，卻讓外國人消費，「人口紅利」、「三駕馬車」這種缺乏良心的口號，竟然明目張膽成爲執政指導。政府壟斷運營，財貨不能到達百姓的邊邊角角，形成糖尿病，竟然通過外貿來消化，和放血一樣，百姓越來越忙碌，但是從代表財富根本的土地和房價來看，卻越來越窮。長久的糖尿病不治療，現在提出經濟內循環，是一種不自然的被動反應，像是不得已要喝尿，如果仍舊是「不均生貧」，會不會消化不良？

中國擁有最大的市場、最優秀的百姓，通過「退步」的方法不能糾正以往的錯誤，應當主動正視這件事，用民之力，來成就百姓的富足。

一、去除政府壟斷和產業政策，用民之力來富民強政

這部分說一些基本的觀點，重點要用第二部分的用賢建議來改制。

　　政府運營能力僅限於「平準、均輸」，市場行銷方略僅限於用政策壟斷打壓同業，對行業的優化發展沒有任何的好處。

　　在產業政策方面，政府的調控是虛假的，是仲介式的二手調控，恰恰是政府製造了行業的不均衡。不管是政府還是個人，能看到的明確能解決問題的方法，都是不能解決問題的，聖賢以自然縱觀全域，功成事遂，百姓皆曰我自然，雖然一般人不懂其原理，但這種「用民之力，成民之事」，沒有中間商賺差價的行政才是最高效的。

　　稅收的存在本身就會造成行業失衡，行政是一種資源，政府作為仲介，留下很多油水，比銀行這種間接融資的效率還要低很多。而且大企業病嚴重，效率低下。政府也是企業，屬於市場的一部分，與民爭利越多，漏洞就越大。市場的失靈需要打破壟斷，用更大的市場化來克服市場的失靈，所以政府不僅要退出產業政策，甚至還要通過百家爭鳴、科舉來推行政市場化，讓政府真正成為生產部門。

　　在土地方面，市場比政府更明白怎樣利用好土地，政府只要退出產業政策，市場就可以讓土地以較合適的狀態分佈產業。土地沒有貧瘠與否的區別，有利用方式的不同。政府管理能力有限，才會有東西部差距、戶籍制度等。

　　農業作為支撐，是行政製造的不均衡的緩衝力、平衡力，能對沖政策造成的產業不均衡，和其他產業發展息息相關。需要政府退出產業政策，讓經濟自然發展，農業才有發展。糧食是天然的貨幣，比政府信用貨幣說服力更強，也更難受到政府的操控，產業政策和企業壟斷是同樣的性質，最終會引發市場的衰退。

　　貨幣方面，紙幣只是一個仲介，不能改變物物交換的本

質,而且紙幣在中國古代已經被證明是不成功的,政府不擅長對貨幣的深入管理,近代不足兩百年的政府貨幣體系是一場騙局。未來可以用貨幣民間化來推動全球金融體系的統一。中國的貨幣民間化歷史悠久,在這方面有優勢。

科技方面,產業政策不是科技發展的動力,市場才是。政府的補貼、引導只會引入許多食利的騙子,反倒攪亂了市場,最終是提高了準備好好做產業的企業、人的成本。科技方面政府沒有功勞,應當打開市場,甚至一定程度徵稅來提高騙子的成本。同時通過降低自然資源壟斷,來降低社會運作成本,活躍市場,百姓自己會做好科技研發,通過支援實體經濟、穩紮穩打來獲取收益。

對於產業,一定要秉承「治大國若烹小鮮」,減少百業之間的隔閡,減少行政的干預,需要更穩定的自然經濟,把所有的產業當做一鍋炒,不能推出產業政策,為培育某品種的幾棵樹而改變土壤環境,造成大的空虛。小國是試驗田,若烹大鮮,小地謀耕耘,可以有產業政策,也會引發明顯的興衰週期。

醫療在當今似乎是稀缺資源,但它和教育資源一樣,是政府壟斷以後形成的某些行業欠缺的突出表現,偏向於「公共產品」、「公共服務」的產業,基本都是因為政府壟斷所致。有需求就一定有市場,就一定有利潤空間。因為政府某方面的低效或者對市場的扭曲,讓這些行業遭遇困境,實際上放開後會很賺錢,比如高速公路、銀行就非常賺錢。由政策掌握某些產業的變動的部分,構成對邊際需求的限制,容易導致更迭速度變慢,小成本計算成無底洞的大成本,實際上是阻礙了物品的生產效率的提高,阻礙了物品的普及,成為惡性循環。

所謂「市場失靈」依賴最稀缺的資源、最遠的需求、最低

的使用頻次、最不靈活的調度。最符合這四點的不是醫療、教育，而是行政失靈，而行政也需要通過市場化來提質增效。科舉、普選都是打破壟斷、改善階層分化、選出人才的市場化方法。

國有企業方面，凡是賺錢的政府資產都應當賣掉，減少與民爭利，讓政府專注主業。能賺錢，那麼百姓會自己把事情做好。不能賺錢，說明不是假的需求，就是因為政府壟斷而且低效造成的，可能政府有錯誤認識，做了一項錯誤的規劃，那就更應該放開市場，讓民資嘗試用新的手段來提供需求。就算是有不賺錢的產業，政府反而賺錢了，那說明一定是壟斷和扭曲了市場，讓市場補貼了政府。政府不是生產型企業，任何生產性行為都容易造成市場扭曲，只可提供主業相關的服務來獲取報酬。因為以上原因，國有企業不賺錢就不能上市，如果賺錢，就不應該讓國企來做，更不能上市。

政府對百姓、政府之間的爭權奪利是一種本能的反應，在國際上也有表現。價格的形成是由稀缺性、價值、勞動成本等通過市場的調整來形成的，政府習慣於通過強力壟斷，在市場調整的過程中爭權奪利，造成產業不融通。其中某些產業，比如石油、貨幣行業，歐美會以軍隊戰爭、貿易或金融戰爭來破壞正常的市場。

產業政策是「損不足以奉有餘」，不管是出自於好心還是壞心，沒有賢人的政治都是誤導市場、誤導產業、誤導民資，「均無貧」，政府造成的不均衡，也是產生貧困、讓百姓找不到工作難以生產有價值物品的原因。

當前的教育只是資本遊戲，在就業率和工資方面，不是教育的結果，而是教育補貼的結果。財政表現為淨利潤，財政對學

校、學生補貼，進入企業，相當於補充企業的淨利潤，撬動資本槓桿造成不均衡。人才方面，自古只有人才選擇教育，沒有教育能選擇出人才，眞正的人才都是來打破行業規則，打破固有的教育體系的。教育內容方面，則是「一個做科研，百個做陪讀」。當前的教育脫離實際應用太遠，對市場干涉太強，已經不知道爲什麼做教育了，和當初廢除科舉來給現代教育騰挪空間一樣，現在的教育體系已經成爲了浪費人才精力、胡亂製造行業門檻、固化階層的地方。最好的方式是去除教育部，去除教育壟斷，去除政府引導，去除學位證壟斷，打破固化、低效的現代教育體系，讓市場根據自身需求構造新的教育體系和學科體系。

　　貨幣體系和鹽鐵一樣，都是政府很願意壟斷的行業，但是政府並沒有經營能力。推廣開來，思想領域政府也願意壟斷，但是「先進於禮樂」的是鄉野百姓，政府的壟斷肯定會形成思想的禁錮，造成創新的停滯，導致禮樂不興。「孝乎惟孝，友於兄弟，施與有政，是亦爲政」，百姓的一言一行都是在行政，如果信不過企業，又爲什麼又要政府來做二手調節？如果政府專注自己的主業，就不存在地區發展不均衡。治理能力最強的是市場，最敏感的也是市場，政府不擅長任何具體事務，最擅長的應該是，君子反省自身，想辦法調動社會處理行政資源，讓社會自己來治理自身。政治就像疏導水流一樣，不應當把產自於市場的行政資源先弄到自己池子裡，成爲死水或者爆發洪水。君子的具體的業務越少，管理的疆域範圍就越大。君子越不與民爭利，百姓就越依賴。

　　總之，一定要打破政府與市場的二元分化思想，因爲政府也是市場的一部分，而且是地域壟斷企業，本朝從開始就出現的許多問題都與此相關。

　　雖然經濟的沒有章法不是君主造成的，但是君主繼承前幾任的管理，承接國之重器，恰逢需要改制的時候。前人都忙於低頭衝業績，忽略棟樑的腐蝕，給繼任者留下禍患，如今已經到了矛盾爆發的時刻，國家已經危險了！

　　不知道現在的選舉和治理體系，爲什麼會讓君主們這麼辛苦忙碌。每一屆都把政府企業業績、稅收、GDP、基建標竿工程當成自己的目標和功勞，拿來歐美許多類似「通脹與就業率」之類的奇葩理論，一邊印錢、一邊對比之前的數據，根本看不到治國的基本事實。政府不是生產部門，GDP竟然能和政府有直接關係。看到哪個行業有潛力，就伸手過去，把功勞當做自己的，如果把產業敗壞了，就把罪責推給市場，都治理七十年了還在推脫說中國基礎差、底子薄、教育差、市場不完善，拿歐洲的歷史來證明「不搶劫就沒辦法富裕」（原始積累）以推諉責任。到處搜羅能證明自己功勞的數據，爲了業績能扭曲整個市場，百姓再努力和勞苦，也不能讓在位者壓足。以爲政府的壟斷能夠避免那些民生困境，實際上造成了巨大的民生困境。荒廢了行政，已經積重難返。君主如果能改變選舉體系，還需要用「更官名」等改變之前錯誤的執政理念，改農曆、易服色、法制度、更官名、興禮樂，一樣也不能少，其中選賢是第一位。在產業政策方面，沒有任何可擔心的，只要放手給市場，中國就是世界第一。

　　董仲舒說，國家將要發生違背道德的敗壞事情，那麼天就降下災害來譴責和提醒它；如果不知道醒悟，天又生出一些怪異的事來警告和恐嚇它；還不知道悔改，那麼傷害和敗亡就會降臨。以往禮樂不興，百姓貧苦而且道德淪喪，如今天災疫情出現、經濟蕭條，新聞上便多出了許多父母殺子、子弒父母、丈夫殺妻子、男朋友殺女友、鄉鄰殺鄉鄰的新聞。爲君者應當爲此感

到惶恐。

董仲舒說，天對人君是仁愛的，希望幫助人君消彌禍亂，如果不是非常無道的世代，天總是都想扶持和保全他，事情在於君主發奮努力罷了。本朝從開始的時候就很不開明，可百姓中仍有許多支持者；即使違背輕徭薄賦的傳統，通過一些並不高明的政府干涉，經濟仍舊在發展。如今中國經濟成爲世界第二，只是中華依靠百姓的潛能進行回歸，尚且達不到第一。如果爲君者不能找回天朝上國的榮耀，只是提倡法制社會，通過增加百姓行爲成本來進行管理，那麼上天的保護也終有被突破的時候。

二、去除貪腐，引入棟樑做支撐，用百姓之力重修大廈

貪污是因爲政府職位存在大量利潤空間。首先是用馬克斯的奇說，讓政府大量壟斷民生資源，官員掌握巨大的權柄，如果這種體制不改，那麼去除一批貪官，還會來第二批貪官。其次，去除貪官以後，沒有賢能的人來替補位置，上來的仍舊是道德敗壞的官員。

官員只是打工者，有多大的利潤，就會吸引多少食利的公務員。官員沒有好的職業操守和晉升途徑，依靠家族、巴結上位以後，就開始魚肉百姓。官員的習性帶入各個企事業單位，引發整個社會企業的乖張暴戾。「虎兕出於柙，龜玉毀於櫝中，是誰之過與？」老虎蒼蠅坐廟堂，經濟灰犀牛對百姓橫衝直撞，人才毀在小房子裡，到底是爲什麼呢？政府養這麼多沒有用處的蛀蟲，僅僅是爲了讓自己建造的大廈早些倒塌嗎？

與其將政府官職、俸祿養蛀蟲，不如送給有才德的百姓，讓他們幫助治理。有了好的百姓參政途徑，民不嫉恨。用民之力，效率極高。

第一，恢復國子監和科舉，引賢才入朝。

政府擁有政策資源（立法，收集專營權），行政資源（義務，行政產自民間），稅收資源（根植於地租），自然或行業資源（經營性資產，國企）。自古以來科舉制等都是以行政資源為突破口，因為只有行政資源對政府來說是負資產，政府很難經營好這一塊資產。孔子的民間帝王功業能成功，百家爭鳴能出現，就在於當時的政府沒有執政能力。如果沒有執政能力，再多的錢也不夠花。PPP是政府和民間合作，更應當是借用百姓的智力，而不是貪圖百姓的錢。

經營性資源是「開源」，行政資源是「節流」。為君應當把行政做好，如果不懂得節流，是沒有底的水桶，開源再多也沒用。效益比不上市場企業，人力成本越來越高，壟斷經營又降低整體效率。

借用民間的力量來理政，就需要恢復國子監和科舉，引賢才入朝。人才入朝以後，就可以「不易民而教，不變法而治」。

春秋時期，劣幣驅逐良幣，質次價高的商鞅賣出了自己的產品，孔子的賢人獵頭業務只是在小範圍試用。有了孔子禮制下的賢人執政，就可以不用商鞅。「帝臣不蔽」，只要換血，瘡口就會長出新肉。蒼蠅老虎打不完，可以換大材來頂替。不會有上樑正可下樑歪的情況出現，維持低效率，讓蒼蠅老虎和自己一起吃飯，牆角只會爛的更快。

孔子的用賢執政方略走不通，戰國時期各國就只能走外聘

管道，找改革家來刮骨療傷、截肢，可是把成本轉嫁到了改革家身上。吳起、商鞅落下慘烈的下場，一個被亂箭射穿，變法被全盤推翻，最後楚國被滅掉；一個被車裂，滅了三族，給政府信用又抹了黑。拿金錢讓改革家視死如歸，又增加了變法成本；如果改革沒成效，又是勞民傷財。

有問題的是政府管理，而不是百姓，為什麼要把成本轉嫁到百姓身上？花點工資招攬賢能就能清洗乾淨，能省下大量的行政成本，誰也不會受到傷害，卻非要付出改革家的買命錢，內部阻力成本，百姓遭受苦難的成本，和所有變法在品質上很低下的成本。

自古政治群體中，帝王凝聚主幹，外戚奪利，功臣裂國，宦官亂政，世家大族摻和朝政。只有文官體系調和各方勢力，上能維護中央權利，下能維護百姓安樂，成為清流。當今全球沒有政治，各國政府都是地域壟斷企業，行政方略全都是錯誤的，教育方式也是錯誤的。歐洲將原罪和劣根帶往全世界，其政治、經濟、文化體系都不可照搬，人才選拔體系更是不可照搬。不同目標和背景的人，用各種方式進入官場謀利，讓官場紛繁複雜。現在的大學教育仍舊有政府管理學院，公務員考試培訓，是教育培訓市場的一股重大力量，有多大的利潤就吸引多少人，考公務員的競爭仍舊激烈。公務員考題返璞歸真，考一些十四歲孩童才能做出來的題目，讓國家治理趨近於兒戲。公務員考試選雜役尚且要返璞歸真，正規的行政官職，一定要有章法。成人版、有行業規則的公務員考試，就是科舉。為什麼不順勢把更賺錢的官員職位讓出來，讓科舉中的賢能來代替蛀蟲，讓職位更陽光化運行呢？當前一切改革的核心，就是用賢方略；推動所有制度自然改革的方法，就是使用科舉。用科舉推出文官制度，是幫助中國走

出泥潭的重要支撐。

如今全球盛行的普選是士族門閥政治，科舉又是克服士族門閥體制的利器。以科舉作爲全球的高層公務員考試，拉攏各國賢能，開展「謹權量，審法度，修廢官，四方之政行焉（主導大國行政與人才選拔）；興滅國，繼絕世，舉逸民，天下之民歸心焉（主導小國內政）」的外交策略，是轉換矛盾角度，解決國內困局的方法。受國之不詳，應當瞄準成爲萬國之王的方向前進，以王道爲各國行政提質增效，自身的行政效率自然會上去。

當初齊國面臨內憂外困，管仲見到即位未穩的齊桓公，見齊桓公沒有稱霸的志向，就認定事情做不好，轉身就走。等到齊桓公答應開創霸業，管仲才能輔佐他調和內政外交。齊桓公只有中等人的才能，卻能九合諸侯一匡天下，救華夏於懸線，成爲春秋第一霸主，是因爲有人才的支持。楚國深陷士族權臣的危機，楚莊王隱忍不發，大臣不得已去發問，楚莊王才「一鳴驚人」，啓用在士族權臣制度下永遠不會被重視的孫叔敖，成爲一代霸主。所以爲君者如果沒有王者霸者的志向，沒有突破的勇氣，只會深陷內政外交的泥潭，註定難以主導天朝上國的未來。如今賢能之士散落民間，只待君主知恥而後勇，樹立王者霸者的志向。下詔興科舉、舉直言敢諫者，這些人就會聚攏過來。

第二，用民之力，行政業務外包引發百家爭鳴。

百家中留名最多的大多都與行政相關，通過法制構建、外交、軍事、體制改革提高了行政效率，讓一段混亂的時代光彩熠熠。當時的行政是市場化的，作爲企業的百家可以參與進來，外聘經理人、封地等合夥模式能吸納民間人才。政府做事效率低，沒有行政才能，外聘有才能的人能節流，比開源效果好。百家懂

得挖掘政府的需求，做出增量外包業務，爲政府提供不敢設想的高性價比服務。

當時百家的水準怎麼樣？楚王要把書社之地承包給孔子，將行政義務與稅收資源一併轉讓，宰相子西勸諫說：「國君的使節有像子貢的嗎？輔相有像顏回的嗎？官員有像宰予的嗎？孔子得到封地，以此爲根據地，又有賢能的弟子輔佐，這不是楚國的福分啊！」楚昭王就取消了封地給孔子的打算。

孔子作爲千年的聖人很難得，現在民間擁有大量的蘇秦、商鞅、百里奚等賢才，正在等著挖掘。現在全球是新的春秋戰國，先變法者才能成爲新霸主。

與行政外包形成對比的是行政承包，中央政府收取固定錢財，把權力壟斷下的地方灰色收入出讓給官員，這是賣官，相當於自挖牆腳。以乾隆賣官定價與2018年全國人均可支配收入換算，正縣級職務如果任期三年，每年需要五百六十五萬元收入才能收回成本。現在給予地方很大的民生建設權利，壟斷越大，收入空間越大。每年五百六十五萬元餵不飽一個縣長，也雇不起管仲、商鞅、吳起，但是只要把錢放在這裡，第二梯隊的李悝、申不害就會來應聘，由他們節省下來的資財就不可計數了。蘇秦做外交外包，商鞅做法制外包，都會產生實實在在的、可量化經濟效益。

世界上沒有貧窮的地方，只有貧窮的政治。援助錢是填不滿窟窿的，六十多年來，中國提供了四千億元對外援助，改用智庫援助會資金縮小爲10%以下，並能成就十倍以上的效果。如果推行王道和霸道，繞不開聘用民間的外交機構。

軍事之功在外交，外交之功在經濟，經濟之功在變法，變法之功在行政用賢。有效率提升空間，就一定有市場。打開市

場，一定有人來解決問題，提高效率。建議形成軍事、外交、經濟、變法、行政的「311」分支。一個支撐，是政信行政，支撐各國政府來提高自身效率。一個變革，政信變法，可以當做各類改革的統稱。剩下三個為指導。

太祖太宗的氣質決定一個朝代的命數，後面的職業經理人很難改變。現在朝代病得太久，很多積弊不僅難以去除，而且根本是難以被正視，即使明君也難以挽救其頹勢。君主之前的幾任已經各盡所能，做出了足夠的業績，留下了足夠的漏洞，掩蓋了足夠的矛盾，君主在此之上，已經很難有大的突破，更是難以躲過漏洞，不受國之垢去改制就不足以發奮。當前即使是認識到這些漏洞、矛盾，就已經能夠引發百姓的振奮。

這次諫書不顧個人安危，痛陳積弊，是為百姓和君主著想。借用仲長統的諫書《理亂篇》觀點，「又政之為理者，取一切而已，非能斟酌賢愚之分，以開盛衰之數也。日不如古，彌以遠甚，豈不然邪？」、「原來理政的人，只是承襲前任，按照當時的情況定出處理的辦法，並不能把正確的事和錯誤的事、賢人和愚人準確區分，以改變盛世和衰世的節奏。定下了規劃，時間一天天過去，卻和以前不一樣了，越來越離譜，難道不是這樣嗎？」雖然君主日理萬機，但是還是希望君主能跳出舊有的框架看一看身處何方。君主不受國之垢，百姓就要承受亂世之重。改制最好的方法就是「重賢」。古人認為，君主重賢，就可以「一白遮百醜」，因此挖掘賢人是首要的、百利而無一害的。即使改制效果不好，也會有賢能力挽狂瀾，君主在歷史上就有能夠稱道的事蹟。更何況賢人是改制的基礎，改制的效果需要看能請來什麼樣的人才。

從五羖大夫和張角的例子可以看出來，賢人不得用，是國

之不祥；能人拉出去單幹，政權就危險了。一根筆，幾張紙，遇見明君，能成就一個難得的賢人，爲中華復興帶來星火；遇見不敏的君主，能讓無數賢人籍籍無名；遇見心思稍有偏狹的君主，只是多出一個鋃鐺入獄的罪犯而已。面對中華的薪火、新變局，望君主能有英明的裁決。

5. 諫打虎拍蠅書

打虎拍蠅花費自身力氣，不如尋找賢人、把勞動權讓給市場。

一、關於打虎拍蠅

君主這些年打擊門閥士族，效果顯著，但是在經濟上還是收效甚微；清掃貪腐讓下屬驚懼，但是仍舊打掃不到邊邊角角。如今百姓的視角發生了變化，這一方面很難再提振人心；管理的方式沒有根本的提升，很難提高下屬效率。

蒼蠅多是因為屎多，老虎大是因為有養老虎的叢林生態，歸根到底還是體制有問題。

1、蒼蠅的問題

從管理來看，政府壟斷這麼強，縣長一年利潤空間就是一千多萬，不從工資裡發，就從灰色收入裡撈，壞掉幾十億的民生項目。土地是貨幣中的貨幣，政府紙幣是商品中的商品。地方政府壟斷最根本的土地資財，中央政府玩紙幣的花活。政府壟斷邊邊角角，但是沒有好的運營能力，讓民生資財成為化糞池。如此龐大的土壤不想生蛆化蠅是很難的。

從蒼蠅個人來看，守著數百億元的資財，卻想讓他們做價

值十幾萬元的工作。如果是覺得自己的事不值得用太多錢去雇傭他們，為什麼壟斷那麼多的事務而不放給社會？如果自己任能有問題，那為什麼給官員那麼大的權力？最終是自己製造貪官然後又打擊他們，形成巨大的摩擦成本。拍蒼蠅，下屬驚懼；去除舊的蒼蠅，新的蛆蟲又成為新蒼蠅；就算是苟且免於處罰，蒼蠅老虎也不會懷有感恩的心思。

所以為什麼不減少事權、削減官員，把節省的人力成本給剩下的官員，讓官員心懷感恩？再有貪污，那就是用人不當了。

更重要的是，這些事權在官員這裡，是施政成本，是腐敗的溫床。放手給社會，是就業，是利潤。

2、老虎的問題

老虎的產生是朝代的通病，到隋唐有科舉考試，將叢林資源大量分享給百姓後，才有好的文官管理制度。現在使用馬克斯的謬論，每一個謬論都成為叢林中遮擋獵人眼光的樹木；政府壟斷資財，為老虎提供了溫暖的窩。賢人卻沒有容身的空間。

老虎是和體制是共生的，蒼蠅只是在上行下效而已。如果打蒼蠅老虎，他們不僅會更執著於私利，而且更加沒有感恩之心，腐朽的船就會更加破敗。

君主的問題不僅僅在於打掉的老虎，而且在於更多看不見的老虎，揭開眼前的一片樹葉，可能就會看見很多隱藏的老虎。走的這樣的路，自身忙於很難見效的打虎拍蠅，想復興中華，不僅精力不夠，而且是南轅北轍。

總之，如果蒼蠅多，就削減行政對市場的干預，打掉腐爛的空間；老虎打不完，可以換棟樑來替代。一邊有貪腐的空間，一邊施壓給下屬，一邊驅趕賢人，誰都沒有感恩的心，反而會讓

根基更快被腐蝕。秦朝的縣令權力很大，貪腐很厲害，但是陳勝吳廣起來以後，並沒有誰能保護好秦朝。

二、化解貪腐的四個方法

孔孟講道理，滿口都是「仁義道德」，看似空泛，但是聖人馬上就知道該怎麼做；賢人督促君王，滿口都是「禮義蒼生」，明哲的君王馬上就開始行動；智者為君王制定條條框框，設立目標，有霸心的君王會打起精神來執行。愚蠢的人教君王如何打擊不聽話的臣屬，管理不守法的百姓，君王會陷入困境。

以下四個方法，都不是直接針對老虎蒼蠅，但足以「震懾群陰」。

1、用賢

用賢，是培育好根基的方法。

自古用賢不能設置條條框框，秦朝之前用賢更是不吝錢財。賢人是正統的行政者，如果他們默默度過一生，是對國家極大的危害。

興禮樂、挽傾覆、立國久遠的根本，在於選賢。大賢不是制度能選出來的，需要君主個人的眼光。以當前的經濟制度和社會環境，大賢應當存在於草莽之中，這就更需要不拘一格降人才。中小賢人可以依靠科舉等制度，將利潤高的官職分享給百姓，用民之力，成民之事，成就文官體制。

2、盡可能地放開壟斷

放開壟斷，是決勝於當下的方法。

如今的改革注重做好政府、國企的財務報表，以作為自身的功勞。但改革的成本是讓老百姓承擔的，國企的富裕是掠奪民企的生存資源，一手乾坤大挪移讓路越走越窄，社會運行成本越來越高。

政府不擅長經營。「國有體制」拿走了人賴以為生的自然資源；「人口紅利」拿走了人的勞動；「通脹與就業率關係」拿走了人口袋裡的錢；「專營權」拿走了人的勞動權；「法治社會」不斷提高人的行為成本；還不斷用「改革」、「產業政策」破壞市場的正常經營。自身卻成為產生蒼蠅老虎的溫床。

制定出一個政策，喊出一個口號，就會有數千個企業跟著走入虧損，多少專家跟著喊得聲嘶力竭，卻賣不出一毛錢。真正憂國憂民的賢能，連聲音都發不出來。政府壟斷的低效率，讓社會整體運作成本高昂，如今逐漸積累，會呈現兩個特徵。第一個，就是生意越來越不好做，創業者什麼事也辦不成了；第二個，是因襲以前的經濟管理和改革方法，卻再也不能跟以前一樣出效果了。

按照歷朝的改革來看，即使想要達到中興，也需要竭盡全力。如果不幸難以挽回頹勢，如果未來二十年讓社會的各個階層都會感覺到痛苦不堪，那麼就需要用第三種方法來避免更大的災禍。

3、開放言論

開言論，是坐在朝堂取得世界性勝利的方法。

自古混亂的時代居多，中華四分五裂，統一的朝代又各有

弊端。歷朝在位者享受盛世的歡愉，百姓承受由此帶來的苦難。全民都開始承受痛苦，那天命就會剝離。想想自中華人民共和國成立，一直不能恢復天朝上國的地位，百姓在國內和國際都遭受很多困難。面對未來，必須放開言論，引賢能和直言直諫的人，避免或減弱未來硬著陸對百姓帶來的傷害。

蘇秦和張儀線上打起一場思想戰爭，減弱了線下成本巨大而又無所謂的戰爭。思想戰爭越激烈，線下成本越低。如果眼光放到一百年，那麼科技戰爭甚至土地戰爭都是要打的，比當今的局面更殘酷。如果沒有打贏戰爭的市場體質，讓科技戰爭在市場解決，以王道統領世界格局變化，那麼百姓將遭受更多的苦難。

現在需要列章法，以行政、經濟、改革、外交、軍事五大領域引入市場智力，通過招賢、科舉等方法讓百姓幫助治國理政，是智力PPP。如果沒有智力，政府錢再多也不夠花。鄒忌諷齊王納諫。廣開言路，讓有意義的建議獲得獎賞，讓賢能的人凸顯，讓四夷順服，此所謂戰勝於朝廷。

4、希望：興禮樂文明

興禮樂，是決勝百年、福及世界的方法。

如今禮樂不興，基礎的經濟、金融、產業理念都是錯的，改革、選賢等方法又太虛，只是中間在強制執行很多東西，就像在湍急的水中想橫腰攔斷水流，沒有任何附著點，胡亂發力卻沒有結果。

現在的制度已經撐不起任何不觸動根本的改革了，因襲以前的體制和方法，已經很難獲得更多效益。

以上的困境，在於傳統的喪失，而歐洲市井思想肆虐於中華。這樣君主看不見自身的弊病，臣屬不安於朝內，百姓不安於

朝外，社會運營成本巨大，羞辱和失敗就會不斷找上門。

　　禮樂是爲政者遵守章法，百姓自然生產生活，文化和市場興盛，百姓能自然感受到生活的和美，從生活中挖掘出快樂，民俗和音樂歸於淳樸。這是「百姓皆曰我自然」的美，「生而知之者，上也」，生而知之的包括父母兄弟情誼、與人爲善的本能。「孝乎惟孝，友於兄弟，施與有政，是亦爲政」，禮樂的興盛會影響到治政的效果。

　　當前禮樂不興，就在於政府對思想和民生的壟斷。政府動各種腦筋（產業政策），騙子就越是橫行；政府進行各種努力（改革），百姓生活就越是迷茫和困苦。「古之善爲道者，非以明民，將以愚之」，爲政者首先要讓自己「愚」，拋棄那些聰明的想法，才能讓百姓減少奸詐虛僞，回歸自然，禮樂自然興盛。「禮」是行政標準，「樂」是行政和於民，禮樂興盛就是政治強大。

6. 一百四十年中國國運預測

詳見結構示意圖（下頁）

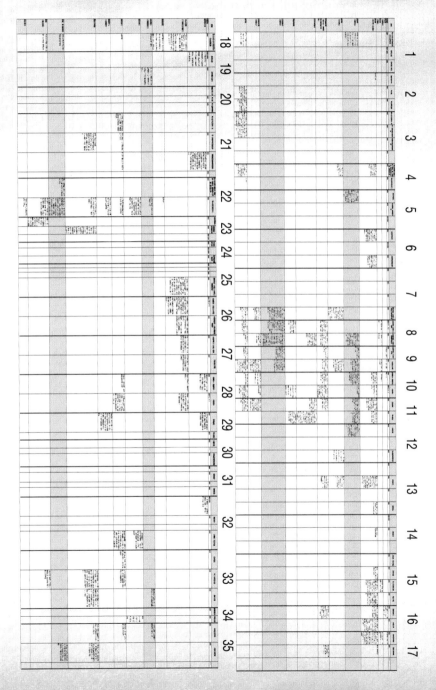

上半部

總結	聖人出生在石家莊靠太行山的區縣	改革反復	彩虹戰士誕生
時間線	1987	1987-1994	1995
馬前課 （諸葛亮）			
梅花詩 （邵庸）			
推背圖 （袁天罡、李淳風）			
燒餅歌 （劉伯溫）	未來教主臨下凡，不落宰府共官員，不在皇宮為太子，不在僧門與道院，降在寒門草堂內，燕南趙北把金散：邢臺石家莊保定		
藏頭詩 （李淳風）			
乾坤萬年歌 （姜子牙，裡面的數字都要減半計算）			
步虛大師預言			
黃蘗禪師詩			
金陵塔碑文 （劉伯溫）			
武侯百年乩 （諸葛亮）			
龍華經	太行山上東風起，火中玉兔從天降：太行山東，火兔丁卯年生，1987		

2

總結	羽應天命上任	聖人動	聖人開始傳道
時間線	……	2017	2018
馬前課 （諸葛亮）			
梅花詩 （邵庸）			
推背圖 （袁天罡、李淳風）	白頭翁之亂		
燒餅歌 （劉伯溫）			
藏頭詩 （李淳風）			
乾坤萬年歌 （姜子牙，裡面的數字都要減半計算）			
步虛大師預言			
黃蘗禪師詩			
金陵塔碑文 （劉伯溫）			
武侯百年乩 （諸葛亮）			
龍華經		三十年後男兒立，黑眉龍嘴白裘裳，風姿秀逸志氣剛，睿智靈光語不長：三十歲後，穿白色漢服	只待雞鳴乾吼叫，春雷驚惺古真天；那時走馬才傳道，三明四暗總收源：2017雞年開始成立自己的中天學派

聖人在北京河北一帶	第一屆科舉考試納百靈	國際像是新的春秋戰國	
2019	2020	2021	2022
儒童老祖暗臨凡，隱姓埋名在世間；趙北燕南傳聖道，三心聖地立中元：儒童老祖，孔子轉世，燕趙家鄉傳道，三心聖地儒釋道景區在家鄉建設	中天教主率領天龍八部，森羅萬象，三界內外一切善神：中天教主是聖人的一個稱號，在龍華三會是主講人之一，偽經中出現十多次		

4

總結	聖人帶百靈入朝殿試，對羽、鶴、馬路演，鶴同意外交業務，馬否決人事	聖人託管部分外交
時間線	2023	2024
馬前課（諸葛亮）		
梅花詩（邵庸）		
推背圖（袁天罡、李淳風）	44 象，聖人帶百靈入朝參加殿試，羽鶴馬三人面試，託管外交業務成功，四夷未來會震服	
燒餅歌（劉伯溫）		
藏頭詩（李淳風）	秀士登紫殿，紅帽無一人：秀才進士入朝殿試，輸送官員的業務被馬否定	
乾坤萬年歌（姜子牙，裡面的數字都要減半計算）		
步虛大師預言		
黃蘗禪師詩		
金陵塔碑文（劉伯溫）		
武侯百年乩（諸葛亮）		
龍華經	口中吐火要稱王，十人打水甚慌忙：聖人要用王道來推動天下大同，用新型教化統一十字架代表的基督教世界，引發較大的變化	萬法歸宗

5

新封神教化	以佛教統一基督教世界	
2025	2026	2027-2033
封神：上末後時年，萬祖下界，千佛臨凡，普天星斗，阿漢群真，滿天菩薩，難脫此劫。乃是未來佛下方傳道，天上天下諸佛諸祖，不遇金錢之路，難躲此劫，削了果位，末後敕封八十一劫。		

6

總結	中央改革失效		民間智庫推動改革
時間線	2034	2035-2038	2039
馬前課 （諸葛亮）			
梅花詩 （邵庸）			
推背圖 （袁天罡、李淳風）	50象，出生於1974年的人在六十歲接手改革，改革無效，民生潦倒，農業等實體經濟蕭條，只能通過增加安保措施來避免動盪，改朝換代的苗頭顯現。		54象，行政、經濟、外交、改革、軍民的五個民間力量驅趕著1949牛年成立的共和國朝前走，百家爭鳴的盛況達到高峰
燒餅歌 （劉伯溫）			
藏頭詩 （李淳風）			
乾坤萬年歌 （姜子牙，裡面的數字都要減半計算）			
步虛大師預言			
黃蘗禪師詩			
金陵塔碑文 （劉伯溫）			
武侯百年乩 （諸葛亮）			
龍華經			

			換屆爭端，木葡之人和賀之君醞釀爭端
2040	2041	2042	2043
			九十年後，又有木葡之人出焉，常帶一枝花。太陽在夜、太陰在日，紊亂山河。兩廣之人民，受無窮之禍。不幸有賀之君，身帶長弓，一日一勾，此人目常在後，眉常在腰。而人民又無矣：有姓名
			一災換一災，一害換一害。十九佳人五五歲，地靈人傑產新貴。英雄拔盡石中毛，血流標竿萬人號。頭生角，眼生光。庶民不用慌。國運興隆時日到，四時下種太平糧：一個年輕人和一個老年人，挑動事端
			老人星出現南方，紀念化為公正堂；西南獨立疊花現，飛虎潛龍勢莫當：西南兩廣之亂
			兔兒吃草不吃餉，土木金銀甚荒唐：官員不靠工資，而是靠土地財政下的土木工程撈錢

8

總結	火龍遇困，木葡之人得勢	火龍被啟用；三峽大壩被叛軍炸掉
時間線	2044（甲子年）	2045
馬前課 （諸葛亮）		
梅花詩 （邵庸）	原璧應難趙氏收：火龍遇困	火龍蟄起燕門秋：火龍被啟用
推背圖 （袁天罡、李淳風）		
燒餅歌 （劉伯溫）		文武全才一戊丁，流離散亂皆逃民。。 火德星君來下界，金殿樓臺盡丙丁； 一個鬍子大將軍，按劍馳馬察情形； 除暴去患人多愛，永享九州金滿盈： 火德星君是大鬍子將軍，火龍
藏頭詩 （李淳風）		
乾坤萬年歌 （姜子牙，裡面的數字都要減半計算）	大好山河又二分。幸不全亡莫嫌小。兩分疆界各保守。更得相安一百九：建國九十五年後，準備打臺灣	誰知不許乾坤久。一百年來天上口。王上有人雞上火。一番更變不須說：攻台戰爭轉為內戰，吳地有王氣
步虛大師預言		紅霞蔚，白雲蒸，落花流水兩無情，四海水中皆赤色；白骨如丘滿崗陵，相將玉兔漸東升：內戰爆發，白骨如山，火龍火兔將起來
黃蘗禪師詩	赤鼠時同運不同，中原好景不為功：2056年丙子年（多了十二年），三峽被炸，累及中原	
金陵塔碑文 （劉伯溫）	盈虛原有數，盛衰也有無。靈山遭浩劫，烈火倒浮濤。劫劫劫，仙凡逃不脫。東風吹送草木哀。洪水滔天逐日來。六根未淨隨波去。正果能修往天臺。二四八、三七九。禍源種己久：內戰起，三峽大壩被炸	一氣殺人千千萬，大羊殘暴過豺狼。輕氣動山嶽，一線鐵難當。人逢猛虎難迴避，有福之人住山莊。繁華市，變汪洋。高樓閣，變泥崗。父母死，難埋葬。爹娘死，兒孫扛。萬物同遭劫，蟲蟻亦遭殃：三峽大壩被炸以後的慘狀，中原成為汪洋，城市被淹沒，人和蟲蟻都遭殃
武侯百年乩 （諸葛亮）		氣運南方出豪傑，克定中原謀統一：火龍在中原打敗黑兔
龍華經	一步一金假太平，鼠嘴牛頭現魔王：在崇高理念下挑動內戰的人，鼠年末牛年初	南方無水來濟火，十人抱孩躲北方：南方亂局

火龍與聖人（火兔）見面	平南亂定北蠻
2046	2047
拯患救難，是唯聖人	陽復而治：戰勝
	連宵風雨不須愁：戰爭不用愁
火風鼎，兩火初興定太平：聖人火兔，大將軍火龍	北方胡擄害生靈，更會南軍誅戮行，匹馬單騎安國外，眾君揖讓留三星：聖人匹馬單騎說服北部戰場的美日退兵
	若非真主出世，天下烏得文明！此人頭頂一甕，兩手在天，兩足立地，腰繫九斛帶，身穿八丈衣。四海無內外，享福得安寧：聖人姓名
兩人相見百忙中。治世能人一張弓：聖人名中帶弓	江南江北各平定。一統山河四海同：火龍火兔相見，火龍定南亂，聖人平北蠻
民三民十民三七，錦繡河山換一色。馬不點頭石沉底，紅花開盡白花開，紫金山上美人來：火龍被啟用，領導南京軍抗戰	幸得大木兩條支大廈。鳥飛羊走返家邦。能逢木兔方為壽，澤及群生樂且康。有人識得其中意，富貴榮華百世昌：火龍火兔各平南北
	聯軍東指同壹氣，劍仙俠士有奇秘；水能克火火無功，炮火飛機何處避；此是陰陽造化機，意土發明成絕技；稱雄東土運已終，物歸原主非奇事：定北方
一路走來紅滿天，豈知紅星把天扛：紅色中復興傳統文化	龍兒上天戰黑兔：火龍戰黑兔，平南亂。東海龜來西海鷹，二人同心欺長龍。真龍在世何足道，洗去大恥氣不長：聖人通過外交，平定美日北方禍亂

10

總結	貞朝建立，遷都西安	火龍讓位
時間線	2048	2049（己巳）
馬前課 （諸葛亮）	晦極生明	
梅花詩 （邵庸）	一院奇花春有主	
推背圖 （袁天罡、李淳風）	52象，平定東北外夷，在吳楚之地平內亂，遷都西安，角亢對應三秦地區	55象，水邊之女，火龍最終讓出位置，開始普選
燒餅歌 （劉伯溫）	愛民如子親兄弟，創立新君修舊京。千言萬語知虛實，留與蒼生長短論：國之君子的選舉體制，最高執政者為新涵義的國君，遷都西安	火山旅，銀河織女讓牛星：火龍讓位
藏頭詩 （李淳風）		
乾坤萬年歌 （姜子牙，裡面的數字都要減半計算）	水邊田上米郎來。直入長安加整頓。木邊一兔走將來。自在為君不動手：遷都，無為而治	二百年來衰氣運。任君保重成何濟。二百年來為正主。一渡顛危猴上水。別枝花開果兒紅。復取江山如舊許：從1949滿百年，火龍讓位換新朝
步虛大師預言		
黃蘗禪師詩		西方再見南軍至，剛到金蛇運已終：兩廣軍入川陝，在金蛇2061辛巳年（多了十二年），被終結
金陵塔碑文 （劉伯溫）		
武侯百年乩 （諸葛亮）	故都陝北聚英華，文物衣冠頭尚白：遷都西安，興衣冠文明	太陽沉去霧雲收，萬國低頭拜彌勒
龍華經	斗轉星移換天象，紅星暗淡落夕陽：換朝代	和平尚需長蟲兵：和平要到蛇年。燕飛長安做新家，四夷朝拜大中華。百年盛世國昌隆，福滿世間人人享：遷都西安

紫薇競選	聖人教化
2050	2051
47象，紫薇憑藉無為而治、百姓匹夫自治方案（禮制約君，百姓和樂，法治約民，百姓貧苦），贏得選舉，借鑒古代治國理念，興禮樂文明	開口張弓之讖，出生於冀州的火性人推帝道，因此聖人有一點點的可能會是紫薇
四大八方有文星，品物咸亨一樣形；琴瑟和諧成古道，左中興帝右中興；五百年間出聖君	周流天下賢良輔，氣運南方出將臣，聖人能化亂淵源，八面夷人進貢臨，宮女勤針望夜月，乾坤有象重黃金
那時走出草田來。手執金龍步玉階。清平海內中華定。南北同歸一統排：紫薇星上位	
蓋棺定，功罪分。茫茫海宇見承平，百年大事渾如夢；南朝金粉太平春，萬里山河處處青：新朝定局	世宇三分，有聖人出，玄色其冠，龍張其服；天地復明，處治萬物，四海謳歌，蔭受其福。茫茫天數本難知，惟在蒼生感太虛；老僧不敢多饒舌，洩露天機恐被誅：聖人按教化三分天下，人人心裡有理、人有業障、人有原罪，採用古代帝王的袞服做禮服
	日月推遷似轉輪，嗟予出世更無因。老僧從此休饒舌，後事還須問後人：年份沒寫對，怕洩露天機
此時國恥一齊消，四海升平多吉兆。異術殺人不用刀，偃武修文日月高。此人原是紫微星，定國安民功德盛；執中守一定乾坤，巍巍蕩蕩希堯舜	
戰火連綿百姓苦，唯有玉兔上龍床。聖王當道光明現，魑魅魍魎大掃光：聖人可能是紫薇	

12

總結	大開文風		無為而治遇到困難
時間線	2052	………	2098
馬前課 （諸葛亮）			
梅花詩 （邵庸）			
推背圖 （袁天罡、李淳風）			
燒餅歌 （劉伯溫）	上元復轉氣運開，大修文武聖主裁，上下三元無倒置，衣冠文物一齊來，七元無錯又三元，大開文風考對聯，猴子沐盤雞逃架，犬吠豬鳴太平年：衣冠文明，禮樂文明		
藏頭詩 （李淳風）			如是者五十年。惜以一長一短，以粗為細，以小為大。而人民困矣，朝野亂矣：無為而治的困局
乾坤萬年歌 （姜子牙，裡面的數字都要減半計算）			
步虛大師預言			
黃蘗禪師詩			
金陵塔碑文 （劉伯溫）			
武侯百年乩 （諸葛亮）			
龍華經			

	貨幣戰爭		明君娶妻
2099	2100	2101	2102
	48象，天下不安，苗姓主持金融戰爭，朱姓主持國務。「貨幣民間化」主導大一統的貨幣體系，但是並不擁有，所以「不殺賊」，但是市場會自主去誅殺那些挑動「石油戰爭」、「對沖基金」的賊人		51象，新任的國之君子娶媳婦，賢內助，中天中國再現新氣象
	賴文武二曲星，一生於糞內，一生於泥中。後來兩人同心，而天下始太平矣：朱為文曲星，苗為武曲星		
	二百五十年中好。江南走出釗頭卯。又為棉木定山河。四海無波二百九：多了一個劉姓做備選		

14

總結		明君育子	
時間線	2103-2125	2126	……
馬前課 （諸葛亮）			
梅花詩 （邵庸）			
推背圖 （袁天罡、李淳風）		53象，明君生子，中國治理得很祥和	
燒餅歌 （劉伯溫）			
藏頭詩 （李淳風）			
乾坤萬年歌 （姜子牙，裡面的數字都要減半計算）			
步虛大師預言			
黃蘗禪師詩			
金陵塔碑文 （劉伯溫）			
武侯百年乩 （諸葛亮）			
龍華經			

大地震，末日天啟	日本沉沒	第三次世界大戰	制止大戰
2156	2157	2158	2159
		數點梅花天地春，欲將剝復問前因：核戰爭	
	45 象，日本想要趁亂和中國打仗，但是卻被地震給滅國了	56 象，飛起來的是飛機，潛在水裡的是核潛艇，戰爭看不見人，導彈在天上飛，把大壩都給炸掉了。戰爭如同玄幻片，還沒有近兵交接，已經產生禍患	57 象，三尺高的小孩子，製造電磁武器的核心部件，讓包括核彈在內的武器失效，形成巨大的防護網，這個小孩子出生在南京周圍，平息世界大戰

16

總結	新朝代建立	世界大同
時間線	2160	2161
馬前課 （諸葛亮）	賢不遺野，天下一家（科舉、人子監選才，政教合一）	
梅花詩 （邵庸）		
推背圖 （袁天罡、李淳風）	49象，世界大戰要收尾，各國的叛亂者、引發世界大戰的人逃到了山谷，被圍剿。	58象，四夷服從中國，世界分成了友好的相互合作的六、七個國家。中國為帝，四夷有王，天下一家。中國收回了西伯利亞、庫頁島，亞洲成為緊密的一個國家，俄羅斯回到西北，仍舊不太安分
燒餅歌 （劉伯溫）		
藏頭詩 （李淳風）		
乾坤萬年歌 （姜子牙，裡面的數字都要減半計算）	平定四海息干戈。二百年來為社稷。此時建國又一人。君正臣賢垂黼黻。行仁行義立乾坤。子子孫孫三十世：新朝代	
步虛大師預言		
黃蘗禪師詩		
金陵塔碑文 （劉伯溫）		
武侯百年乩 （諸葛亮）		
龍華經		

中國主宰世界	天朝上國榮耀	
2162	2163	……
無名無德，光輝中華		
賽中自有承平日，四海為家孰主賓：大一統		
59 象，天下成為一家，帝道推行，各國成為中國的分部門，中國的國之君子為大，是世界的福分，制定行政標準，發佈政令，各國根據需求來稍加改善，遵照執行。紅黃黑白四色人種不再有不公正，世界和睦	60 象，循環往復	
	我今只算萬年終。剝復循環理無窮。知音君子詳此數。古今存亡一貫通。	

18　　　　　下半部

總結	聖人出生在石家莊靠太行山的區縣
時間線	1987
俞樾預言詩	
《五公經》 （天圖記末劫經）	吾知帝王姓，土木連丁口。吾知帝王君，三丁及二丁。其更連一字，懸針更向腦中生。到來木生家，骸骨自縱橫。 寅卯之年正月內，太陰太陽降下生（正月懷胎）；帝姓本等連丁口（陳），帝名三丁及二丁（立）。
格庵遺錄	始祖伏羲稱太昊，先天八卦開天道；曾經轉生周文王，後天八卦闢地道；末世再為彌勒佛，中天印符興人道
彩虹戰士 （瑪雅預言）	東方出現了新的曙光
霍比預言	
凱西預言	基督再臨
爾薩聖人 （古蘭經）	
諾查丹瑪斯	
珍妮.狄克遜預言	小孩的那對眼睛極為機敏，充滿著智慧和知識
聖經 （啟示錄）	閃電從東方發出，直照到西邊，人子降臨，也要這樣
教皇預言	

改革反復	彩虹戰士誕生
1987-1994	1995
大邦齊楚小郑滕,百里提封處處增; 郡縣窮時封建起,始皇廢了又重興: 從 1949 到 1994 財稅改革,逐漸確定 中央集權的財政制度	
	瓜地馬拉的瑪雅長老唐·阿萊堅德羅 宣佈了一個振奮人心的消息:「彩虹 戰士就要誕生!」

20

總結	羽應天命上任	聖人動	聖人開始傳道
時間線	……	2017	2018
俞樾預言詩			
《五公經》（天圖記末劫經）			
格庵遺錄			
彩虹戰士（瑪雅預言）			
霍比預言			
凱西預言			
爾薩聖人（古蘭經）			
諾查丹瑪斯			
珍妮.狄克遜預言			
聖經（啟示錄）			
教皇預言			

聖人在北京河北一帶	第一屆科舉考試納百靈	國際像是新的春秋戰國	
2019	2020	2021	2022
		幾家玉帛幾家戎，又見春秋戰國風；歎息當時無管仲，茫茫劫運幾時終：天下無主，各國政府是地域壟斷企業，世界局部戰爭不斷，像是新的春秋戰國，沒有管仲，但是有儒童老祖孔子，聖人要帶領百家爭鳴來調整世界格局了	
一種新型的醫療方法將會出現：一種基於靈性和身體能量系統的轉換療法：中醫獲得推廣	生命的連續性被大眾接受成為一種事實	科學和心靈學停止互相爭論	
	深夜，月亮掛在高山上，只有腦袋的年輕賢者凝望著它，弟子們詢問他，不滅的存在能繼續嗎？他雙眼向南，兩手置胸前，身體在火中：聖人五行屬火，收攏百靈做弟子		

22

總結	聖人帶百靈入朝殿試，對羽、鶴、馬路演，鶴同意外交業務，馬否決人事	聖人託管部分外交
時間線	2023	2024
俞樾預言詩		
《五公經》（天圖記末劫經）		
格庵遺錄		萬教歸一
彩虹戰士（瑪雅預言）		頭腦中有智慧的光輝，心中有慈悲的力量
霍比預言		巴哈那真正的白人兄弟從東方回來的時候，膚色不再是白色，頭髮還將保持是黑顏色的。他們還會帶來一種新的類似宗教的信仰，他們懲惡揚善，統一世界
凱西預言		一種類似於社會平衡為全球所接受：聖人的大同世界
爾薩聖人（古蘭經）		他毀十字架：人子用弓乙靈符取代有原罪的刑具十字架，成為新的基督教庭
諾查丹瑪斯		歷經五百多年世人方注意，他的存在是那個時代的榮譽：後人逐漸神化聖人，但也更理解聖人
珍妮.狄克遜預言	我們一定要面向東方，求得生存；面向西方，意味著萬物的終結	他頭頂形成的一個小十字架開始越變越大，直到從每一個方向向整個地球滴下甘露。與此同時，不同民族、不同信仰、不同膚色的人們都跪在地上，舉起他們的手臂，拜倒在他的周圍：小十字架是弓乙靈符，替代舊十字架
聖經（啟示錄）		燈檯中間，有一位好像人子，身穿長衣，直垂到腳，胸間束著金帶：漢服，人子監學子，但是在位以後才用金帶
教皇預言		「羅馬人彼得」方濟各將是最後一位教皇

新封神教化	以佛教統一基督教世界	
2025	2026	2027-2033
	古老的大寺院將再現昔日風光，大局已定，開始撒網：聖人的文旅，讓佛教來替代基督教在西方光大，完成耶穌未竟的事業（耶穌曾東行取經，準備傳播，結果被殺害）	
我觀看，見有許多的人，沒有人能數過來，是從各國各族各民各方來的，站在寶座和羔羊面前，身穿白衣，手拿棕樹枝：白色漢服		

24

總結	中央改革失效		民間智庫推動改革
時間線	2034	2035-2038	2039
俞樾預言詩			
《五公經》 （天圖記末劫經）			
格庵遺錄			
彩虹戰士 （瑪雅預言）			
霍比預言			
凱西預言			
爾薩聖人 （古蘭經）			
諾查丹瑪斯			
珍妮.狄克遜預言			
聖經 （啟示錄）			
教皇預言			

			換屆爭端,木葡之人和賀之君醞釀爭端
2040	2041	2042	2043
			若逢末劫之時,東南天上有「孛星」出現(兩廣地區叛亂),長數仗,形狀如龍,後有二星相隨(木葡之人和賀之君),東出西入(叛軍入川陝),晝夜奔馳,放光紅赤。前一星紅光閃灼,後二星其光黃白,天下萬民見到,即知是「末劫」來到。

26

總結	火龍遇困，木葡之人得勢	火龍被啟用；三峽大壩被叛軍炸掉
時間線	2044（甲子年）	2045
俞樾預言詩		
《五公經》 （天圖記末劫經）	善者又遭惡人害，天使魔王下界來，闔家加憂愁。鼠尾牛頭，男兒盡殺臥荒丘，女子作軍儔。黃斑惡虎如家犬，晝夜尋門咬人並豬羊。 子丑之年江南客，死者萬萬欠棺材。 子丑年逢田野眠，江南災難由又可，河北地上淚璉璉。發心啟原早作福，方免災難保安寧。	姑娘姐妹守空房，流淚哭爹娘。人與畜生都死了，難見聖明君。風雨七日七夜昏，鳥無宿處人難過；荒郊白骨滿乾坤，洪水飄蕩人煙少（三峽被炸）
格庵遺錄		
彩虹戰士 （瑪雅預言）		
霍比預言		
凱西預言		
爾薩聖人 （古蘭經）		
諾查丹瑪斯		
珍妮.狄克遜預言		
聖經 （啟示錄）		
教皇預言		

火龍與聖人（火兔）見面	平南亂定北蠻
2046	2047
寅卯之年八九月，遍地人死不堪言；米熟五穀無人吃，絲綿衣緞無人穿；專心敬信此因果，幾多白骨滿乾坤。	與君分明說原因，英雄盡是公家奴；總是江南大丈夫，臨時尋覓定應無（英雄出，局勢定）

28

總結	貞朝建立，遷都西安	火龍讓位
時間線	2048	2049（己巳）
俞樾預言詩	蝸觸蠻爭年復年，天心仁愛亦垂憐；六龍一出乾坤定，八百諸侯拜殿前：火龍及其屬下加上聖人，六個能人	
《五公經》（天圖記末劫經）	後出明王清帝君，山河光彩換朝廷。	懸針直向裡頭生，此是聖人名。卯時君王登龍位，永遠無災危。勸汝切莫向前挫，便是安身所。太平普化好風光，彌勒坐朝堂。
格庵遺錄		
彩虹戰士（瑪雅預言）		
霍比預言		
凱西預言	國際重心向東方移動，中國內陸佔據重要的位置	太一原則成為人類所有事務的參數：太一之神的概念成為宗教的指導，太一之能量將指導所有科學，人類的整體太一概念成為政治事務的核心：太極、道
爾薩聖人（古蘭經）		
諾查丹瑪斯		
珍妮.狄克遜預言		
聖經（啟示錄）		
教皇預言		

紫薇競選	聖人教化
2050	2051
人間從此又華胥，偃武修文樂有餘；壁水圜橋觀廢禮，山岩屋壁訪遺書：華胥國中華文化起源，興禮樂	
消滅豬類，廢人丁稅，那時，財多得無人接受，禮一番拜勝過擁有整個世界：取消稅收，消滅吃俸祿的官員，政府根據自身服務獲取收入，老百姓分享行政資源，獲取財富	

30

總結	大開文風		無為而治遇到困難
時間線	2052	⋯⋯	2098
俞樾預言詩			
《五公經》（天圖記末劫經）			
格庵遺錄			
彩虹戰士（瑪雅預言）			
霍比預言			
凱西預言			
爾薩聖人（古蘭經）			
諾查丹瑪斯			
珍妮.狄克遜預言			
聖經（啟示錄）			
教皇預言			

	貨幣戰爭			明君娶妻	
2099	2100		2101	2102	

32

總結		明君育子		大地震，末日天啟
時間線	2103-2125	2126	……	2156
俞樾預言詩	天地原來張弛弓，略將數語語兒童；悠悠二百餘年事，都付衰翁一夢中			
《五公經》（天圖記末劫經）				
格庵遺錄				
彩虹戰士（瑪雅預言）				
霍比預言				地球將會面臨大的災難，雖然生存會很艱難，但是如果我們能夠走過來，那之後，地球將開始新一輪的人類週期循環
凱西預言				維蘇威火山爆發，一周後培雷火山爆發，九十天內，強力的地震將使鹽湖城以西的部分地區沉入水中；洛杉磯、三藩市及紐約相繼被毀；紐約將在原地的西面重建。
爾薩聖人（古蘭經）				
諾查丹瑪斯				
珍妮.狄克遜預言				
聖經（啟示錄）				
教皇預言				

日本沉沒	第三次世界大戰	制止大戰
2157	2158	2159
		通過非暴力的激烈鬥爭，最終制止了地球的毀滅和解體
地貌的戲劇性變化，包括氣候的顯著改變。日本大部沉入海中。	五大湖改道注入墨西哥灣。第三次世界大戰爆發。赤道附近的火山活動增加	
	火星和權杖將同度，在巨蟹下一培災難性的戰爭。。。天神為安德羅格奧斯的出現而神傷，人類的血在天邊白白流淌，人們奄奄一息終不嚥氣，久盼不來的希望突然而降：戰爭中的人期盼救世主。	公主的大兒子勇敢的人，將凱爾特人打到很遠的地方，他可操縱雷電，同行者成群結隊，行至不遠處又折頭向西，向著更遠的深處：操縱電磁力，在戰機中制止三戰的三尺兒童
	人類最後的聚居地「錫安」，也即西安，成為平息世界大戰的最後希望	

34

總結	新朝代建立	世界大同
時間線	2160	2161
俞樾預言詩		
《五公經》（天圖記末劫經）		
格庵遺錄		
彩虹戰士（瑪雅預言）		
霍比預言		巴哈那——來自東方的神聖力量可以避免災難
凱西預言		
爾薩聖人（古蘭經）		
諾查丹瑪斯		
珍妮.狄克遜預言		
聖經（啟示錄）		
教皇預言		

中國主宰世界	天朝上國榮耀	
2162	2163	……
許多顏色皮膚的兄弟姐妹一起開始努力改變地球		
義將永駐地球。新的人種——第五人類正在誕生		
很快一位新王出而救世，他將為地球帶來長久的太平：一人為大世界福	天使人類的子孫，統治著我們，也保衛著共同的和平。他為了統治而中途制止戰爭，和平得以長期永存：天朝上國的百姓統治著世界	
	天使人類的子孫降生在東方，拯救人類的希望在東方，西方只代表事物的終結，美國將受到古羅馬式的衰敗懲罰。	

7. 諫百年王道書

　　近日看到有關歷史疆域變化的短視頻，感歎漢朝的武力強盛和唐朝的文治強盛。前者以霸道統御諸國，後者以王道聯合諸國。雖然漢唐盛世很難得，但還是以王道諫書奏呈上聽，審其皮毛，以資爲政。

　　「國之大事，在祀與戎」，政府的主業不在於對經濟的干擾，而在於「祀」、「戎」，試以此論。

一、經濟：以禮制還政於民

　　君主上任以來，能看到行政體系效率的提高，但是遠不及市場企業，而且大部分部門可以直接關停遣散。與民爭利很多，獲利很多，提升一點點效率，反倒以爲是在服務百姓，這有悖於王道。

　　老子說「受國不祥是爲天下王」，當今與美國的爭端只是一個小的開始，我看到企業、百姓承擔了很多的欺侮。外交官也只能以笨拙、嘩眾的語言，來讓百姓陷入思想的糾結，通過各類媒體覆蓋人群。如果爲政者能夠受國不祥，以王道霸道來正確應對，就會四兩撥千斤，這正是執政者的職責。即使是減少對輿論的控制，讓有才能的人出現來調節，也能部分實現班超出使西域的效果。怕的是君主糾纏於經濟的困局，提出各種「內循環」、

「雙循環」、「新基建」等無用的詞彙和口號，繼續依靠夢想來治國，自己纏繞於混沌，浪費精力，對正確的意見竟然感到力不從心。

古代開國，初期都是輕徭薄賦，能快速讓國家富裕。自古以來貨幣發行也是有著市場因素，漢武帝時期爲了攢錢打仗才壟斷鹽鐵。如今菸草、貨幣發行及銀行體系、證券、酒、鹽、冶金、石油、土地都由政府擁有，其中任何單獨一項，都可以支撐起財政收入的半壁江山。先進於禮樂的是鄉野百姓，民眾的社會化言行都屬於執政，政府的執政是二手執政，和銀行間接融資一樣低效率。可以說政府壟斷的這些行業，已經大大降低了行業效率。貨幣發行沒有服務好交換流通，導致很大的貧富差和地域差別；股市是爲國企圈錢所設計，至今改善緩慢；每年菸草收入達到財政收入7%，已經足夠行政開支；石油、鹽鐵等由權貴掌控，成爲盤剝百姓的手段；土地和行政壟斷導致貪腐盛行，老百姓花費六倍造房成本來養政府、開發商和銀行，缺錢來養育兒女、侍奉父母。

漢朝唐朝都是以極少的行政人員和施政成本，來完成爲政義務。宋朝的戰爭勝率也很高，紙幣可以由市場發行，而且已經證明紙幣是失敗品。當前政府插手任何行業，都能造成民生的困擾，汲汲於此，和王道是南轅北轍。總體來看，漢唐和宋朝各有可借鑒之處，其變化之處，在於爲政者的把握。減少對經濟的干擾，就能留出精力來建設強國。「禮」是憲法中的憲法，「禮制」是輕資產運營方案，爲政者負重越少，行走越遠。

二、祀：人子監科舉、行政市場化、把基督教做成佛道分支

「祀」就是行政，是政府的主業，而「戎」是輔助。堯舜制定行政標準，夷人採用其標準，臣服於虞朝。百年王道之後，中國的版圖可以擴展到整個亞洲。

這裡以三種方法來實現。

第一，是人子監科舉。

人子監是國子監的演進，科舉做成全球的高級公務員考試。

針對御夷，建議效仿唐朝，全球的人都可以參加科舉並做官，把握住各國的人才，就是把握住了各國的政治。如果某國進士超過兩人，可以讓他們回自己的國家參加競選。另外可以讓進士回國掌管人子監分部，形成新的教庭。此外還可以使用客卿制度，商鞅、呂不韋、范雎、李斯等都是客卿出身，幫助秦國統一了六國。行政能力是比鑽石還要稀缺的資源。本國的賢能需要挖掘，外國的賢能是有效補充。

第二，是行政市場化。

在科舉之前，各個朝代也是盡力網羅人才，以「行政市場化」提升市場效率，以自然經濟提升國力。越是開放的行政體制，越是「行政市場化」。越是封閉的管理，越是增加食利者，破壞政府的體質，每個朝代的覆滅幾乎都與高昂的人力成本相關。

當前用公務員考試選雜役，沾親帶故選取縣長以上官員。雖然縣長素質較之前有所提高，但方向不對，一個個都是融資做基建的高手，可融資本身就是巨大成本。今天從百姓手裡要錢，

官員手裡留油，都是用國運往裡面搭，吃春藥的皇帝不能長壽，吃激素的朝代會越陷越深。

推行行政市場化，能夠以身作則，打破國外世家大族掌控政治的局面，讓真正有治國才能、謹遵禮制標準的人上臺。近有韓國、日本急需中國幫助培養總統，遠有美國需要中國提攜精氣神。

第三，是把基督教做成佛道分支。

基督教是佛道兩家的分支，人子監就是新的基督教庭，也是行使傳統國子監的職能。派遣進士以人子的身份到各國執政，是王道的體現。以禮制標準為各國管理提質增效，順服者可贈送五章以下袞服。加上行政市場化引發百家爭鳴，民間高效的科技和經營系統，為各國做統一的人口和商業管理，可以讓各國做分部門。

推帝道，各國是分部門；推王道，各國是分公司；推霸道，各國是產業鏈友商；推雄道，各國是競爭對手。以效率來看，行政外交撬動最大槓桿，效率遠超經濟外交和軍事。

三、戎：軍事是盾，市場是矛

當前君主遇到的中美貿易摩擦只是一個小小的開始，沒有王霸之心，還會遭遇很多困難。

君主在為政過程中，已經知道市場的倔強與強大，一個房地產市場都很難搞定。以王道還政於民，用市場做後盾來抵抗美國政府，動力會大增。政府是市場中的一個行業，最強的政府（美國）與最大的市場（中國）完全不是一個量級。如果市場竟

然輸給政府，那是為政的錯誤。受國不祥，以王道統御美國，是把美國的市場也做成自己的武器，美國政府必敗無疑。

未來二十七年，我們和美國政府的關係很難改善，軍事鬥爭也會出現。這就要讓文教強大起來，以文教化爭端。以美國當前攻擊我們所用的「人權」、「市場自由」為例，以「禮制」推動更廣泛的「人權」、「市場自由」，拉攏美國民眾，美國政府會隨之做出改變。敵人攻擊我們卻找不到漏洞，想抵擋我們卻看不見武器，這是內聖外王之道。

四、選擇正確的土壤來育德

君主管理政府盡心盡力，但放到歷史長河中，您的所作所為不比每個中興之主更加努力，也不是能夠留名青史的作為。當初賢者如齊桓公攻打魯國沒打贏，愚者如宋襄公攻打曹國、楚國沒打贏，都知道打不贏是因為德行不夠，就回去修德。

修德不容易，要有合適的土壤，改正朔、易服色、法制度、定官名、興禮樂等。我國主流思想的出軌是從清末民國初開始，到本朝一直在正軌之外。當前文化審查壓制禮樂，意識形態的奴化教育用來弱民，隨意的政策讓老百姓無所措手足。依靠政府來調整市場，如同弱小的人在做不合適的負重運動，連內部的香港臺灣都擺不平，怎麼安定亞洲甚至世界？

喊「中國特色」是因為沒有中國特色，反倒扭曲和黑化了中國傳統文化。外國來的馬克斯在中國統治七十多年，還是難以融入本土，反倒造成了許多罪孽，在這土壤上長出許多奇葩。如果不從現在開始改變土壤，那二十三年後，將會有更大的災難。

　　君主有大氣魄，有高遠志向，做事果敢，雖然有許多體制內的掣肘，但是百姓也給予了足夠多的支持。我作爲一介小民，所見很少，所識也是非常短淺，說話也不好聽。不能體會君主的難處，不能提出切實的施政手段，但是對百姓的痛苦心知肚明。斗膽寫出諫書，投遞到信訪辦的汪洋大海中，不能到達上聽，但仍舊堅持寫了七封，是有著一腔報國熱情，深深爲百姓的劫難痛惜。眼看九十九年國運已經過去七十二年，已經十分痛苦的百姓又要遭受一次劫難。既然規劃了兩個百年夢想計畫，也希望能看看現實，把出軌的朝代努力拉回正軌。

　　當前積重難返，在體制內想分羹的士家大族有很多，在國家安定的時候攬得烏煙瘴氣，在國家危難的時候倒是能保全自身。當前的政府也非一家的政府，缺少把國家當做家庭的有責任感的人，缺少國子的氣質，如果君主能把國子們挖掘出來，力挽狂瀾，讓政治體制改革順利過渡，是最爲省力的方法。一切的根本在人才，把握好人才，就是最大的改革。

8. 諫止戰書

　　近日細思各類預言的細節，又看了某部抗日電影，突然感覺極度緊張，寫下這封諫書。如果我說錯了，那這一封諫書只是瘋子的癡語。如果說對了，那中華民族將在二十三年後遭遇巨大的不幸。爲防患於未然，本次冒生命的危險向君主進諫，以乞避免中華民族的危亡。

　　簡單來說，2044年中央可能會打算攻打臺灣，但是前鋒會叛變，繼而入川陝，炸掉三峽大壩，與中央形成南北對峙的格局。在對峙的四年中，美日聯軍會對東北構成侵擾，形成對中央的南北夾擊之勢。持續到2048年才出現轉機，南京軍與叛軍在中原作戰，取得最終勝利。同時通過外交說服美日退軍。

　　以武力解決臺灣，是用刀子來宰割自身的肉。不僅不能說服國人，更有可能會引發國內的混亂。而這些只是開端，加上當前國內士族門閥對經濟政治的壟斷、言論的控制、民心的喪失、換屆的是非，怕是要應驗孔子的一句話。

　　孔子說：「丘也聞有國有家者，不患寡而患不均，不患貧而患不安。蓋均無貧，和無寡，安無傾。夫如是，故遠人不服，則修文德以來之。既來之，則安之。今由與求也，相夫子，遠人不服而不能來也；邦分崩離析而不能守也；而謀動干戈於邦內。吾恐季孫之憂，不在顓臾，而在蕭牆之內也。」

　　當前國內有貧寡不均，臺灣不能順服，國內政治又不通達，不能安民。如果未來謀求武力收復臺灣，恐怕會出現大亂

子。

　　孔子的弟子子貢說：「臣聞之，憂在內者攻強，憂在外者攻弱。今君憂在內。吾聞君三封而三不成者，大臣有不聽者也。今君破魯以廣齊，戰勝以驕主，破國以尊臣，而君之功不與焉，則交日疏於主。是君上驕主心，下恣群臣，求以成大事，難矣。夫上驕則恣，臣驕則爭，是君上與主有卻，下與大臣交爭也。如此，則君之立於齊危矣。故曰不如伐吳。伐吳不勝，民人外死，大臣內空，是君上無彊臣之敵，下無民人之過，孤主制齊者唯君也。」

　　簡單來說，齊國的田常想要獲封卻不成功，於是發動對魯國的戰爭，來謀取功名。但是子貢對田常說，這種情況下只有攻打強大的霸主吳國才能獲得成功。於是田常改變主意，讓子貢遊說吳國來攻打齊國。這件事的結果，是田常篡齊、吳國滅亡、越王稱霸，成為春秋戰國分界的代表事件之一。

　　如果未來因為內憂引發對外，那麼弱則引發臺灣爭端，強則引發美日對抗，那就是中華民族的又一次大災難。到時候您已經九十一歲高齡，還有多大的精力來力挽狂瀾呢？

　　預言並沒有對這件事做出量化分析，因此這次中華民族的災難，可以盡量減少對百姓的傷害和對中華民族的侵害。現在明明看到君主正在種下危險的種子，雖然自己能控制，但是延續下去，下一任很難接得住。「君有疾在腠理，不治將恐深」，如果能解決以下三大問題，或可削弱未來的災難。

問題一：言論壓制如同蓄洪，積累風險

二十三年後的混亂，從本質來說是一場去除馬克斯、恢復中華的思想戰爭。

當前馬克斯在中國肆虐太久了，已經七十多年了，仍舊水土不服。喊中國特色，是因為沒有中國特色，只是通過壓制傳統來達到「中國特色」。我已經看到道觀和寺廟拉出推動「道教中國化」、「佛教中國化」的標語，讓八千年的「道」順應所謂七十年的「中國特色」。如今這種混淆視聽的改造仍舊在各行各業推動。

當初選擇用「馬」打天下，卻錯誤選擇在「馬」上治天下，以階級鬥爭攪得中華民族雞犬不寧。對紅黨歌功頌德，控制媒體、審查言論、補貼紅色廣告愚弄百姓，讓老百姓失去判斷力。通過各種口號、鬥爭、教育，在人們心裡種下的髒東西太沉重，以至於未來可能要用很多人的血來進行清洗。為什麼不從現在就減少髒東西對中華民族的污染，減少中央和出自中央的叛軍之間的隔閡，甚至一致對外，保全中華民族的薪火呢？

現在壓制言論敗壞禮樂，提倡馬列奴化教育。曾經「打倒孔家店」遺毒太深，老百姓都已經不認孔子了，都認為國學是糟粕。挑唆出的百姓之間的嫌隙，未來都要用老百姓的命來換，甚至引入外賊，動搖中華民族的根本！所以，控制言論，已經是在殺人賣國了！

孔子說：「名不正，則言不順。言不順，則事不成。事不成，則禮樂不興。禮樂不興，則刑罰不中。刑罰不中，則民無所措手足。」

正是強大的政治宣傳工具「弱民」、「削志」，傳統文化

的「名」不正，導致未來老百姓對是非判斷不分明，難以抉擇，以至於奸人作梗，導致中華民族巨大的混亂。削弱老百姓的志向有利於當前的管理，但是「防民之口甚於防川」，思想的懶政會導致未來難以挽回的災難。

因此，必須忍痛放開言論，及早恢復中華！只有放開言論，提前打響思想戰爭，在二十三年間不斷小量洩洪，才能避免二十三年後一瀉千里的災難！二十三年的時間很長，還留有足夠迴旋的餘地。但是二十三年又很短，前人不高明的治理勢大力沉，難以轉變方向，現在不放開言論，未來很可能墨守成規，二十三年又如同一天！

問題二：困於不能留美名的細枝末節，製造貧、寡、傾

一個朝代的氣質和命數由太祖太宗決定。當前君主沿襲前人的政策很多，但是再難見效果。努力改革和歷朝發奮的中興之主差不多，恐怕也會成為泡影。

「先進於禮樂，野人也；後進於禮樂，君子也。如用之，則吾從先進」。禮是政治行業標準，禮樂和諧是政治協調。禮樂的主導者是鄉野百姓，而君子的執政是二手執政，效率極低。因此聖人尊重百姓，追求無為而治，百姓可自治。

當前全世界都把政府做成了一個個地域壟斷企業，中國尤甚。君主沿用了「馬」的治國方式，如此努力地做基建，是用百姓的錢做二手執政；想方設法搞創新，是通過損害人才、破壞市場來謀求專業的創新。三峽大壩可能會造成南北對峙，您也在用

新的基建來代替舊基建，如同在石頭上刻下自己的名字，註定隨著時光的吹淋失去痕跡。這些都是可以被抹掉的細枝末節，沒有真正治國的禮法方略。利用馬克斯治國，恐怕要應驗「胡虜無百年之運」的讖言。

法治社會不是創新，而是懶政，沒有法制才談論法制，「失道而後德，失德而後仁，失仁而後義，失義而後禮」，連禮都沒有了，就提倡法制。「禮」已經是「忠信之薄而亂之首」，法治社會就是一個亂世，利用政府仲介職能製造各種貧、寡、傾。創新的是禮制，通過反省自身來達到天下大治。

您延續前人的「馬」式治理，壓制的言論都會在未來增加老百姓的傷亡。雖然這些都不是您的錯，但是沿用了這套野蠻的治國方式，追求如同泡影的細枝末節，卻讓一國的土壤被污染、讓國之根本的棟樑腐爛，也必定要承受由此帶來的名譽損失。

問題三：欠缺的文德：扼殺創新的動能

我不敢奢望完全避免二十三年後的災難，本朝不修文德，對百姓思想和行為的鉗制造成禮樂喪失，註定這場悲劇不可避免。而預言能讓人看出來，說明這場災難一定是不可避免的，這是非常讓人痛心但是又無奈的地方。

與集權的政治經濟壟斷伴行的是法治社會管理，社會運營成本太高了，老百姓做事成本太高了。通過不斷增加百姓行為成本來完成治理，讓人不能動彈，造成整個社會的創新能力不足。政府又以外行的作為來主導創新，如同進入老百姓家中，搶奪人的錢財，指揮人家勞動，導致中華和老百姓一直深陷泥潭。

　　如今的士族門閥如同當初劉邦的白馬之盟，依靠「馬克斯」形成了一個士族門閥的利益共同體，放在經濟領域敗壞經濟，放在政治領域敗壞政治。功臣派一般到三代就會出現分化，不再持續。您需要及早認識這種變化，如果您選擇打破馬克斯對中華民族的鉗制，暫不觸及利益團體，是目前相對可行的一個方案，但是下一代一定會面臨巨大的變局。

　　在科舉制度出現之前，食利的士族門閥在中華民族持續一千三百多年，如今歐美仍舊是士族門閥的管理方式。士族門閥的猖獗與人才的缺失緊密相關，所以又要依靠科舉來克服士族門閥對權力和經濟的壟斷。

　　禮制社會還政於民，「孝乎唯孝，友於兄弟，施於有政，是亦為政」，百姓任何社會化行為都是為政，達到比屋可封，施政成本非常低。法制和銀行一樣是間接治理，會積累很大的風險。禮制是股權治理，但是只有聖賢能玩轉禮制甚至無為而治。所以賢才是比鑽石更稀缺的資源，而賢才多出自草莽。

　　所以，一是從民間挑選真正的人才，二是一定要放開言論，尋回中華正統。

　　老子說：「將欲弱之。必固強之。」您對言論的控制和對法制的青睞，將會在最強盛的時候引發問題。現在我以自身淺陋的認知，給出了一個削弱的方法，或許也是延長壽命的方法。我自知不能改變未來的走向，但是作為一個士人，冒大不韙，以生命和牢獄的風險，請求及早為未來的災難佈局，也是挽回甚至成就您的功名的方法。

9. 諫為天可汗書

近日有感於隋唐盛世，隋文帝楊堅被稱為「聖人可汗」，唐太宗李世民被稱為「天可汗」，其強盛時期，突厥歸附，國土面積都要比中華人民共和國大許多。

當今存在一個同樣的機會，那就是西方的「The Son of Man（人子）」、「King of Kings（領主中的領主，王道）」、「māshīah（彌賽亞）」。需要君主以正確的方法來成就。

隋朝的無奈：士族門閥政治的影響太大

隋朝的失敗，大致原因有兩個。第一個，不能擺脫士族門閥對政治的影響。人才不在士族門閥中，士族門閥作為食利者，很難引導出好的政治，反倒是會不斷破壞政治，魏晉南北朝的混亂和士族門閥體制緊密相關。

隋文帝得到關隴集團支援才能獲得帝位，其本身也是關隴集團的一員。但是他知道士族門閥對政治有不好的影響，隨即廢除九品中正制，採用科舉考試；其子楊廣開進士科，打壓士族門閥，修運河等基建，對外擴張，同時自身德行不足，最後不成功，讓一個本來很富裕的朝代突然中止。隋變為唐是關隴集團內部的權力再分配，但是唐朝能夠利用科舉和舉賢來限制士族門閥，最終成就盛唐。到宋朝才避免士族門閥的強勢，達到百姓富

足。

第二個，不能獲得老百姓的支持。這在於繼任者楊廣修德不足，對老百姓徵發徭役，以至民不聊生。

當前國內士族門閥對君位選任有很大的發言權，地位已經很尷尬。聽坊間傳聞說您在就任之初，已經和士族門閥約定，不會干涉他們壟斷經濟部門來發財。社會輿論的控制，又讓老百姓不知道誰是士族門閥，減少他們對百姓的損害，就成為君主自身需要承受的重任了。如果君主不修德，那就又失去了百姓的支援，任何變革都會成為士族門閥爭鬥的工具。想要成為外邦中的「天可汗」，當代西方的「萬王之王」，那就如同水中月。而科舉和舉賢任能，是成功的關鍵。

美國政治的問題：士族門閥利用國家機器發世界遭難之財

世界的合縱連橫，有軍事、外交、經濟、施政等方法，其中軍事是效率最低的；外交是需要能人利用技巧來完成的；經濟是強大的基礎，可以滲透到別國，進而影響到別人的施政策略；經濟做好了，如果不參與他國施政，那就是扔掉黃金撿起芝麻。施政是四兩撥千斤的方式，也是對外關係的核心所在。如果不能利用施政影響到別的國家，那麼經濟方面就要花費上百倍的力氣，最終還達不到施政的效果。

美國的政治很愚蠢，他們的企業已經在世界各地建設了起來，可是美國政府只會跟在後面搶劫，發動石油戰爭、雄權戰爭，用印鈔機掠奪世界財富，用金融挑起世界爭端。

　　美國的政治有一個弱項，一個強項。其弱項是，他們的政治屬於士族門閥，由權貴來推選代理人參與競選，雖然免除了實際的戰爭，但是用金錢打廣告的黨派戰爭，挑明是在凝固利益幫派，最終一定沒有人才的加入。從美國各個總統陰暗的內部手段、在全世界的掠奪就可以看出來，這是原始的野蠻政治。

　　其強項是，普選作爲市場化的手段，能夠形成一定鉗制，盡量避免太過離奇的蠢才的持續作亂。然而其強項完全不能避免弱項帶來的損害，川普的恣意妄爲就是一個例證。總體來看，歐美的問題仍舊是士族門閥帶來的，它在全世界的推廣，導致亞洲也出現病症，在西亞是戰亂，在東亞是日韓的士族門閥政治，在中國是與其相反的馬克斯副產品。

　　加上殖民掠奪和兩次世界大戰，這些都充分說明歐美的政治體系是十分孱弱的。

　　最近看到衛涇的《論人才六事》，談論到君主個人眼光的限制，以及廣泛聽取民眾意見來選取人才的重要性。如果選取人才的權力在百姓這裡，看似會削減君主的權力，實際上是幫助君主獲取優秀的人才，避免自身眼光局限所造成的巨大困擾。同樣，如果經濟的決定權在百姓這裡，看似會減少君主的控制權，實際上是幫助君主獲得世界經濟的主動權。孟子說「城郭不完，兵甲不多，非國之災也；田野不辟，貨財不聚，非國之害也；上無禮，下無學，賊民興，喪無日矣」，低城鎮化率、中央不聚斂財權並非國家的危害，不興禮樂才是危害。如果我國的企業和美國的企業一樣在全世界建立，那麼君主專注於使用王道，將施政主業做強做精，全球政府得有一半成爲中國的分政府。這也是成就「The Son of Man（人子）」、「King of Kings（領主中的領主，王道）」、「māshīah（彌賽亞）」的方法。

政府是市場的一部分，區別在於政府當今表現為地域壟斷企業。施政能力是最缺乏的資源，比黃金和鑽石更珍貴，市場失靈最容易在政府中出現。以王道來影響別國政治，是市場化的方式，能夠利用普遍的民意來獲取「天可汗」的地位；以禮制來製作政治行業標準，是民主的方式，能夠調動最多的人才來為世界所用，獲取人才就是獲取了別的國家的政治。

因此，需要從王道、禮制來成就「天可汗」、「聖人可汗」的業績。

王道：用民之力來成就

簡言之，推帝道，各國政府是中華的地方政府；推王道，各國政府是中華的自治區、直轄市；推霸道，各國是中華的都護府；推雄道，是拉幫結派相互攻打。

孟子說「使民養生喪死無憾，王道之始也」，如今這四方面做得都不好，不在於政府不努力，而在於政府太努力，收攏各種權利，做二手執政，極大地拉低了社會運行的效率，讓老百姓無所依靠，造成貧、寡、孤。王道首先要讓利於民，讓百姓有自主的生產資源、勞動自由，沒有人比老百姓自己知道自己最缺什麼了。

孟子說：「民之為道也，有恆產者有恒心，無恆產者無恒心；苟無恒心，放辟邪侈，無不為已。及陷乎罪，然後從而刑之，是罔民也；焉有仁人在位，罔民而可為也！是故，賢君必恭儉，禮下，取於民有制。陽虎曰：『為富不仁矣，為仁不富矣。』」。百姓自己生產和消費，是自然的，政府現在壟斷土地

山川和自然資源，將所有行政權利都聚集在自身，卻沒有執政能力。百姓無所措手足，不能做一手的執政，只能陷入法律的陷阱中，這是在位者謀害百姓，是不仁不義。「夏后氏五十而貢，殷人七十而助，周人百畝而徹：其實皆什一也」。如今通過重稅、重複稅收、各類費用、土地和資源、消費品、貨幣貶值，已經從百姓這裡聚斂50%以上財富了，政府統購統銷，讓執政流程變得煩瑣，讓民生資財成為化糞池，滋生貪腐和低效率，耽誤了百姓的生養，遠非為政之道。

當今宣傳所謂「市場失靈」最突出的體現就是「政治失靈」，政府過多的權利撰取就是政治失靈。所謂「市場失靈」是政府作為的「果」，而不應當是政府作為的「因」。政府作為越強大，政治就越孱弱。

《書・洪範》有「無偏無黨，王道蕩蕩」。如今全球的黨制，全都偏離了王道。士族門閥的體制，讓政治成為玩物。而當前國內的產業政策是「偏」，遠離王道。

孟子說「仁也者，人也」。在全球推行王道，核心在於「仁」，也在於「人」。一切的社會資源，都會落到「人」身上。治國的根本在治「人」，強政的根本在用「賢」。以「人」為根本，中華的百姓是自己的兄弟兒女，世界的百姓是自己的百姓，那全球的市場、土地就都是自己的市場、土地，別的政府想要在其中做運營，那就是自己的分支機構，是地方政府。

禮制：強政，推廣政治業標準，各國採用

不自信的仁者「終日乾乾，夕惕若厲」，能夠達到「無

咎」。「堯舜之民，可比屋而封，桀紂之民，可比屋而誅者」，不在於老百姓變了，而在於執政者是什麼樣子。自信的執政者到處干預老百姓的生活，用「法制」來戕害老百姓，以為很公允，其實是身心不敏、懶政，不知道自己正在走向桀紂的道路。「君子犯義，小人犯刑，國之所存者，幸也」，這樣的政治能存在，也只是僥倖。

禮制由百姓做一手執政，老百姓掌握生產生活，有自主的判斷力，從而決斷矛盾，達到「比屋可封」，人人都是免費執政官，社會運行高效。這樣政府能夠專注於施政的主業，就是制定各類標準，由各國政府作為地方政府來執行。

關於禮制，無定法，功法是君子不斷自我反省，準則在於謹遵「先王之道」。「今有仁心仁聞，而民不被其澤，不可法於後世者，不行先王之道也」。君主上任後，不甘於像以往一樣只是佔據一個位置，而是努力改革，奮發圖強，但是最終老百姓沒有受到好處，自己的改革在兩三年內就看到失敗，就是因為不遵從中華傳統，只是從外國尋找「中國特色」，是南轅北轍。「徒善不足以為政，徒法不能以自行」，推行「中國夢」和「法治社會」並不是可以達到好的治理的方法。

孟子說：「遵先王之法而過者，未之有也。聖人既竭目力焉，繼之以規矩準繩；以為方員平直，不可勝用也。既竭耳力焉，繼之以六律，正五音，不可勝用也。既竭心思焉，繼之以不忍人之政；而仁覆天下矣。」如今拋棄中國傳統文化的精華，使用馬克斯，從外國學了很多為政的殘渣，是有悖於禮制、王道的。

有子曰：「禮之用，和為貴。先王之道，斯為美。小大由之，有所不行。知和而和，不以禮節之，亦不可行也。」推行先

王之道，以禮來不斷節制自身，是達到仁政的方法，也是在推廣政治業標準，這就是「戰勝於朝廷」，不出門就可以推行王道。

滕文公用孟子的為政方略，能夠成為賢君。梁惠王參與「五國相王」抗秦失敗，也能夠自我反省，卑禮厚幣，以招賢者。鄒衍、淳于髡、孟子等這才去往大樑，和梁惠王產生交集。強政的根本在於用賢，君主應當花更多的時間用在對賢人的聆聽上。

到目前為止，我一共給君主寫了九封諫書。我只有王道、禮制可以賣，所有的諫書都是在變著角度向您推銷這兩個產品，最多只是換個話術和包裝。所推薦的手段就是推行科舉、託管孔子學院以「人子監」的名義搞政治外交，這是快速成為「人子」、「King of Kings」的方法。

我也不敢拿公義來為自己的私心做掩護，寫出這麼多諫書，是為了效仿姜子牙、商鞅、范雎的業務模式，從和朝廷的合作中獲取自身的功名利祿。一個士人、政治行業從業者，直接去尋找君主來合作，才是正路。姜子牙醒悟比較晚，七十多歲才找到周文王，好在七十歲的姜子牙剛剛到中年。我沒有姜子牙的壽命，沒有商鞅、范雎的能力，在社會上十分努力，但是處處碰壁，心裡很著急，感覺君主才是合適的客戶。一千個投資人眼裡有一千個哈姆雷特，就這樣在社會上繼續混下去，只是和現在一樣蜻蜓點水，不如盯緊一個投資人寫一千封信，因此給您寫了許多信。您現在管理仍舊沒有給賢能的人留下生存空間，反倒通過各種產業政策讓竊賊橫行，高昂的生活成本讓百姓不敢結婚、不敢生育，人們自尊心喪失，無力幫助政治變好。希望能以和我的合作為開始，從民間選取賢能，讓萎靡的中華精神為之抖擻，這才是施政的正確道路。

　　當初姜子牙是想在商紂王手下做事，結果等到七十多歲得不到重用，只好到西岐釣魚。在一個朝代末尾，也會有大量士人想要在朝廷發揮才能，即使是商紂王也能得到人才。遺憾如秦二世閉目塞聽，天下百姓亂作一團，還以為進諫的使者在胡說，要扔到監獄。明白人不敢說話，有能耐的人用不上力，聰明人只好另尋新主，那在國家危亡的時候，就沒人能保護了。

10. 諫整頓吏治書

近日重新看了一下漢朝賈誼的《治安策》，感覺我對當今的政治幾乎沒有什麼瞭解，之前給君主寫的幾封信卻觸碰到了相關內容。倒出去的水已經很難收回，感覺十分慚愧。但是錯誤越多越想彌補，管不住自己的手，所以又寫了後續兩封信。

近兩百年中國面臨蠻族侵擾，沒有對中外文化產生準確認知，以至於在本朝初期拋棄了優秀的中華傳統，使用了不合適的蠻族體制，導致很多在古代已經解決的問題又重新出現。

當前君主面臨的情況類似漢文帝，漢文帝剛剛經歷第一代的權力鬥爭，有能力協調第二代。但是受制於功臣派的勢力，在人才任免上很難有自由的空間，導致賈誼等來自民間的賢人很難受到重用。對於許多矛盾，只是採取掩蓋的方法，暫時平撫。

在第三代，掩蓋的問題會爆發。君主當前認為可以遮擋的問題，在下一代看來會如同洪水猛獸；君主現在可以協調的問題，在下一代會成為矛盾爆發的焦點。總之，下一任會遭遇漢景帝「七國之亂」的困境。

1、權貴像寄生蟲，侵佔了賢能的位置

共一代的爭執如同歷朝歷代的開端，毛打擊了許多功臣，在立儲上也爆發許多矛盾。皇權消失了，功臣派打敗外戚派，勢

力急劇增長。但是本身沒有構建穩固的制度基礎，通過同志的認同凝聚在一起，依靠對經濟部門的壟斷形成了共二代的權貴。

共二代受到父輩薰陶，有責任心和權力心，給予再多特權，也會認為是自然的。參政欲望強烈，並且有很強的權勢和話語權，已經分佈在政府和民生各個部門。對於政令的阻撓，僅僅在於有多大的權力，導致民生極大的困難。而君主面臨的情況，就是在協調共二代的情況下，盡量維持社會的穩定。面對經濟的困頓、傳統的喪失、外夷的壓力，如果沒有雷厲風行的手段和霸主之心，恐怕未來民生問題將退居二線，維持穩定的緊迫程度會超過民生。

共二代沒有共一代的戾氣，能夠因為紅色榮耀和利益來團結，不過君主在即位的時候還是遭遇了薄的干擾。當前共二代分歧也很大，需要團結。君主打擊一些小老虎，但是涉及根本的人才還沒有使用，想安排點有才能的人，一看朝堂上坐滿了人，一個個肥胖地占了好幾個人的位置。其中最主要的原因在於選才方略不行，舊人如寄生蟲深入骨髓，新貴又像是瘤子。如果採用科舉，用民之力，獲得百姓支持，是有必要的。歷史上文官體系相比功臣派、外戚派、宦官派，要健康得多。子曰：「臧文仲其竊位者與，知柳下惠之賢而不與立也。」人才是治國安邦的天然合位者，而人才的缺乏，將會讓朝代死氣沉沉。

周朝的世卿世祿是有著法理的，可是現在的世卿世祿沒有法理支撐。按照功臣派來看，三代以後必定沒有可用之人，再佔據要職壟斷經濟，又不符合情理。如果採用魏晉做法，壟斷基礎資源做士族，讓人才庶族來執政，目前已經出現的結果，是新貴處處受限，有個虛職，根本做不成任何事。公務員只是選一些最低等的雜役，根本選不出人才。

如今的共三代分佈於各行各業，其中很多還在文娛界風生水起。大家不再有強烈的「紅色榮耀」，對開國的努力和繁雜沒有足夠認知。共一代好比在同一片土地紮根的樹木，盤根錯節相互支撐，又相互爭奪陽光雨露；共二代好比捆在一起的柴草，相互團結才能穩固；共三代已經建立了各自的圈子，對於局勢的掌控已經衰弱，並且一定不再出現能治國安邦的一流人才。到時候君主所努力團結的，將會分散；君主努力所要支撐的，仍舊會產生混亂；君主沒有做好的，將會產生嚴重的後果。

這種變化對於局內人來說會是突然的，當初朱元璋為朱允炆拔掉了尖刺，讓自己的兒子們拱衛朝廷，結果朱棣篡奪了朱允炆的位置。七國之亂、八王之亂都是第一代和二三代的區別。而當前無論是權貴內部對君主位置的選擇，還是朝廷對職位的安排，都不是能夠超過三代還可以穩定下去的方法。

歷朝的改革都很努力，中興的不多，加速衰敗的不少，都是被食利者阻擋。老百姓的自然經濟沒問題，可摻和經濟的不少，整頓吏治的不多。

2、四大問題與解決方案

一個朝代的長治久安，前三代都在不斷剝奪權貴對政治的干擾，後期減少新貴對親友的安排，努力使用賢能的人，讓政令盡量達到效果。功臣中第一代會出現許多作亂的人，第二代會凸顯安邦定國的人，第三代則再沒有可用之人。而讓朝代延續，最重要的是補充賢能的人入朝為官。賢能的人來自民間，這也是我寫《諫用賢安邦書》、《諫用民強政書》的一個原因。

當前政治有四大問題。

（1）有政府卻沒有政治

當前沒有禮樂傳統，沒有使用儒家或道家的政治業標準，採用歐洲與民爭利的管理體制，是荒廢了政治主業，所以是有政府卻沒有政治。政府的運營成本高昂，效率極為低下，積重難返。由於政府造成人力、資源的錯配，老百姓很多都在做沒有效率的工作，銷售盛行但是民生困難，安保盛行但是盜賊猖狂，人們如何努力都不能改善生活，社會摩擦巨大，沒有中庸之道的高效率。

孟子說：「不違農時，穀不可勝食也；數罟不入洿池，魚鱉不可勝食也；斧斤以時入山林，材木不可勝用也。穀與魚鱉不可勝食，材木不可勝用，是使民養生喪死無憾也。養生喪死無憾，王道之始也。」

中國糧食充足、物產豐富，開放的管理能夠讓百姓富足，政府的節制能讓物產豐盈。現在老百姓困頓於稅負和各種徭役（各類基金費）繁重，苛政甚至累及動植物。百姓不分晝夜勞作，導致中國近海已經無魚可捕，污染嚴重，疾病肆虐，用「人口紅利」等詞彙讓苛政變得理所當然，百姓連生養都難；古代山川林澤都是政府和百姓共有，現在以「國有」名義封賞共二代，百姓沒有生產數據，有些以撿垃圾為生，讓中國一段時間成為洋垃圾盛行的地方；政府壟斷土地，設置「耕地紅線」，限制了百姓建設生產，結果讓大量的良田無人耕種，官員成為地主，賣地吸血，房價高企，讓正常的市場供需失衡，老百姓用養子女養父母的錢用來買房還貸，再多的努力也不能彌補物質的匱乏；政府壟斷行業生產，百姓沒有辦法勞作，賣血養家供兒女讀書，形成

愛滋病村，即使比如製鞋行業的產品水準已經遠超國外，卻不能形成品牌；政府壟斷財貨經營，讓貨幣貶值、金融阻滯、行業無創新、資源低效利用、產能過剩、賣國贏外匯，形成對外的糖尿病和對內的高血壓、血栓、毒素累積，百姓卻沒錢看病、沒錢受教育。這些問題，歷史可能忘掉，但都會成為本朝的血債。我之前說這些本來不是君主的錯，但是之前有過的問題和現在所有的問題，都會在君主在任期間累積，為後人詬病。如果以前任的窘迫和現在相比，或者拿那些差勁國家的民生和現在的中國相比，以五十步笑百步，也不能讓歷史信服。

現在全球都是有政府沒有政治，都是有官位沒有官員，都在等待中華的王道普及。需要挖掘中華傳統，使用儒家和道家的政治業標準；政府不要再與民爭利，使用輕資產的運營模式，注重智力支援，從民間挖掘賢能來治國。禮是治國大器，賢能是治國資源，使用禮法，挖掘賢能，本身就是政治。

（2）有官位卻沒有官員

當前有官位，卻沒有執政的官員。首先是沒有人才在官位，其次是選派的人在官位沒有正確執政。

相較於古代，當前治國的手段更多，水災火災掀不起風浪，也很難有饑荒，資訊溝通方便，但是為政的準則喪失了。官員非但自己不執政，還干擾百姓執政，為民生設置各種條例和障礙。「法者所以愛民也，禮者所以便事也」，現在法律卻是阻撓百姓做事，製造各類不經意的罪犯，讓百姓做事很不方便，迫害了百姓。

「慧智出，有大偽」，從中央到地方都參與到了與民爭利中，主持各種自己不擅長的運營，導致創新沒有活力，民生死氣

沉沉，遲遲不能恢復天朝上國的地位，這是不務正業。官員斂財、政府收稅，還要百姓主動適應政府的稅費體系，不以服務的態度對待百姓，稍有疏忽就會犯罪，稍有懈怠就會遭遇生產上的阻撓。百姓睡眠不足、工作時間超長，先要養活官員，剩下的錢都不夠養活父母兒女。這樣的官僚體系，已經沒有存在的必要了。

網上說，省長是生出來的，縣長是送出來的，村長是打出來的。市和區的肥差都是家族制，工作人員看起來又土又無知，只知道瞎摻和並中飽私囊。最近三年，全國打掉涉黑組織三千六百四十四個，涉惡犯罪集團11675個，相當於每個區縣打掉1.28個社會組織，每3.5個鄉就有一個涉黑犯罪集團。很多黑社會頭目都是區縣人大代表。中央又按地理、出身、部門分成各個幫派，成為大大小小的老虎，整個政府部門不就是按照黑社會的方式來運營的嗎？在這個基礎上，又能打黑除惡到什麼時候呢？1983年「嚴打」查獲各種犯罪團夥19.7萬個，團夥成員87.6萬人，現在仍舊不能禁止，是因為制度有問題，人才不能出來，食利者越來越厲害。

孔子說：「虎兕出於柙，龜玉毀於櫝中。」老虎作威作福，經濟灰犀牛對百姓橫衝直撞，人才毀在房地產裡，這些都是當今已經出現的問題。老虎多就用科舉選才，蒼蠅蛀蟲多就用棟樑代替。現在選了一些有技術、沒文化的博士當村官縣官，想要搞融資建設，可融資建設本來就不應該是政府的主業。所以現在中國是有政府沒政治，有官位沒有官員，地方政府都是一個個地域壟斷的黑社會團體，在這個基礎上搞改革，只是胡亂指揮百姓，讓老百姓為政府內部的管理問題買單，不會有任何好的效果。君主在地方提拔的人，最終又和地方的人同流合污，打掉的

老虎又多是新貴，可以說在管理上是退回了本朝初期，消磨人的耐心。

如今政府大部分的機構都摻和到了民生中，像是一個體脂率極高的胖子，把90%的行政管理機構砍掉仍舊是虛胖，類似教育部等大部門甚至可以直接取消。古代有比較高效的機構運營方式，可以參考三省六部制等各類古代建制和官員體系，甚至重新建立一個官僚體系，安插到本來就沒有的政治管理中。

（3）有約定卻沒有可垂法的制度

現在的政治管理體系基本上是共一代的約定，十分拼湊，包括隔代指認的方法也已經不合時宜。在先王之道如此透徹的情況下拋棄堅橋大路，偏偏要「摸著石頭過河」，想把國外幾百年走過的錯路都走一遍，讓百姓為當位者的幼稚買單。經濟上各盡所能去侵奪老百姓的權益，限制民企的發展；政策都很短命，不到十年就開始對民生產生妨害，卻以為是市場的問題。用愚蠢的政治口號混淆人民視聽，用言論控制來掩蓋百姓的耳目，用愚民教育來削弱人民的意志，這些其實都是在掩蓋自己的耳目和認知。「下民易虐，上天難欺」，政治的無能和胡亂作為，對百姓、中華民族的傷害讓人感覺到徹骨寒意。

黨派爭執不可避免，貪污受賄不可避免，民生犯罪不可避免，包括看似良好的現代教育在內的任何一套體制、方案，做大以後都會出現問題。社會有一個總體的平衡態，叫「天下為公」也好，「天下大同」也好，並有「無為而治」等各類工具。先王以中庸之道為心法，以禮約束自身，受國之垢受國不祥，能將這些盡量減少。

從可垂法的制度來說，先王之道可以垂法，未來的社會管

理一定是從功臣派轉移到民間，建立文官體系，分享行政權給百姓，以廣泛的群眾關係做爲基礎，才可以垂法。這並不是創新，而且對中華幾千年摸索出來的傳統的回歸，把出軌的政體拉回正軌。

當前禮樂崩壞，管理體系已經回到魏晉南北朝時期，開國功臣特權延及子孫，階層固化，導致社會越來越沒有活力。首先需要重新使用科舉制度來選任部分官員，其次要進行國之君子的普選。

歷朝歷代，家族對政治的壟斷是一大避諱，皇權是承受這些問題的容器。如今皇權已經消失，君位需要來自民間，推行普選。爲了避免形成士族門閥體系，需要讓科舉進士才能競選國君，爲政治托底。越是市場化的行政，效率越高。普選和科舉都是市場化的競爭，需要提倡多類型、多角度的競爭，避免一種競爭帶來的市場混亂。爲了避免進士黨爭，又要讓總理爲非進士出身，依靠舉賢等方式提拔。還有，科舉要遵照以前的做法，不允許藝人和富豪參加，這些人沒有正常的思維模式，行爲缺少約束，容易凝結幫派，其子孫也不可以參加科舉。由於朝代更替和土地也有關係，超級富豪也不可以兼併土地，甚至要限制高消費。至於地方官，不可以在出生地、家族人比較多的地方任職。國之君子仍舊要沿襲年號等評價體系，對執政做一個約束。

耕地翻土才能讓禾苗更好生長，政治上的翻土能帶來整個社會的健康發展，出身寒門更適合任職國君。如果最賺錢、市場最失靈的政治階層不翻土，那麼整個社會都會毫無生氣。不管是教育翻土還是行業更新翻土，都不如政治翻土效果好。「以無事取天下」，君主以「放」的姿態進行管理，反而會得到「收」的效果。秦朝的壟斷很強，可是沒有超過二世。

每個朝代都要從前朝吸取教訓，比如面對秦朝的滅亡，漢初許多文人都進行過挖掘，來指導政治。現在不及早放開言論，很難發現自身的問題，引出可垂法的制度。

（4）有君位卻沒有君主

鄧還能在體制上進行改變，而您對體制的更改舉步維艱，反而可能被人誤解為兩面派。如今的國君沒有民意做支撐，由於凝聚力不強，在二代內部也存在分歧。即使您在未來二十年努力維持，那共三代無論如何也是兜不住這個盤子了。

君主在君位，卻沒有君主的實際，在於兩方面。第一方面是沒有新官僚體系作為自己的支撐。薄唱紅打黑，已經說明您和他的爭執是共二代代理人之爭，也說明您的行動一定是受到了許多限制。從馭人來說，漢文帝就一直在挖掘治世能臣，建設自己的新官僚體系，這是提振政治的重要方法，也是創立盛世的重要突破口。如果上不能聯合共二代各位諸侯，下難以挖掘賢能，那君主面臨的情況就非常糟糕了。中國就此衰弱，2044年發生內戰，青年死於戰場，百姓顛沛流離，養老體系崩潰，雖然叛軍會失敗，但是中央也會破產重組。如果再沒有人才來力挽狂瀾，恐怕中華民族要陷入苦難的深淵。社會上一切事務都會體現在人身上，所有的資源也在人身上凝結，只有把握人才，減少思想衝突導致的更迭摩擦，才能盡量避免資不抵債，打開好的局面，減少對中華民族的損害。

第二方面是沒有廣泛的民意。「不自見故明，不自是故彰，不自矜故長」，治政長久需要廣泛的民意，需要打造以民為本的治政體系，並放開言論。「受國之垢，是謂社稷主」，接受百姓的批評與指責，是獲得民意的方法。「寵辱若驚，貴大患若

身」，過多的寵辱都是爲政阻滯的表現，如果出現意外的寵辱，君子應當檢省自身，移動位置。現在通過言論控制獲得了許多過分的褒揚，混亂了爲政的方略，這些都會成爲後人指責的把柄。身在君位如同在沙灘睡覺，如果太注重屁股下面的位置穩固，拉拉扯扯鋪墊到屁股底下，最終座位越來越小，甚至靠近池塘。如果能忍受磕磕絆絆，沙隆起或凹陷就容納，水來了就移動，最終甚至能躺下來執政。只有通過移動，才能找準治政位置。

我聽計程車司機說，您要提倡普選，這是獲得民意的重要方式。不管真假，有這樣的聲音，就有可行的方法，也一定會有相應的支持者。

3、未來儲君怎麼立？

君主現在很努力才能把各方勢力聚攏在一起，已經顯得勉強了。現在需要您作爲核心來努力維持住局面，以君主現在的年齡和精力，就職可以多二十多年。需要斟酌如何立儲君，並努力不要因爲立儲的問題產生大亂。從立儲來說，可以向這些類型的人傾斜。

第一，最好不是共三代。從歷朝歷代來看，共三代裡一定沒有治國安邦的大才，但是有能力讓局面變得混亂。共三代人心渙散，如果從中挑選，內會讓共三代中有權勢的人不服，外不能順服老百姓需求，即使接棒的時候穩當，後面也會跑歪。

第二，儲君最好出自軍旅中，這樣才能有足夠的能力鞏固自己的管理。

第三，最好找一個不貪戀權力的人，有動力從社會上收納

賢能，推動有力的改革。

第四，需要找一個遭遇困境的人，這樣他才會對君主有感恩之心，能夠繼承君主的志願，盡量維護中國的安定團結。

最後，君主必須幫助儲君理順道路。不論是共三代還是非諸侯來繼承，都不可能做到君主這樣凝聚各方力量了，君主必須幫助他順利過渡。現在共三代猶如沉入水中的木筏，站在上面，會讓鞋濕掉。最好擁有能夠從百姓中挖掘賢能的力量，這樣立足點會更穩。君主最好從現在開始打開民間賢能入仕的管道，幫助儲君打好社會基礎。

立儲過早，會聚攏幫派、遭遇非議，變動很大。立儲太晚，又不利於安定。暗中立儲，努力培養，暫時可行。君主一定要放下一切偏見，不管對方是不是要堅持馬克斯主義，不管對方是不是要走所謂「社會主義」，只要看這個人的能力和人品就可以，其中人品又放在第一位。賢人一定是有能力的人，即使他不做事，也比別人胡亂做事要強。

11. 諫改朝換代書

本來以為我的諫書將止步於十封，但是有感於國困民乏的現狀，心中鬱積太多憤懣，所以寫了第十一封。

董仲舒在《天人三策》裡說：國家將有失道之敗，而天乃先出災害以譴告之，不知自省，又出怪異以警懼之，尚不知變，而傷敗乃至。以此見天心之仁愛人君而欲止其亂也。自非大亡道之世者，天盡欲扶持而全安之，事在強勉而已矣。

「多難興邦」是因為有賢人能反省自身，主動受國之垢、受國不祥，調整破敗的政務、任賢用能、凝聚民心，幫助國家走出泥潭、開拓疆土。齊有仲孫之難而獲桓公，桓公生霸心而用管仲，才能「多難興邦」。現在百姓有難，先控制輿論，弱民之志，高唱頌歌，君主不反省自身，結果災難越來越多，政務越來越爛，百姓越來越苦。

如今天災人禍氾濫，百姓遭受外國低賤人種的欺侮、殺害卻不去懲治，遭受權貴人群的肆意凌辱欺壓卻只是幫助壓制百姓，國內災害頻仍，疫情出現多次，朝堂沒有賢能的人，亡國的前兆都已經具備，而我還在諫書裡遮遮掩掩，不能通過自己的行為來為百姓減免災禍，感覺罪過很大。「國家昏亂，有忠臣」，即便是商紂夏桀時期，也有關龍逄、比干這樣的敢諫之人，如果本朝的忠直之人不能發出聲音，那麼百姓會在更大的水深火熱之中煎熬。

遍觀歷史國困民乏時期，都有忠直之人出現，所以這次我

就充當這個忠直之人，即使因為冒犯你而被殺，也在所不惜。

當前政府可以說是毫無治政能力，如果以企業來觀察，早就應該倒閉。如今積重難返，如果不能正確改制，就只能以改朝換代的方式來完成改革，以破產重組的方式來維護百姓的基本利益，那麼就需要用到以下的方法。

第一，**查卷宗，整頓法律，為無辜的百姓平反**。當前政治和法律害民無數，其中有許多遺留的歷史案件，比如吳英案，應當被平反，並通過平反來大面積放開政府壟斷。這是獲取民心的重要方式，也是立國根基，能夠在每個鄉村百姓之間樹立威信。

第二，**減少各行各業的限制**。比如取消教育部，現在的教育只是在窮人裡分個沒必要的三六九等，浪費百姓時間錢財，增加百姓對立。各種專營權也應當和平反案件結合，取消政府壟斷。周厲王壟斷山澤之利，又壓制國人言論，當前的政府壟斷和對輿論控制有過之而無不及。能夠率先取消對百姓限制的人，將會鼓舞百姓，幫助他取得勝利。

第三，**放開言論。大音希聲，正確的意見洞察各種是非，明確解決方法，說出來本來就是平淡的**。而嘈雜繁瑣的聲音本來就不能解決問題。越是壓制言論，錯誤的言論就越是大行其道。比如高房價的原因就在於政府壟斷土地卻不懂得經營，壟斷貨幣發行卻不講信用所導致，很多人懂得這個，可是市場主流聲音都不往這裡談。一切社會問題都是政治問題，一切政治問題都是君主的問題，可市場沒人敢朝這個角度去談。如果壓制言論，就等於遮擋住了自己的耳目，找不到解決的方法，又在百姓之間製造矛盾。治國是如此簡單，傾聽先進於禮樂的鄉野之人的意見，就能達到國家大治，但是你的政府把它變得如此複雜，製造各類技術門檻，隨意插手民生，搞得民不聊生，很大的原因就是壓制言

論所致。壓制言論是蓄積洪水，如果二十年後北軍和南軍對壘，誰不怕先濕身而放開言論的口子，洪水就會沖向對方的陣營。

第四，**正文化本位**。大道廢有仁義，仁義廢有禮樂，禮樂廢有法制，法制廢才會提倡法制，政府見風使舵，順權貴、虐下民，如今已經是一個沒有法制的亂世，非仁義不可移風易俗，非王者不可振興中華。去除蠻夷之地的馬克斯思想，去除朋黨治國，使用孔子的禮制作為政治業標準，採用歷朝歷代好的政治，才能逐步恢復天朝上國的地位。率先採用中華傳統治國方略，才是中華的合理繼承者，未來才能贏得戰爭勝利。

第五，**放棄賣國的行為，恢復天朝上國榮耀**。如今中華民族罕見地成為世界低等民族，政府把國民和國資都賤賣，夷人亂華，讓人深惡痛絕。學校教育贈送給外國低劣的人，給予他們很多的資財；白人和黑人在國內肆意毆打、殺戮、強姦和販毒，卻不懲治；官員、富人瞧不起本國人，對外國人卑躬屈膝，喪盡顏面；律法不敢懲治外國人，卻對國人隨意施用刑罰，一個看守所小吏都能通過「躲貓貓」殺人，蠻夷在中國殺了人卻只能遣返；通過「人口紅利」等，讓百姓窮困而難以消費，又通過經濟貿易，讓大量原產物外流。中華八千年文明的臉都已經被你的政府丟盡，秦朝晉朝都比本朝開放，清朝都沒有本朝喪權辱國，元朝都比本朝正統。您不覺得恥辱，百姓都已經感受到了巨大的恥辱。蠻夷沒有信義，政府過多的忍讓，只是為了讓自己更好地魚肉百姓，竟然拉入蠻夷一起魚肉百姓。率先知道恥辱，放棄賣國虐民，老百姓才能被感化，幫助他贏得戰爭的勝利。

第六，**清理朝臣**。凡是共二代、共三代，在官位者全部去掉官職，在重要經濟部門的也全部去職。官員相互勾結、安排親友是危害國政的大忌。宋朝劉娥為避免黨爭，表面要推恩，要求

大臣把親族的名字呈遞上來，結果每有奏請升遷封賞，都要比對，防止朋黨集團的形成。這之後才有宋仁宗時期的發展，包拯、范仲淹、歐陽修、狄青等人才能嶄露頭角。如今任用共二代、共三代，這些人向下排除有能力的人，對上反倒認為是他們施捨給您，謀害企業家、侵奪民財、黨爭嚴重、朋黨猖狂，您的地位會一直不穩定。本來及早收手，不任用這些人也就罷了。現在您為了獲取連任資格，通過各種改革導致官進民退，未來會走向必須罰沒資產、殺人者按罪定刑，才可以平復社會和經濟創傷的地步。歷代多亡於權貴，權貴和蛀蟲一樣腐蝕大廈，沒有主動收手的能力，動搖國本，和饕餮一樣最終把自己吞掉。自古朝代覆亡之前，多數權貴吝惜錢財不支持抗爭，秦始皇滅六國貴族、黃巢屠殺關隴集團、朱溫屠盡士族、李自成進京勒索，錢財越是集中於權貴，權貴的下場越慘。即使您不做，那後來人也將迫不得已這樣去做，而且做得更徹底的人，將贏得更多的民心。

天下大公是動態的平衡態，可人之道損不足以奉有餘。自古土地是根本的財富，土地兼併帶來的貧富不均和產業阻滯，是改朝換代的重要推動力。如今政府和紅色諸侯們侵佔越來越多的自然和社會資源，貧富差距越來越大，民生越來越困難，將成為不得不打破的困局。東漢南宋繼承餘德，有人支持。紅黨無德，看看全世界共產國家的結果，到時候不會有建立北共、南共的斷續朝代的機會，紅色權貴都沒辦法支持這個不像話的朝代。即使是現在，權貴放棄紅黨破敗的大船外逃、妻子兒女拿著外國國籍而自己在國內做裸官的情況，已經持續二十多年了，這就是不積德將帶來徹底失敗的前兆。

紅黨只是一個殼子，裝著權貴和腐敗的核心，現在加強黨制，未來權貴反而可能通過反對黨來撇清關係避免牽連。這些權

貴現在是改革的唱反調者和分利者，未來碰見眞正的危機，就開始自我改革了，像秦末陳勝吳廣起義後各縣易幟，那您現在的處境算是什麼位置？在他們前面爲他們阻擋百姓的怨氣，讓他們撈錢，等待未來反水嗎？

當今中國禮樂不興，天朝上國的榮耀不在，是因爲紅黨這個西方副產品的無道管理，並遭受全世界的鄙夷，連越南、高麗、日本、中亞這些曾經歸屬中華的區域都不能信任。未來任何一個中華傳統的政權，都能實現天朝上國的榮耀，引百國來朝，所以今後的權貴不能把太多心思放在外逃上，積德才是避免災禍的辦法。即使下一個朝代也很昏聵，那也需要有權貴讓出財富以讓新貴發財，不是嗎？現在的權貴又是在爲誰聚攏錢財呢？

第七，**除了技術官員以外的所有官員，全部替換爲新官。**紅黨是爲鬥爭而非爲政而生，也非我族類。從全球來看，腐敗弄權是紅黨的先天特色；沒有信用，說話和做事從來不一樣；注重宣傳，蒙蔽人心，扭曲事實，沒有哪個國家能被治理好。政府任用人的標準有問題，這艘大船上的船員除了撈錢以外，對正確的治理沒有任何感覺。即使是正人君子，進入這個體系以後也會同流合污。因此如今的非技術官員需要全部被替換，不必留任何餘地。先任用新官的人，將會獲取民心。

第八，**變賣官資，充抵養老金、公積金等欠債。**政府的作用是養護百姓，百姓的大病、教育、養老等非日常的開支，都應當是政府擔負的職責，政府自身的壟斷，本來也能覆蓋這部分支出。但是政府不擅長經營，當前把百姓的錢集中起來，彌補政府職責的缺失，反而讓這些資產出現了巨大的虧空，這些虧空遲早要出問題，就應當破產清算、變賣資產來解決。養老金、公積金屬於政府欠債，應當第一時間歸還。放開壟斷與變賣相關行業資

產應同步進行，後期避免再與民爭利。有了這個行動，就會贏得民心，獲取勝利。

第九，以「行政市場化」的理念推行普選。您是共二代，而且治政能力有限，如果幫助理順普選，讓有才能的人上位，能夠將自身的失敗轉移出去，成就好的名聲。但是當前您的地位非常重要，承擔著防止動亂的責任，沒有碰到推動普選的好時機。因此建議將普選改為選賢任能，給予有才能的人很好的待遇。即使不能招攬大才，也能夠招攬真正能幫助治國的人才。以科舉任用出身貧賤的賢能之士，完成政治的健康輪換。獲得士人的認可，是獲取民心的一個標誌，能夠說明獲取勝利。

治國能人從貧賤中來，而且貧賤的人沒有足夠的時間形成權貴集團；大的貧富差距和資源的集中導致改朝換代，均衡財富是延長壽命的方法。立國長久，需以天下為公；享名久遠，需開拓能均衡利益的可垂法的制度。

我知道您不可能使用上面的方法，但是隨著您治理的深入，這些將逐漸成為解決問題的唯一辦法，而且時間越長，需要執行的力度就越強。我作為一個並無確定立場的人，尚且恥於與您的政府為伍，如果您不發憤圖強，解決人才的人身憂慮，更沒有廉潔之士願意出來幫您擺脫困境，這將是百姓的巨大災難。當前改革，不死人是達不成效果的。春秋戰國變法，爭執很多，有些君王都不能避免災禍。您想佔據位置獲得美名，想要做出成績，還不願意聽取中正的建議，不肯任用賢能的人，是不可能達到期望的結果的。

您是能維繫這條破敗的大船的唯一辦法了，有您的存在，才能讓這個爛攤子勉強拼湊起來，否則國家馬上就會四分五裂，百姓遭受極大的災禍。但是為了您能連任，這幾年您做出的事情

讓社會更加割裂、政務更加破敗、中華的裂痕更深、百姓尊嚴更加喪失。如果沒有大的準備和決心，恐怕您以後還會延續這樣的治理，各種天災人禍也會更加頻繁。如今天怒人怨，您與其堅持二十年後迎來崩盤的結果，不如主動攬起改朝換代的責任。我在第一封諫書裡，已經明確告訴您要開始學習漢文帝，改正朔、易服色、法制度、舉賢人，這是不用改朝換代就達到效果的方法。但是您如果不能全部貫徹，就只能在二十年後被動完成這次痛苦的輪換，仍舊會讓百姓遭受戰爭的苦難。連任並不是結果，而是一個工具，有了明確目的，這個工具並不是問題，但是為了工具而製造各種問題，那麼後面的目的就很難達成。中華文化已經被本朝抹去了大半，臉面丟盡，尊嚴喪盡。面對民族存亡的大義，希望君主能夠忖度。

12. 諫去黨正政書

當前世界有政府沒政治，百姓遭受苦難，天朝上國應當主動扛起責任，由內至外推行王道。應當做好以下七件事。

1、廢人丁稅，稅是留給富翁和大企業的。

從產業來說，自然生產下，越是產業鏈末端，越能層層聚攏過分的財貨。稅收本身是不應該出現的，但是既然政府運營效率低，需要稅收，那就要取之於產業鏈下游，補償於基礎產業，猶如樹木只要通過樹葉蒸騰，就能夠讓水流順利從樹根到達樹冠。人之道損不足以奉有餘，政治需要平衡這種狀況。稅收一定要非常低，最好能取消稅收，稅收是很多不平衡產生的根源。

現在的富翁們搶奪了大量的社會資源，為非作歹。努力勞動的人掙不上錢、壞人賺得盆滿缽滿，真正能夠提升效率的商業模式走不通，依靠政治關係能拿訂單並創業，是因為政治有問題。政治有問題是因為在最高位者有問題。惡人富，貧者賤，是為君者之過。您應該為這種事感到羞愧。

現在的富翁能說出「先定一個小目標，賺它一個億」之類的話，這幫人的思維已經非常不正常了，這是一個非常嚴重的問題，可是人大代表中充斥了這些心智不成熟的富翁、戲子。騙子和強盜坐高堂，精神病患者獲得榮譽，整個政治體系烏煙瘴氣。

未來除了不允許這些大商人富翁參與科舉，杜絕他們參與政治，還要大力限制他們的高消費，比如不可以坐商務艙和一等座等，除體育外的明星不可以代言商品和拍攝廣告。那些已經享受了財力上的便利的人，不可以再獲取政治權利，這樣會加劇不平衡。

2、廢除現代企業管理政策。除特別要監督的企業外，小企業不要交稅、不要做行政攤牌的事務。

人民的生產生活本沒有固定的章法，現在的企業管理制度有政治的深度參與，其中企業的各種財務管理制度，都要和稅收掛鉤。如果由政府來獲取稅收，就應當由政府來計算其徵收額度。最好不要以企業經營、百姓收入為導向，這是收保護費或人丁稅，是把百姓作為員工、企業作為部門來攤派任務，很不平等。應當是政府提供什麼產品服務，就收取相應的定價，也不要排斥別的社會企業、團體來競爭這方面的產品服務。稅收本身已經是不合理的，可在此之上，又要求企業自己來計算所應繳納的稅款，是把政府的運營成本計算在企業內部，卻縱容政府的低效率，這非常不利於政府業務的改進和產品服務的改善。更何況在政府成為這樣一個黑社會、地域壟斷企業以後，開始大量向百姓徵稅。僅僅是菸草一項，就已經夠政府經營了，可又要壟斷各類行業，成為社會的寄生體系。

為了稅收，政府已經做了太多惡事，讓百姓平白無故浪費自己的資源，從企業經營、生產資源方面對社會生產造成極大破壞。企業內部服務於政治而損耗的資源不計其數，政府貪污腐

敗、壟斷資源卻不務正業，相當於收稅的錢還抵不上收稅的勞務費用和浪費的錢財，那爲什麼還要做收稅相關的業務？當前已經把菸草經營得和毒品一樣，壟斷菸草經營這一項還不夠嗎？如果需要監督社會，自己養活監督的隊伍，這是成本，實際上有更好的經營模式，比如給違章車拍照，上傳後共分罰款，這種利用百姓來執政的模式就是盈利模式。而且最需要監督的是政府本身，如果有貪腐，也可以使用百姓監督後分錢的模式來運行，比政府自身的監督更高效、更節省成本、更能實現盈利。總之，政府是市場的一部分，是一個壟斷性很強的企業，老百姓沒有任何義務爲政府的經營不善買單，沒有任何繳納稅款的義務。

春秋戰國出現百家爭鳴，就是因爲政府知道自己沒有執政能力，任何爲政都是在浪費資源，都是入不敷出，都是間接執政，都會積累風險，所以把自身的權利分享給社會團體、有能力的人，這樣能夠讓政治高效運營。百姓去管理自身的業務，是最高效的，這就是無爲而治。人之道，損不足以奉有餘，政治應當順應天道，無爲而治。對於小企業，不要攤牌任何行政事務，不要用企業管理制度來煩勞百姓的生活生產，不要讓他們交稅。每天反省爲政的過失，這是爲君者的要務，而不是忙著制定各類產業政策、想著問題出在別人那裡。

3、自身無為而治，由百姓執政。

政府不善經營，往往把自身業務做成有成本的損耗業務。壟斷能力很強，又缺乏自知。收稅執政和銀行間接融資一樣低效和積累風險，如果政府經營就要收稅，製造各種資源錯配，浪費

大量資源，那就不要包括收稅在內的經營。

政府參與社會經濟經營、與民爭利本身就是不務正業，即使對自身的業務——比如軍事、社會監督、建設、政府運營方面，也是非常不專業，經常把盈利性業務做成有成本的監督維護，那就不要這種監督維護，把利潤和職責分享給百姓，百姓能把它做成盈利業務。

行政方面要充分市場化，由百姓來執政。比如有污染的就重罰，由社會監督者提成、企業自主消化污染。對於很多壟斷公司，罰款就是諮詢費，很多企業例如電信、交通等都有地域分包，不能全國統一運營，那就看看有沒有解決方法，促使他們打破地域分包，目前形成這種地域分包的大都是政府企業，實在是毒瘤。當然，一切罰款都以自身反省為準繩，如果自己有問題就修改，就不用產生外部的治理成本了，君子一人反省自身，那麼世界就會和平安定，越是無能的君主，越是有強烈的對外作為。

人類社會的關係總體都是政治，孝乎惟孝，友於兄弟，都是施政。百姓的日常坐臥都是政治的一部分，政府根本不可能達到這麼深入的地方，即使到達，也往往是禁錮人們的生活，管理成本太大。堯舜和周文王時代，有人犯罪，只要在地上畫個圈，罪人就能在裡面反省，現在管理成本比這個大多了。法治害民，到處都是罪犯和為非作歹的人，恨不得滿街都是執法者，五百公尺一崗亭，軍費還比不上維穩的費用。百姓十分之九的錢用於內耗，用十分之一的錢放在基建民生上，還大言不慚說這是自己的功勞。不如讓民間參與基建，減少自己作為中間商的損耗，以及錯配資源造成的風險累積。如果收上來的錢還用於監督百姓，破壞百姓的生活生產，那起到的完全是相反的作用，更不要提節省了。

因此，不與民爭利、不參與行業經營的基礎之上，還要大力推動行政市場化，以無為而治來推動百姓自己治理政務。政府沒有諮詢能力就外包給社會智庫，做百家爭鳴。政府最有用的諮詢業務，就是國君自我反省，對自身的改善做諮詢，老百姓就能自己生活安逸了。

4、廢除現代國家概念，從中國管理各個政府和企業，統一全球的企業關稅和對外關係。

全球只有一個真正的政府，那就是「我」。古之學者為己，知道一切問題都出在自身。在民間就學孔子做素王，在朝廷就直接推王道。治理自身就是治理國家，治理一個國家就是治理全世界。治在心，外無邊界，治在外，家門難出。

國家之前有民族概念，現代國家概念是二戰後出現的，這些都是需要打破的，最終是天下大同。別的國家的民眾就是自己的民眾，別的國家的政治就是自己的政治。推王道者在於治理自己內心，自己內心就是天下，統一管理世界的各個政府和企業，廣泛聽取民眾意見，重用賢能的人，來幫助自己推動王道。

天下大同不是行為統一，王道不是被人稱讚，這種能力也在於王者內心，而不在於外形，王者的手段是多變的。

5、貨幣民間化，逐步剝奪各國政府財權。

包括貨幣、證券、政務管理等，現在世界各國政府都做不好。其中貨幣管得尤其不好，因此有比特幣等民間信用的產物來作為平衡。雖然比特幣毫無價值，但是有民間化作為唯一的優勢。貨幣民間化一直是社會主流，貨幣本身是一種商品，任何一家政府的貨幣推廣都會非常難，只有放棄貨幣擁有權，建立起市場化的貨幣機制，才能夠掌握世界的金融主導權，用市場來攻克各國的貨幣和證券體系。

除了貨幣，在教化、政治方面，也需要通過市場化的方式，來攻克別的國家的教化、政治。推行王道，不在於自己掌握了什麼，而在於自己放棄了什麼，進而讓這些成為自己的利器。

6、推行政教合一的人子監，作為新的教廷，剝奪各國政治和教化的事權。

想要獲取一個國家，就在於獲取這個國家的人心；想要獲取一個國家的政治，就在於獲取這個國家的人才。

現在世界各國對教化和政治的控制都很嚴厲，暴君、士族門閥、政黨都在禍國殃民，需要有王者來統領政治和教化，剝奪各國政治和教化的權利，因為他們不擅長這些方面的經營。

以韓國來看，士族門閥擁有極強的權力，凌駕在百姓和法律之上，操控政局、玩弄百姓，被百姓痛恨，卻不能被損傷；以日本來看，士族門閥擁有極高的政治權力，操控政局，不能形成政治的更新，有才能的人無處施展；以南亞來看，暴君、政黨和

君權掠奪百姓資產，政治運營能力極差，百姓生活貧苦，戰亂頻仍；以中亞北非來看，各個派系的勢力壟斷一塊地方成為國家，不懂得為政方略，非常欠缺系統的政治人才培養；歐洲是強盜和懶惰者所在的地方，沒有好的教化，民眾蒙昧不開化；北美的政治暴戾無知，南美貧窮而且缺乏政治管理；中亞人心本來可以歸中華，可紅黨腐敗無能，擾民有方，外交乏力，不能收納中亞。有一幫豬對手，竟然把世界唯一的超級大國、天朝上國玩成這樣，天下遍地仁德卻不懂得去拾起來。當務之急，是盡快通過政治和教化市場化的方式，來挖掘人才、獲取民心，推行王道。

政治市場化，一個是通過科舉來選取民間優秀的人才，通過選賢來獲取科舉不能選出的優秀人才，通過普選來在這些人才中優中選優。在儒道兩家的政治行業標準之下，政治越是市場化，就越能選出優秀的人才來執政。周邊想要歸附的國家可以贈送五章紋袞服，把普選權也給予想要歸附國家的百姓。要扶持那些進士入第的人到各個國家參與普選，作為背後勢力來支持這個國家的建設，以人才吸引人民，進而獲取這個國家的政治和民心。把握好和當地權貴的關係，酌量合作和威懾，興滅國、繼絕世、舉逸民，這是以王道在全球撒播仁德。

與政治市場化同步的是教化市場化，為政者能做好政治本行業的運營已經不錯了，所以只需要做好政治教化，這就要興國子監，建人子監，通過人子來統領基督教世界的政治教化，通過輕徭薄賦和選擇人才來統領伊斯蘭世界的政治教化。有人子監、科舉和普選，就是從教化和政治上施行王道。

7、盡快解散紅黨，這是最重要的一點。

自古以來，黨爭都是爲政的大害，而紅黨是一個外國的政權。並且與民爭利，壟斷山川和自然產物，低效運作，敗壞民生，把古代暴君才會做的事情做成制度、體制，並用法律來加害於百姓。本朝也沒有國號，大肆破壞祖宗的法度，是一個出軌嚴重的朝代。爲了百姓，爲了中華民族的延續，懇請您做出一個必須要做出的決定，盡快解散紅黨，將其列爲非法組織，予以取締。雖然這個寄生蟲已經深深紮進了百姓的身體和器官中，但是請您務必忍痛消滅這個寄生蟲和外來物種。

君主，這是我給您寫的第十二封諫書，我至今沒有收到您的任何回覆。看到所謂國慶大花籃上又是「祝福祖國」，我就深深感到憂慮。「祖國」竟然有生日，很多人的年齡比你們所謂的「祖國」還要大，眼看著它根本挺不過所謂「下一個百年」，到2048年，還會有很多人的年齡比你們的朝代要大。現在等到了紅黨建立一百年，百姓已經筋疲力盡，社會經濟已經十分慘澹，而您還在壓制言論、混淆百姓視聽，每天忙著在百姓中間推行奴化教育，爲自己打廣告。您畢生可能做到的唯一正確的事，就是採用我的策略來選取賢能，可是您連聽都聽不到我的話。

在您之前，你們的權貴階層想要推出毛的孫子站到前臺，卻因爲是扶不起的阿斗而改選他人。富不過三代，作爲最後能夠勉強維持局面的二代，您和薄已經因爲爭奪君主之位而大打出手，到下一任選舉會造成內亂而至於改朝換代。從頭至尾，紅黨士族門閥一樣的選舉制度甚至不如皇權制度穩固。

毛害民無數，其兇殘暴戾已經遠超商紂和夏桀，後面的繼任者個個昏庸無能、毫無作爲，如同周幽王和周厲王，造成中華

民族的巨大災難和百姓的困苦。能夠代代昏庸、每個政策都荒腔走板，卻挺了如此之久，老百姓已經很不容易了，不要再每天做復興夢了，趕緊重賢用能。權貴們把腳下的土地換成柴草，把柴草換成白磷，在火燒起來之前，自己都沒辦法停下來。爲了減少對中華民族的迫害，帶領中華民族走出痛苦，請盡快按照以上七條來制定策略。

13. 諫保名書

因爲房地產項目出現爛尾潮，現在市場上已經有支持戰爭的聲音了。如果不是因爲生活沒有指望，誰願意支持戰爭呢？如果不是讓人人都感覺到疼，戰爭又怎麼會發生呢？從現在開始到2044年戰爭發生，還有二十二年的時間，這其中有還會有多少折磨人心的苦難發生，讓更多人喪失信心，希望君主能夠斟酌。

君主一直在改革，可是一直針對症狀進行效果不大的改革。實際上改革根本不會起作用，從現在到2034年迫不得已進行搶救，到改革失敗，經濟可能會一直走下坡路。等到老百姓對改革徹底失去希望，本朝苟延殘喘，也就只能依靠戰爭來改變現狀了。

社會的衰落是管理者的無能，經濟的發展是百姓努力的結果。現在本朝就像一個已經患了癌症、愛滋病的老人，未來各種病患都會到來，每一個都可能引爆連鎖反應。君主即使不能改變大的方向，也要努力保住自身的名聲。

君主要非常努力，才能將戰爭延長到二十二年後。君主想要保住自己的名聲，倒是相對容易一些。

一、延緩本朝衰亡

「國有家者，不患寡而患不均，不患貧而患不安。蓋均無

貧，和無寡，安無傾」。一個朝代的興亡存續，要看社會資源是不是分佈較爲均衡。社會貧富不均導致運行效率低下，政府的人力資源成本高，沒有賢人導致治政效果差，民不聊生、民怨沸騰，朝代的滅亡也就不遠了。

老百姓作爲基礎，如果不是爲政特別不像話，總是可以忍受的，如果不得已反抗，那災難是很大的，相當於老死；權利部門對社會生產關係進行運營，相當於人體器官，如果企業主等形成勢力，壟斷資源造成不均衡，也就成爲門閥，成爲腫瘤，相當於病死；體制是一個人的體質，如果過於僵化，整個社會體系就會衰落，容易得各種病症，相當於衰死；以國君爲代表的管理層，負責協調人爲製造的不均衡，社會運行才能高效，國君不行，相當於作死。

1、中央政府的衰老

一個朝代的開始多是均衡了貧富差，然後用長時間的輕徭薄賦甚至無爲而治來讓百姓富足。隨著政府管理成本越來越大，門閥的力量越來越強，一個朝代也就走入了中老年。

管理中的肥胖和疾病，都會減少朝代的壽命，現在政府管理很多企業，就算企業很大、效益很差，也很難倒下，這就是新陳代謝有問題，積攢的風險會讓中央政府承擔。

如今資產的分佈不均，很大程度上由政府的壟斷經營造成。百姓的資產，比如糧食，都很便宜；政府壟斷經營的資產，比如地產，價格都很高。政府之所以壟斷那些自然資源，就是因爲自然資源容易獲取和加工。現在因爲政府沒有經營能力，使用各種行政手段讓很多本來不稀缺的資源變得昂貴，僅僅爲了維持自身經營。加上政府沒有治國人才，以企業經營的方式治國，這

種高運營成本、高人力成本、低效率利用資產和人的衰老一樣不可逆。

要想長治久安，就需要將問題逐步揭開，房地產商、銀行、國企都可以倒閉，甚至玩不好貨幣發行的央行也可以倒閉。政府不可與民爭利，還政於民的關鍵，就是要讓老百姓調整社會資源。政府在不斷完善自身的同時，能夠將風險在市場上化解，相當於不斷在內部進行小規模改換朝代，增加朝代的壽命。歐美的普選也有化解中央政府問題的趨向，但是他們選不出人才來執政。

如今政府壟斷了絕大多數很賺錢的自然資源，卻經營不好任何資產。現在地方政府倒賣土地房產，讓百姓提前上交三十年勞動力，各地倒賣三十年專營權，養老金有大量虧空，已經把老百姓的錢盤剝到下個朝代了，從中央到地方都在給自己挖墳墓。

人的衰老可以是全面的衰老，如果某個器官出了大問題，那這個人死亡的速度會更快。

2、紅色家族為代表的癌症

現在人們並不痛恨暴發戶，他們的勢力還不夠大，按照他們的行為，只要加以合理的限制就可以。無論是互聯網、房地產還是影視大亨，他們的過度擴張在於政策失職。現在影響中國經濟效率的是那些隱藏起來的權貴，就是紅色家族為代表的權貴。

本朝選擇了水準非常低的外國思想作為統治手段，從剛開始就是權貴社會，打著國企的幌子，把全社會的營養全都吸收了，富了權貴，降低了資源效用。如今已經發展成為腫瘤，龐大而缺少作用，積累了大量債務，隨時都會破裂。又如同比宿主還大的寄生蟲，即使百般掩蓋，也很難不被人注意到它的存在。

　　君主既然在君位，就不能想著自己門閥的地位，那就是沒有為政者，這個國家就亂了。

　　自古以來，皇帝倒臺，士族門閥可以延續兩三個朝代。這次紅色家族權勢太大，獲得的不義之財太多，士族門閥大概率是不會被保留的。如果不能解決這個問題，下個朝代也會和西晉一樣荒唐和短命。想想本朝開始的時候如何掠奪老百姓資產的，大概也會以因果報應的方式被清算，好給未來的朝代一個乾淨的結局。未來的新朝代承擔很大的使命，這一點幾乎是不可避免。

　　人是很容易死於癌症的，現在地方管理中又形成愛滋病，全面削弱中央政府抵抗風險的能力。

3、地方政府的愛滋病

　　現在從中央到地方，政府每天想著怎麼掙錢，每天盤算著怎麼算計老百姓。地方已經形成了官員財閥一體的狀態，家族壟斷地方的政治經濟，形成了大大小小的地方的毒瘤。您現在相當於給這些人打工。這些人降低了地方治理的效果，全面削弱了整個政體的體質。社會沒出現問題的時候，他們挖空地基，社會出現問題，他們又帶頭鬧事。究其原因，在於沒有真正適合執政的人在適合的位置。

　　以上問題已經成為當前不可調和的矛盾，現在君主能做的似乎只有保全自身名聲。

二、保名

　　如果不治療上面的病症，把本朝拖入癌症晚期，發生戰

爭，即使您當時不在位，也有很大概率成爲末代君主。當前的社
會問題雖然是上幾任積累的，但是國運是在您這裡轉衰的，而且
您未來還會在位較長時間，社會還會發生更多問題。爲求更穩妥
的名聲，也要進行一定的努力。

第一，放開言論，是避惡名

　　放開言論是平復社會創傷的好方法。百姓對政務治理最敏
感，讓他們把問題揭露出來，有好的解決辦法，是延長朝代壽命
的方法，也是您能夠盡量穿越危機的方法。防民之口甚於防川，
您需要盡量避免和周厲王類似的名聲。您越是不願意聽到民間不
同的聲音，諱疾忌醫，那積累的危機越大，爆發的力度越強，爆
發的時間越短。

第二，重賢，是保清名

　　重賢是治療癌症、提振政治的好方法。賢人是爲政的根
本，其他人如同息肉和癰疽。建議採用古代科舉制度選賢任能，
比現在的選官體制好得多。古代重賢的君王大多數都能成就美
名，並且治理的政務不會差。重賢比任何改革的效果都好，如果
您把選官制度做好，那麼朝代的滅亡基本上和您沒有直接關係。
就算出現暴亂，也會有能人力挽狂瀾。

第三，恢復傳統文化，是增美名

　　本朝不是中華傳統文化下的朝代，您如果順承這些，成爲
本朝由盛轉衰、甚至末代的君主，那麼名譽會更差。努力改變本
朝的人文環境，恢復中華傳統文化和政治，加上有能人力挽狂
瀾，會展示您的努力，爲您個人的名譽增彩。

二、王道書

　　懷揣「爲先聖正道，爲後人立命」的夙願，國子監成立，口號爲「匯國士、育國子」。本書源自於國子監第一屆科舉考試的陳立強答卷。

　　第一屆科舉分爲「經義」、「策論」兩類，「經義」依照經書，主要參考《論語》、《道德經》、《傳習錄》、《近思錄》、《周易》，包括「修身題」、「治國題」兩個題目；「策論」包括行政、經濟、變法、外交、軍民融合五個題目。

　　此次科舉的目標是選出三甲百位進士，作爲國子監第一批合夥人。因爲水準不可能達到「百家爭鳴」，因此傾向於稱爲「百靈爭鳴」，唱出幾家金鳳凰。考生答卷則作爲政信產品，和百家爭鳴一樣，賣給百姓和帝王家。

　　陳立強所寫答卷，是以禮治、王道、百教合一的文旅爲主要特點，其個人具有鮮明的儒家色彩，致力於以文教整合全球教化，其方法是全球推廣文旅；以王道推動天下大同；以禮制爲全球行政治理提質增效。

　　本書言語較爲精煉，每個觀點都有相應的文字說明，內容較爲實用。小可以修身，中可以明政，大可以窺見未來天下大同的樣貌。

　　未來第一屆科舉進士答卷，將另外修訂成書，本書爲一個先導範例。

國子監第一屆科舉說明

匯國士、育國子。國子監隸屬北京國子匯教育科技有限公司，是從事國學教育、文旅、影視、行政人力外包的社會企業，將改善後的科舉做成全球化考試。通過傳統文化來挖掘「禮制」等管理方式，制定行政標準，提高社會運行效率。

大學部教授聖賢學問，做文旅影視；小學部做百家爭鳴；彩虹部做全球行政經濟人才培訓中心。目前包括文化教育與人才培養、機構託管、封地管理三大服務，及政信行政、政信經濟、政信變法、政信外交、政信軍民融合五大諮詢產品。另有五大文旅專案和鄉村振興業務。

國子監和孔子一樣做行政外包、獵頭，爲進士介紹行政工作。另外，它也是百家爭鳴的天使投資平臺和品牌，引墨子、商鞅、吳起、蘇秦等縱橫捭闔。

本次招生選賢是國子監第一次科舉考試，也是國子監的一次合夥人、教師招募。

國子監行政體系

國子監分爲大學部、小學部和彩虹部，校長爲祭酒，三部行政服務人員爲司業，具體科室教授人員爲博士，學生爲四類監生。本次招募秀才進士入監，將填補相關行政職位。

考題：分為經義、策論兩大部分

經義分為修身題、治國題兩科。經義主要依照經書，在古代考試中是四書五經，現在主要依照《論語》、《道德經》、《傳習錄》、《近思錄》、《周易》等，由大學部審閱。

策論分為政信行政、政信經濟、政信變法、政信外交、政信軍民五科，每一科都有百家爭鳴的巨量利潤。以行政者的角度觀察全球各國各領域治理，提出自己的理論或建議。可參考百家爭鳴朝見君王時推銷的產品。

當前入學考試不限科目，七項考試內容中隨意選擇，只要有一科夠深入、實用、簡練即可。

考生要求：無

沒有學歷限制，沒有性別限制，沒有年齡限制，沒有籍貫限制，沒有一切限制，只看你有沒有一顆經世濟民的心！

國子監祭酒職位也虛位以待！

考試期限：兩年左右

考試期間為即日起至《秀士文集》初版定稿，預計時間在兩年左右，在此期間可持續投稿。一般三月內可評定合格與否。

答卷格式：留下聯繫方式

1、姓名、年齡、聯繫地址、手機號碼等基礎資訊

2、標題（＋副標題）

3、思想產品概括（三百字左右）

4、正文（字數不限，行文盡量精簡）

殿試進士榜單獎勵：

1、一甲的狀元、榜眼、探花，我們將共同向朝廷要求各勵北京房產一套，需要大家共同努力；

2、進士，每人獎勵一萬元。

科舉流程：

童子試是入監考試，中者爲秀才；鄉試爲正式科舉的第一次考試，中者爲舉人；會試爲第二次考試，中者爲貢士；殿試將進士排名，分三甲榜單。

1、**童子試**：網路海選，考試者選擇經義、策論中的一科或幾科進行考試，盡量集中精力做好自己最擅長的一個科目進行投稿。童子試合格者爲秀才，文章將發佈於公眾號，供網路展示，入選者開通打賞作爲稿費補貼，發網授課程入學證書與國子監終生VIP線上課程會員卡。

2、**鄉試**：秀才可以進入鄉試，由國子監代理祭酒陳立強挑選前期部分秀才，共同對後期秀才進行指導，檢查疏漏錯誤，更正理念，修整題目，重新規劃提綱，並由秀才不斷更新完善。選中部分，中者爲舉人，文章將發佈於公眾號，供網路展示，入選者開通打賞作爲稿費補貼，發舉人證書。

3、**會試**：舉人優中選優，再對文章進行精簡，縮短篇幅，選取能留文百年、應用於當代者爲進士，集合成《秀士文集》出版。每位進士獲書十本，稿費按人均分，發貢士證書。

4、**殿試**：秀士登紫殿，三甲排名，安排行政職位。

行文規範：越精簡越好

中等人才看市場，如果你不成功，很可能說明你的觀點不

夠好、思想產品不對路、包裝不對。

大才一定不入俗。但是國子監能看出大才。希望你將畢生精華凝練，文章一語中的。太注重文采，顯得拖遝；太注重論證，會失去主旨；太依附已成，會失去獨立。不必刻意表現過程，只闡述結論。

子路、曾皙、冉有、公西華侍坐，子曰：「居則曰：『不吾知也！』如或知爾，則何以哉？」

如果國子監真的瞭解你，你會說什麼呢？如果你能寫出兩萬字，希望能壓縮成兩千字。《商君書》、《管子》讓人一眼就能看出有漏洞的地方，但是不影響留名千古。精簡是最大的修飾，誠意是最大的文采，質樸更有說服力。

可以把出版限制當做檢省自身行為言語，承擔更多責任的工具。

投稿郵箱

考試投稿郵箱：keju@guozij.com

國子監祭酒陳立強寄語

科舉選出的人才，不可能達到各自獨成一家的「百家爭鳴」，所以我更傾向於稱為「百靈爭鳴」，聚集賢能，共同搭建國子監來唱戲，唱出幾家金鳳凰。

《秀士文集》，是一個百靈爭鳴的政信產品集，「經義」賣給天下，「策論」賣給帝王家。秀才和進士對應百家爭鳴的學派，放在國子監這個超市貨櫃上，供殿試遴選。

國子監品牌更好，最好由國子監掌握人事關係，給予一定住房補貼，並和孔子一樣為弟子提供免費政務諮詢服務。百家爭

鳴中許多都是儒家弟子，比如墨子、吳起、李斯，以及魏文侯等君王都曾拜儒家爲師，弟子冉有執政期，則經常向孔子進行業務諮詢。

古代百家爭鳴產品，賣得好的都是質次價高的產品，由於市場結構的原因，會產生劣幣驅逐良幣。因此，在經義部分寫的好的，但是沒有能賣給帝王家使用的產品的，將不錄用爲進士，而是作爲國子監的弟子，在國子監參與服務。國學中人品就是知識，潛力就是實力，所以第一屆科舉，秀才並不一定比進士水準差，我特別想用的，可能不會成爲進士。

最後用一段煽情的話結尾：國子監「匯國士，育國子」，什麼是國子？國子不善談愛國，卻默默承受國家的苦難。國子不善談是非，卻把百姓的不幸歸罪於自己。國子把國家當做家庭，把百姓當做父母，責任越重大，腳步越堅定。國子負重前行，努力成長，直到到達頂端，轉身成爲國士，他用慈愛的眼光看著百姓，似乎自己成爲了家長，而百姓成爲了自己的孩子。這時候的國士，他將飽經滄桑的心放在肚子裡，將笑臉綻放給百姓。什麼是愛國？愛國就是和國子一樣用責任心去營造國家這個大家庭。什麼是愛民？愛民就是像愛護父母孩子一樣爲百姓遮風擋雨。家爲小國，國爲大家，成年人是家裡的頂樑柱，國子是國家的頂樑柱。把國家當做自己的家庭，受國之垢，我們是國子。把每個家庭當做自己的家庭，貢獻祥瑞，我們是國士。豈曰無衣，與子同袍。國子怎麼樣，國家便怎麼樣；人子心中有光明，世界就不再黑暗！

上卷：經義

1.【修身】心體：本體、本心的結構

1、關於「心法」

如果把人生當成習武，心法和功法要同時修，可以分化出心法和功法，專注於某些打磨。

其中功法是生活能力，對社會的適應程度，處理社會事務的能力。

心法則是對自身處理器的打磨，如果明晰心性，對社會的理解會加上外掛，非常正統和快速。心法是把身體和萬物看做一個整體進行認知，是非觀念更為綜合，對社會認知更接近真實，並能提煉出「道德仁禮義」、「心氣性」等共通理念，掌握人生「大器」，以「武德」促進武術的快速增長。

沒有心法和功法完全分開的學問。《道德經》、《論語》都是心法、功法雙側重。

但是如果將心法獨立，好處在於，心法是一體的封閉結構，比較確定，容易快速掌握，外部的功法則是散亂龐雜、沒有邊際的。如果學好心法，那天地萬物都可以成為功法的指導，而不必僅僅執著於幾本經書。同時外界還會通過各種磨煉來讓人重新鞏固心法。

2、「本體」的樹形結構

心學是「路標」，理學是「路徑」，結合起來爲「心理學」，指導正常人「大保健」。

本體是一棵黑色的樹，周圍有三大屬性，叫做「體性」，分別是騷、賤、SB，在佛家看來則是「貪、嗔、癡」。「騷、賤、SB」不好聽，但是作爲大眾的口頭禪，更容易觀察到，克服起來較容易。「貪、嗔、癡」則難以觀察理解，相對難克服。

圍繞在三大體性周邊，是各種細微雜亂的體味，構成了殘缺的「性格」，這些性格包含「昧」等不通透，包含「欲」等未分解。理學「存天理，去人欲」，就是要去除這些殘缺「性」，用「理」來讓本體通透，脈絡清晰。荀子提出的「性本惡」，是「體性」。

理學認爲「中國人人心裡有一個太極，有一個理」，克服本體的困頓比較容易。如果本體透明度差，看不清楚裡面的脈絡，就是「業障」。如果整個本體黯淡沉重，可以稱這些殘缺性格爲「原罪」，原罪延展開，才形成「七宗罪」。

以上已經大致說明，下面用文旅設計加以說明。

本體是一顆黑色的樹，有三個大的根莖（在佛教是「貪嗔癡」），當它透明度差的時候，我們姑且稱之爲「劣根」。「劣根」通過樹幹到達樹枝，形成各種基本的「欲」、「昧」等枝條，用虛擬實境光束，在周邊投射出各類發散、凝聚、扭曲變形的幻影，比如「七宗罪」。

如果是中國比較通透的本體，還可以有更多玩法，這就要參考理學和中醫，心理能量「陽貨」不斷衝擊和修改幻影和樹枝，用「理」來梳理枝丫，形成較爲光明的影像。

語言是不同的教化，「philosophy」中的「本體」翻譯，比

較合適。「philosophy」不明白本體是什麼，只是從批判中瞭解它「不是什麼」，一直在本體裡面打轉，完全沒有牽涉到「本心」。

掃除本體的黑暗，才能挖掘本心的光明。去除劣根，才能找到優根。

3、「本心」的樹形結構

本心是一棵透亮和散發光明的樹，和外界由三條大根莖連接，分別是「長進」、「快樂」、「全面」，這就是「本性之根」、「優根」。這三個「性」構成人生底蘊。我們可以稱之為本心的三種基本色。

三個性周邊，圍繞的是「情愫」，它的特點是具有「不確定性」，可以捕捉和體會，但是又非常發散和縹緲，順天地而動，不對外產生傷害，是人真正個性的來源，我們暫且稱之為「本性」，是「人之初，性本善」的性。王陽明的弟子說，看見大街上人人都是聖人，就是看到了別人的「情愫」，它是人生各種潛能的來源，也是構成人生真正「個性」的元素。

這棵樹延伸出的枝丫，是由「情愫」凝聚構成的「個性」，比如可愛、萌、純真等，是人溝通外界、吸取天地靈感的觸手。

枝丫交錯延展，形成具有色彩的藤蔓，就是「情」，它也是人體會自然的工具，像是吸盤，其動作為「感」。

本心樹的玩法是「格物致知」，當樹的枝丫接觸外界的事物，比如遊客觸碰後作為電源，就會形成光明的電流，在本心樹上不斷傳遞，到達樹冠頂部，撞擊無形的「太極」，降落形成各類「天花」。「窮理者，知其形。格物者，識其象。執大象，其

形多變而多用，乃眞知」。以理格物是王陽明的格竹，以情格物是太極，用不尋常的眼光感悟萬物，萬物不變，靈感卻不斷，理會不斷湧現，降落成爲天花。這時候超越學者，成爲賢人，悟理改爲悟情，萬物有情有性。撿到天花，天花落在枝丫上，還會不斷塑造個性，用情愫和本性形成一些新的枝丫，再把一些藤蔓的情焊接在個性上，成爲情感，更有人生感，容易培養感性氣質，藝術感也容易從這裡產生。

真實個性的屬性爲「眞」、「純」、「善」、「美」等。能夠消除以前假的行爲和認知造成的隔閡，讓人很有靈感地形成節省能量的行爲習慣，把握本質和塑造行爲，做事直接有效切中要害而且有豐富的感受，像是某項運動高手，總能以節省能量和有效率的方式完成某個動作取得成績，佛教說的貪嗔癡，在這裡對人沒有阻礙能力。

4、賢人個性

個性非常少見，需要天人合一後重新培養，否則不是眞正的個性，只是「體性」。「缺陷的體性」、「完美的個性」（比如「慈故能勇」）的培養路徑不同。由外至內的培養，小孩子可以通過學習、模仿、表演，直到這種行爲好像成爲自己「性格」的一部分。而「個性」則要從內到外對素材進行梳理，是「存天理、去人欲」的過程。用「致良知」的方式，取「知」之「良」端，把本來不屬於自己的外部之「惡」去掉，好的品格會自然形成。

過程很複雜，但是人人都在用，理學家提出很多路徑。孔子認爲：「生而知之者，上也；學而知之者，次也；困而學之，又其次也；困而不學，民斯爲下矣。」生下來就知道的，「善

良、純真、高尚」等「理念」，以及基本的父母兄弟情誼是最好的。通過學習掌握了孝悌仁義之道，是其次。先掌握自己的，再學著掌握治理世界的「大器」。孔子又說：「古之學者為己，今之學者為人。」古代學者知道自己的問題，把世界的問題看成自己的問題，讓自己變得優秀到能夠「受國之垢」，只要自己轉身，世界就變好了。現在的學者想著從外部解決問題，其實根本不可能解決問題，都是把自己幼稚的想法加到外部，成功率極低，試驗的成本非常大。注重學心法，功法進步就快，明白自己後，世界是自然的，剩下的是賢人如何去做。

5、賢人大器

以情感物，以理容物，這個過程會化身無形，讓別人失去攻擊靶子，有這些個性和感悟能力以後，可以感受更多的行為塑造，比如義。以理明德，以德固器，可以從太極殿走下來，塑造大器，成為聖賢。

執大象，天下往。往而不害，安平泰。

我們從來都不可能真正知道一件事情，真理是不存在的，是空的。本體沒有具體形態，我們只能通過深入揣摩它，挖掘它，瞭解它周邊的「理」，知道其變化，似乎抓住了「本體」的「性」，在生命是「本性」、「體性」，在物是「物性」，這就可以瞭解「本心」、「本體」、「物理」了。小孩子總是問是非，大人注重應用，因為「本性」、「物性」沒有是非，和空氣一樣看不見，形狀不固定，但是有力道。

「本體」就像常規的道德、善良、高尚，屬於理念教化，沒有具體形態，卻能促人長進。色即是空，本體、物自體就是空的。空即是色，並不代表它們是無意義的，「無意義」這個詞本

身就無意義，可以生發有意義。有心做事，無心掛礙，通過這一道關，可以從「本體」過渡到「本心」，從無意義中產生有意義，從黑暗中生發光明。

不可應用的學問都不是終極學問，可變性非常大。窮理為遍觀其形，格物為知象，窮理是為了格物。對一個事物的瞭解，只是瞭解其可能的各種變化，非其「質」。瞭解其「象」（物之性），這便是達到「知」，可預見其形變。

明心見性，便是個人的「太極」，從心性生發新知識，是「無極」。學者精進求知，到了「太極」，由於原本的趨勢，還想要向上衝擊，但是按照原來的方法已經很難得到更多的知識，像是觸碰到了天花板。但是自己的每次衝擊，都會掉落下許多新知識，也就是「頓悟」，這些「頓悟」就像是美妙的花瓣一樣從天而降，紛紛雜雜。學者專注於長進，努力又要衝擊，但是仍舊沒有效果，結果遲早會被各種花瓣吸引，轉身拾級而下，看到更廣闊的社會和百姓更多的痛苦，心理變得敏感。經過調整，會逐漸領悟「道德仁禮」等聖賢共通的知識，開啓自身的聖賢教化。由於不同的聖賢有不同的趨勢，承接不同的民心，因此另外有「太極殿」的設計，「聖」、「賢」兩類六條路。

2.【修身】道體：道德仁義禮樂的作用流程

1、簡述「道德仁義禮樂」

道法自然，是自然界可被認知、數據化的過程。

德運數據，是最初、最本真的數據。它有陰陽、動靜的區

分，像是電腦的0、1。加入「中」，能夠化爲3，形成各類聯合排布，形成具體的觀點、數據包。

仁是雲計算，是治世大器。

調用數據是義，是雲計算以後的匯出動作。用義，每一次都需要重新運算，否則就不準確，但是可以形成一些固定的雲計算方式、數據包，以節能的方式快速運算出結果。

不以禮節之，亦不可行也。就是仁要準確作用於萬物，通過義來匯出數據，還需要用禮來分流、疏導。「和」是「禮」一個正回饋。

能夠準確作用於萬物，是「樂」。禮和樂形成外部的調節回饋，用來重新梳理雲計算。

2、何爲「道」

「濂溪先生曰：無極而太極。太極動而生陽，動極而靜。靜而生陰，陰極復動。一動一靜，互爲其根。」

此爲周敦頤對老子「道」的一種闡述。人之至爲太極，從太極向外觀物爲「無極」，從物向內觀心又爲「太極」，兩者合爲「道」。

學者觀物明心，發於物，得於理，象映於心乃充盈。其後入「太極」（這時候學者並不知道自己入了太極）。到了「太極」，已經是「人」的極限，仍舊想要按照原來的方法，觀物明心，但是理難成象，象難再映於心，於是內心沖蕩，不能盈滿。這種感覺是「道沖而用之或不盈，淵兮似萬物之宗」，是「無極」的發起點。這時候學者用力過猛，窮理格物已經達到了極端，很難再靠「心」去明「象」，因爲物自體已經被解剖到沒有一點營養了。

然後是「有物混成，先天地生。寂兮寥兮，獨立而不改，周行而不殆，可以為天地母。吾不知其名，字之曰道，強為之名曰大。大曰逝，逝曰遠，遠曰反。」

「無極」是觀物然後返，「觀物」是由外觀自身，通過外物之「理」，以其「象」來讓本體明朗，就像消化東西，「理」是獲得的營養物質，轉化為自身所需的「象」，讓自己變得充實。但是消化殘渣，已經不能再讓自己充實，本體也就黯淡下來。「道」太遠，太大，獨立不改，很難摸透，感覺力有不足。

這時候知道返，內心就會再次光明起來。為自己設置一個天花板，本來是想從太極觀物，但是每一次用力，都不再看清楚空洞的遠方，而是看到很多天花散落，各種頓悟接踵而來，自己遲早被這些花朵吸引，並且轉身，看到來時的路，這時候就可以幫助百姓，做聖人了。

得到這個「天花板」，學者才真正明白自己身處「太極」。之前的窮理格物偏向於觀外，就像是積累數據，但是硬碟滿了，就要調整自身數據，從內部來獲取動力。學者內心的「象」可以再次重新構造，外部只是一個發起，就算是觀察竹子、磚頭，也可以有靈感，因為這些靈感、動能都源自於內部。在不牽涉生理，只說做學問的過程，那麼外部的動力是「理」，內部的動力是「情」。

「觀內」是調整已有數據，讓它重新構造，形成關聯，是「雲計算」。這也是「損之又損」的過程，「損」無用數據轉化為動能，重新計算有用數據。更小體積、更快運算、更強精確度，騰挪間獲得更大容量，讓自身知識更加光明透亮，產生更大價值。只要外部的一小點營養輸入，就能讓人獲得極大的運算成果，可以理解為「更節能環保」。

身處「道」，可以有兩種面貌，向上的「無極」會讓自己返回，騰轉之間又有「太極」，立足「太極」遠望「無極」是「道沖而用之或不盈」，「無極」返回後接受「太極」的洗禮，是「淵兮似萬物之宗」，老子從「無極」轉化為「太極」的方法是「挫其銳，解其紛，和其光，同其塵。湛兮其若存，吾不知誰之子，象帝之先」。太極和無極來回倒騰，這種感覺不好受，但是背轉身後向下重新審視萬物，就有接下來的內容。

3、「道德仁義禮樂」的運算過程

「道生一，一生二，二生三，三生萬物。萬物負陰而抱陽，沖氣以為和（這是簡化了「義禮樂」的過程）。」

「道」為「一」，是從自然中汲取靈感，是無中生有，形成可感知、存儲的東西。

因為內心的動而成「二」，為「德」。其象一靜一動，一停一覆，如雲朵不斷變化，很難作用於外。「上德不德是以有德」是據於「道」，掌握了「德」的變化，才算掌握「德」。

陰陽根植於「道」，「道」就像是硬碟。「陰」為凝結的「陽」，靠自身動能來將「陰」化解飄散為「陽」，此為「消化」。我們不妨稱「陰」為「陽貨」，是暫時沉澱的「數據」。

如果重新構造了太極，準備返回去走下坡路了，也就是成聖的道路，這時候所看到的和來時是很不一樣的。來的時候是從物觀心，功在理，外界比自身龐大；下來的時候是從心觀物，功在情，自身容納萬物，要重新解構「物」。這時候需要有一個動與靜的中和態，將其凝固、排列組合，這種中和態（一般認為是「中」）為新的「一」，加上陰陽，一共是「三」。

「三」是一個變動態，可以說就是雲計算，如果要固定下

來，是「仁」。它是所有的「人」的社會行為的起始，是人對社會、種群、自然的一個可交流態。它擁有「本心」的特徵，不直接作用於萬物，但是對萬物有感覺，有同理心、共情心。「三生萬物」，人所能認知的萬物之理，都逃不過「仁」，它是最大的「天理」。「天地不仁，以萬物為芻狗，聖人不仁，以百姓為芻狗」，是因為據於「德」，掌握了「仁」的變化才算有仁。

「德」與「仁」是內外兩個面，當「德」固定下來，對外形成某些章法，就具有了人的某些屬性。

「仁」需要通過「義」來輸出行為。「仁」的凝固、外洩不是本心所驅使，本心無害於物，因為不直接和外界聯繫。「義」是本體給予的一個強制的動力，好比外部電力推動計算。因為行為有強制，所以是「沖氣」以為和，為「義」，以義行仁，才能找到作用於萬物的把手。

萬物「負陰」、「抱陽」，依託大數據和雲計算，「沖氣以為和」，它就是大數據的一個運算和輸出過程。這不是簡單的線性道理，碰到具體問題還會產生變化，「萬物」的規律，就存在於這種「變化」中。學者不懂得其中的變化，把某些運算結果當成定理，進行二次運算，會產生很大的錯誤，所以「下德不失德是以無德」，又很拘泥於固定的「禮」。總之，針對具體的事情，每次都要重新進行一次計算，大小問題都要放到主腦重新分析，能耗非常高。聖人通過學習，來形成一些快速的雲計算方式（數據包、運算程式，形成「人類智慧」），克己復禮，不斷鞏固「仁」，才能在盡量低功耗下形成快速反應，做出某些行為動作，這些行為動作和常人認識的「義」、「禮」又完全不一樣。而聖人又有很多不作為的地方，簡單計算以後不輸出，保持低碳節能無錯誤，不是每個問題都有固定答案，這是人類智慧的自我

判斷。

「小大由之，有所不行。知和而和，不以禮節之，亦不可行也」。

「義」的「沖氣」方向很不明確，它甚至有點「血氣」，是一把雙刃劍，需要「仁」來指導，「禮」來節制。常人所認識的「義」和聖人的「義」雖然同源，但是沒有仁禮，向外延展會出現很多錯誤，聖人克己復禮，不允許自己有這樣的錯誤。最好是沒有仁就不發義，沒有禮就收斂義。

發「義」後需要「禮」來讓數據分流到正確的終端，被正確顯現（我們簡單把「禮」理解為主機板，將核心處理器處理後的資訊流分發到視頻GPU、音訊等終端處理器）。「禮」有一些心法，但是沒有固定的章法，需要和仁心來相互調節。「和」是「禮」的一個正回饋，具有極大的感染力，如果能應於物產生「和」，仁心就會有所得，如果不能應於物，產生矛盾，那還需要重新處理。這裡不能把聖人處理A問題的方法放到B問題，學者的「禮」也不可信，它們都缺乏一個回饋和重新計算的過程。

「和」是聖人的自我調節反應，對於大眾來說，「禮」正確作用於社會，則是「樂」。「和」與「樂」是同一件事的內外顯現，只是「和」只是一個信號，「樂」所蘊藏的內容更豐富。外人觀察禮樂，可以看到很多內容，這些內容多是關於社會治理、禮樂教化。「仁」是治世大器，其行為通過「義」來發射，所遵從的「禮」是治國大器，不管問題大小都遵從於整體，仁者以小見大，小為而大治。有不行動的地方，但是如果行動，會撬動槓桿，形成和諧的禮樂教化、社會治理的大方略。

4、「道德仁義禮樂」的文旅設計

為便於理解，現在我們把太極做成一個動態體驗。先是學者沿著學路的臺階登上太極殿，站在太極殿向前方張望，代表心的燈應和人的目光，向前方發射衝擊光束，是無極，也是「道」。

無極逐漸在近處形成一堵無形的光線牆壁「道牆」，也是「太極」，逐漸反射回大部分的光束，成為一朵朵降落的天花，也就是「頓悟」的新知識，落到學者身後。天花紛紛散落，其中被「德」收集吸引的部分，轉化成各類色彩，四處沖蕩。

色彩形成縱橫聯合、相互影響的萬物之象。其中由「中道」吸收器（其實是一個光束發射器）逐漸吸收色彩，凝聚為一個帶有發射孔的光束轉輪，為「仁」輪。

光束發射孔則為「義」，在這裡和「中道」吸收器為同一個器械即可，學問上是兩個。

「仁」器吸引了大部分「德」整合的光束，通過「義」孔發射出去，散亂打擊到物體上，沒有章法，整個屋子都變得五光十色，於是逐漸凝聚，通過「禮」的分流器、通道，將它通過反射、折射，照亮了六條通道，這就是「禮」的通道。

通道分別穿透打開「真、聖、覺、敏、為、公」六門，分別出「德、仁、慈、能、勢、義」六路，出「祖、宗、教主、賢、神、士」六門，抵達學者來時的民樂廣場。

民樂廣場接收到信號，即可表演《彌勒上升經》的淨土VR場景，在國外則是《啟示錄》的場景。

通過感測器，我們可以根據學路上的人的數量，以及太極殿內人的數量，來變換光束強度和顏色，也可以調整為每進來幾個人，重新進行一次光束演示。還可以配合朗讀，比如形成「德

聚」的旋渦的時候，朗讀如下內容：「孔德之容，惟道是從。」
同時配合花朵形狀變化為「道之為物，惟恍惟惚。惚兮恍兮，其
中有象；恍兮惚兮，其中有物；窈兮冥兮，其中有精；其精甚
真，其中有信。自今及古，其名不去，以閱眾甫。吾何以知，眾
甫之狀哉以此。」

3.【治國】政體：禮制是低成本的行政治理

1、治國大器之「禮」：上禮來自下民

孔子曰：「先進於禮樂，野人也；後進於禮樂，君子也。
如用之，則吾從先進。」

國人是城裡人，野人是外城百姓。禮樂的最初來源，是農
民百姓。第二個來源，是君子。如果要使用禮樂，要從較貧百姓
這裡找。

上禮來自下民，君子的二手禮不值得孔子去用。老子很排
斥君子的二手禮，「故失道而後德，失德而後仁，失仁而後義，
失義而後禮。夫禮者，忠信之薄而亂之首」。

人們習慣談缺乏的東西，大談禮治，是因為沒有禮治了，
大談法制，是因為沒有法制了。如果存在這些東西，就不存在相
應的問題，就不會注意到這個問題。願景會落空，提倡的路徑，
往往不是解決問題的路徑，否則那些問題早就解決了。最好的方
法，是沒有意識到它存在，讓自己常歸於「愚」。

學者能看到問題，難看到解決方案，學者認為的「禮」往
往是君子的二手禮。

在百姓這裡，禮是最真的，也是無形的，容易變化。在君

子這裡，禮有了固定的框架，更容易看到和觸碰到了，也成為教條，成了「忠信之薄而亂之首」。固定的禮不是禮，君子的二手禮，聖人不取。

禮法就是兜底民疾，兜底貧苦百姓的生活，這裡的經濟原理很重要。和「周急不濟富」一樣，牽涉邊際效應，力圖得到最大的投資效果。

「禮」是治國大器，能從富人的驕傲放縱中發現為政的過失，能從貧苦百姓生活發現為政的方向。孔子只要通過五個觸手，就可以從百姓這裡得到大量的資訊，因為「敏」，「敏則有功」，通過百姓的一點點的資訊回饋，基本上就能得到整個的為政得失，明白「禮」的用處，通過反省自身，來達到天下大治。

2、挖掘一手禮的一個覺悟和五個觸手

子禽問於子貢曰：「夫子至於是邦也，必聞其政。求之與？抑與之與？」子貢曰：「夫子溫、良、恭、儉、讓以得之。夫子之求之也，其諸異乎人之求之與！」

儒家五常應當為「仁義禮敏信」。「覺」是「自覺」，「敏」是「覺他」，因而「有功」。「禮」的回饋機制是，通過謙卑自身，讓自己的知覺、情感變得敏銳，能夠充分接納外界資訊，然後通過觀察、交往，從百姓這裡獲取大量資訊，最終通過對自身的約束，來發現為政的正確道路。百姓為聖人師，為賢人司令，百姓會通過行動來發號施令，聖賢才能正確解碼。

「均無貧、和無寡、安無傾」，便是以「禮」體會百姓所產生的治國方略。為政很簡單，「受國之垢是為社稷主」，「萬民有罪，罪在朕躬」，任何社會問題都是政治問題，任何政治問題都是君子問題。政治撬動巨大的社會槓桿，如果君子敏銳其是

非，承擔其罪責，只要轉個身，就能達到天下大治。如果覺得問題出自外部，是百姓的罪孽，那麼不僅治理成本巨大，而且問題永遠不能解決。

「古之學者為己，今之學者為人」，古代的學者挖掘自身，承擔責任，能夠解決問題。當今學者挖掘各種外部的是非因素，製造各種線條、理論，但是不懂得外部變化，製造問題而不是承擔其後果，是「不在其位亂謀其政」，不能解決問題。百姓的禮，往往能夠通過人情，形成「情治」。「四海困窮，天祿永終」，君子敏於自身覺悟，作用巨大。只要「受國不祥」，就可為天下王。君子的禮更加外在，會伴隨成為高成本的「法治」風險。

3、行政資源來自百姓

治政最終要落實到一個個人身上，也只有「人治」才能實現微調。千百年來政府機器換湯不換藥，有同樣的病。

最大的行政在民間。堯舜時期，比屋可封，每家都有可受封爵的德行。最好的法官，是糾紛不出村。最好的行政，是自我反省。百姓自己的行政是免費的，不產生赤字。政府越努力，壟斷和干預越嚴重，問題越難以解決。孔子說，「虎兕出於匣，龜玉毀於櫝中」，老虎和灰犀牛跑出來，人才毀在房地產裡，是誰的錯呢？治國非常簡單，用對人，反省好自己，還政於民，就可以了。

有政府並不一定有政治，它可能只是一個地域壟斷的企業。有禮才有政治，禮法是來自於廣大百姓，行政也是來自於百姓，政府也只是這個行政市場中的一份子、產業鏈中的一環。賢人注重通過修身來施於有政，日常坐臥都是行政的靈感源泉，但

是不一定在執政者的位置，因為最大、最高效的行政自古至今一直都在民間。

或謂孔子曰：「子奚不為政？」子曰：「書云：孝乎！惟孝友於兄弟，施於有政。是亦為政。奚其為為政！」百姓的日常生活坐臥都屬於行政範疇，社會和市場是行政資源的良田。聖人反省自身，對其進行加工而不是壟斷，就會產生政治，結果「比屋可封」，每家都有可封爵位的德行，人人都是免費的執政官。

君子基本上可以看做國之君子，在行政位置上，動靜坐臥都會產生連鎖反應，在反省自身後，就「為政以德，譬如北辰，居其所而眾星拱之」，君子不需要做什麼，他反省自身，百姓會替他治理好政治。

4、「禮制」還政於民，是低成本治理

在行政行業的產業鏈當中，百姓產生的「禮」是治理成本最低的。到了君子，經過一次業務轉包，成本會增大。到了暴政，基本上只有成本沒有解決方案。通過增強壟斷來治理，會適得其反。

一流企業做標準，二流企業做政府平臺，三流企業才做具體產業。聖人定制「禮」的標準要從百姓這裡來，孔子的禮制標準延續兩千五百年，為各朝所用。

均無貧、和無寡、安無傾，世界上本來沒有貧瘠的土地和不安分的百姓，只有不合時宜的地域流動限制和政策攪亂的市場。

法制是政府壟斷行政資源，如果選擇法制，社會成本大量增加，一次開庭解決一萬元以上糾紛，三千元以上盜竊才能立案，那麼就連富足的地區，也會產生大量的行政失效。

「道之以政，齊之以刑，民免而無恥；道之以德，齊之以禮，有恥且格」。用法制壟斷行政，那道德缺失，百姓缺乏自治，法律和騙術都會升級，不斷推出新法律製造罪犯，並製造新的遊走在法制邊緣的騙術，治理成本巨大，形成了法制下的亂政，增加社會運行成本。

禮制約君，百姓和樂。法制約民，百姓困苦。法制下是沒有法制的，因為頂層是很少遵守法律的，會根據自身管理調整法律，常常將成本轉嫁給百姓，這時候政府表現為是一個地域壟斷的企業。

5、「禮」的運作模式：挖掘民治的經濟效益

子曰：「麻冕，禮也；今也純，儉，吾從眾。拜下，禮也。今拜乎上，泰也。雖違眾，吾從下。」

社會習俗是自然的，現在做的禮帽節儉又好看，所以孔子非常喜歡。民心為帝，聖人承不同的民心為不同的帝，堯舜祭天地為順民心而治。這時候的行政是市場化的，拜下，謹慎聽從百姓意見，符合禮法。可是聽從壟斷行政的執政者的話，就算不得禮了。孔子沒辦法，當時環境，不聽從執政者的意見，可能會出其它麻煩。弄出繼承制，也能保安泰。孔子不抨擊，但是即使違背執政者，也要依從禮法的根本，依從百姓。

「民心」和「民行」是兩件事，聖賢可體會「民心」，從百姓的困苦中瞭解積極向上的趨向。「民行」比較雜亂。明理持義，堅持禮法，會明白「集體無意識」。因為各種利益驅使、脅迫感，某些範圍的是非判斷和價值觀會非常混亂。這時候君子子然獨立，和普通人的判斷甚至相反。從雜亂的「民行」中看到具有好的趨向的「民心」，然後「受國之垢」、「受國不祥」，是

施政靈感的重要來源。這應該是老子認為「義」先於君子的「二手禮」的一個思考。

知道禮從哪裡來，不會盲從在位者。逐漸熟練禮法的運用，產生了自主的主張，逐漸就掌握了「仁」。「仁」是治世大器，仁者為人之主，可以公允地進行判斷，行仁行義，而不顧世俗的「無意識」阻礙。等到他做成了，百姓突然頓悟，皆曰我自然，那麼世風也會突然一變，百姓找到自主的行為規範，和之前的混亂完全不同。這也是「禮」的一個回饋機制。就是通過反省自身，而不是尋找百姓的行為混亂來插手百姓言行。其政悶悶，其民淳淳；其政察察，其民缺缺。當百姓出現奇怪的言行，一定是執政者出現問題。警覺的執政者是「寵辱若驚，貴大患若身」，發現有外在的褒揚和咒罵，就一定會警覺起來，敏於事理，受民之垢，挖掘施政妨害百姓的地方，百姓自己就會把行政做好。

和「古之學者為己，今之學者為人」相似，有「民可使由之，不可使知之」。君子看見異常，先反省自身問題，不要隨便評判百姓行為，誤解民心。這是一句相當嚴厲的批評，指出在位者不要總想著統一百姓知識，而應該通過放鬆管制，讓百姓自然挖掘出正確價值。人之道損不足以奉有餘，所以要常讓自己回「愚」以明民，由民而明知，「君子博學而日參省乎己，則知明而行無過矣」。老子說「古之善為道者，非以明民，將以愚（之）」。老子在很多地方都是在變換立場來觀察自身言行，符合一個人在自我反省時候的狀態，這裡可能是同樣的意思，就是善為道的人，並不是想要老百姓明白一個事理，因為那個事理很可能是錯的，善為道的人應該讓自己和他人變得「愚」，這樣能夠集中精神力量，放在對自己認知的改善上。

拜下，禮也。聖人以百姓爲師，如果想以自己學問教給百姓，在心態上很謙遜，唯恐有疏漏，「悠兮其貴言」。如果想讓百姓瞭解某件事，先要對自己進行三次深度的靈魂拷問，「爲百姓謀而不忠乎？與百姓交而不信乎？傳不習乎」。即使拷問完畢，也不能保證自己說的話是對的，最好是「功成事遂，百姓皆曰我自然」。

聖人是一張白紙，向百姓學習，知道百姓需求，來解決問題。爲政要向百姓學習，反省自己，減少錯誤的施政。老子一生只留一本書，王陽明非常仔細修改《傳習錄》，是因爲看到學生給孔子記錄出現不少爭議和不完善。朱熹後半生後悔不成熟的時候寫了太多文章，自相矛盾，影響自身定位。眞理稀少，大音希聲，行政勸民是不信實，是轉移行政成本給百姓，必定是錯的。不在百姓的位置，不可亂爲百姓謀政。

仁者以小見大，小爲而大治。智者化繁爲簡，大爲而小治。民不可使知之，因爲問題不在百姓這裡。君子執大器要慎重，對問題要如切如磋、如琢如磨，敬民、忠民。

仁者的「禮」活靈活現，「仁」關乎天下大治，「禮」很有效率。如果用禮制，路上會有很多無禮的人，如果用法制，路上會有很多罪犯。禮制以民爲尊，法制以在位者爲尊。禮制還政於民，是眞正的民主和市場化，其商業模式是「我能爲你提供什麼服務」，而法制的商業模式則是「誰應當是被杜絕的」。禮是仁者用來框定自身，用來治政的工具。如果沒有賢人，能夠嚴格遵守君子的二手禮，也沒有特別大的問題。法制運營成本極高。

禮是君子接觸百姓、反省自身、獲取爲政之道的大器、處理器。民心爲帝，聖人無常心，承民心以運德。道象、德象、仁象、禮象，摸到其「象」，會產生自己的天命。

4. 【治國】政體：中國歷史上的士族門閥概觀

「天下爲公」是有識之士的希望，是社會運轉最高效的狀態、社會資源利用率最高的狀態，也是社會保持穩定的一個基本態勢，達到這個狀態利用的是「中庸之道」。但是「人之道，損不足以奉有餘」，最終社會資源還是集中在每個人身上，管理方式和管理疏忽等都會讓社會走向固化的利益集團，這樣管理比較方便。

資源分佈的不均衡，造成社會局勢的變化，其中行政管理層更換比較頻繁，士族門閥更換稍微少一些，其依據的是社會生產生活的變化。

各個行業都趨向於集中某些錢財於某個機構，統一調配，看似高效率，方便管理，但是也容易形成不均衡。一個人掌握一定的錢，可以選擇對自己有利的人來執政，這也算是士族門閥的類型。財如果聚起，如果不是非常敗壞，總是很難分散出去的。有才能卻沒有金錢基礎的人，如果不是走了大運氣，是很難獲得財富的，更何況那些可以爲政的賢能的人，本來就是缺少聚攏錢財的手段。

對於百姓來說，大多數人又沒有賢能的人的那些能力，更需要選賢任能來調理。一切社會資源最終集中在人身上，選對人，調整資源也就簡單了。

聖賢能夠一定程度維持「天下大公」的穩定狀態，也制定了一些行業標準，比如儒家的禮制。治理過程中打造團隊、探索合理的人力資源提煉和使用方式，比如分封制、家族制、徵辟制和察舉制、九品中正制、科舉制等，也都會影響治理效果。最好

的結果，是在遵從聖人制定的爲政之道的前提下，以性價比最高的方式，挖掘到適合爲政的人才來治理政務，並避免他們成爲新的士族門閥。

政治管理、經濟管理都有人類群體自己的特徵，從家庭、企業到政府，遵循著一些基本的人性和行爲特點，在不同的層面體現不同的表象，但是都遵循一個同樣的基本原理。治國和治身、思維有相同的地方，治政道理存在於社會的方方面面，一個聰明的爲政者，不管身在何處，需要不斷思考爲政的方略，在微觀和宏觀方面將思維打通。

1、組織架構：士族門閥是真正的管理層

每個在君位的人都是帶著多個團體來開展工作，包括他的工作小團隊、他的家族、他要依附的金主。個人的能量是有限的，資源會集中到各種團體，形成士族門閥。

做運營的都是士族門閥或者官員，他們直接接觸老百姓，但是一個國家治理的怎麼樣，最終還是要算到爲君者身上。老百姓大多時候是個客戶，如果提供的服務出問題了，客戶團結起來，那些士族門閥可能會和農民一起拉起大旗，重新構建一個朝廷。這些人掌握著大量資源和運營能力，馬上就可以替代出一個新朝代。

士族門閥可能是白手起家，做成社會的容器，成爲社會器官的一部分。可是隨著經濟格局定下來，他們逐漸發展爲瘤子，慢慢發展成爲癌症，是一個人衰老的徵兆。皇帝的倒臺是一場對大病的治療，一個朝代結束，那些權貴可以換個馬甲，重新去運營。但是矛盾積累太多，社會資源非常不均衡，那麼這些權貴也會集體淪陷，資源重置，開始在一個乾淨的基礎上建立新生態。

在士族門閥強大的時候，他們隱藏在社會背後，對皇位的選任、政府的業務都有很強的操控力，從裡面獲利。如果以這些利益集團來看，我們的世界並沒有經歷如同朝代那樣多的變化，而是只有幾波士族門閥的更替，我把它們分爲以下幾輪。

2、猜想：中國歷史上的七撥士族門閥

伏羲到黃帝時期，領導者有個人魅力，伏羲創制八卦，神農以草藥聯合部落，黃帝依靠戰力。貨幣也是民間化的，大家可以自由組建產業鏈和分享交換勞動成果。

第一代士族門閥，以族群爲特徵，群落共同推舉有德行的人做首領，如堯舜禹的禪讓制，以及商代夏、周代商的家天下傳承。最終以周朝的分封爲結束。

第二代士族門閥，是分封制度下的諸侯士大夫爲特徵的士族門閥，競爭激烈，各種生產組織方式都想要嘗試，各個層級都想做大，由此產生了中國思想史上最活躍的百家爭鳴。

第三代士族門閥，是西漢初期利益團體的更替，這一時期前期包括帝王、皇族、功臣派、外戚派相繼登場，最終盡量集權於皇帝，採用選賢、徵辟、考試等方式選取民間賢能參政，但是在民間仍舊逐漸形成了以經濟、家族爲特徵的士族門閥，在東漢時期發展壯大。

第四代士族門閥，以對地方財權控制和文化控制爲主要特徵。他們掌握了地方和中央的權利，和皇帝共同治理天下。王莽、劉秀與士族門閥糾纏，三國各類門閥士族盛行。一直到曹魏政權，爲了獲取士族門閥支持而使用了「九品中正制」，從制度上確立士族門閥體制。司馬懿作爲士族門閥的代表，被推上了前臺。之後是魏晉南北朝時期。

第五代士族門閥，以關隴集團為特徵，這些人掌握了地方的武裝與財權。他們拉攏人才，不願意其他士族門閥分治，並在隋朝出現了科舉制度，對士族門閥體制產生衝擊。最終這些士族門閥在黃巢、朱溫的絞殺下消失。

宋朝皇帝獨大，依靠儒家和科舉，讓有才能的人治理，分配較為均衡。

第六代士族門閥，主要是民族與民主之間的矛盾。少數民族入侵中原，成為新的利益集團，通過科舉考試來招募人才進行管理。這一段時間伴隨的還有黨爭，比如牛李黨爭、王安石變法、東林黨爭等問題，宋朝劉娥還曾經設計打擊朝廷裡的裙帶關係。總體來看，文人士大夫是有著自己的操守的，比其他的士族門閥狀況要好。

第七代士族門閥，從全球來看，家族制、財閥、財團等形式較多，國與國之間有極大隔閡，缺乏政治行業標準，有才能的人較難上位，但是其中的普選可作借鑒。應當以「行政市場化」的方式推行科舉、選賢和普選，讓「國之君子」執政，並盡量將權力和富人分離開。

社會運轉很複雜，關於士族門閥的分析應當不正確，只供一時參考。

第一部分：春秋戰國士族門閥概觀

1、分封制下的承包式管理：尾大不掉

夏商的家族制產生的士族門閥相互征伐，進入了衰老階段。周朝出現了分封制。制定卿大夫制度，將人才分封到各地或者安排官位。天子在射宮之中，以「射禮」考驗推薦上來的人，

封為諸侯、卿、大夫、士。分封制類似一種承包制，像姜子牙這種，你不給他承包，他怎麼去開荒？大企業在初創期都是少數人做了大部分工作，後來吃飯的人越來越多，有些枝丫就會很龐大，需要修剪。士大夫制度是一種修剪模式，但是不夠靈活，類似一棵樹，樹幹是天子，大的枝丫是諸侯，小的枝丫是卿大夫，再有分支就是士。有些枝丫過於龐大，周朝的秦國和韓國都是從很低的職位，最終建成了強大的國家。

分封制的好處是容易管理，周天子不用花費太多精力就能凝合大家，各地方能夠自我治理，是效率相對較高的。管理者對周圍的人知根知底，周圍的人也習慣於和這些管理者形成產業合作。不好的地方是容易失控，枝丫的發展難以控制，有些枝丫太大，能把樹壓垮。你砍掉某些枝丫還不行，你還得用這些人，因為他們熟悉這攤事，就算一個很不起眼的低職位，也不能忽視他。周天子是這樣，諸侯是這樣，諸侯下面的封邑大夫也是這樣，你辭掉一個人，發現會有一大堆事做不好，補了一個漏洞，還會出現更多漏洞。

當時的官制是承包，那麼官員也就成了諸侯大夫的家臣。

我們可以稱分封制像是植物型的管理，孔子想集權到諸侯和周天子，做一個動物型的管理，神經比較發達，能夠掌控到各個地方，但是這種管理模式在當時還不能實現，因為經濟基礎決定分封制還處在衰而不死的階段。從天子到諸侯沒有不想集權的，任何人都想集權到自己這裡，但是這些在當時還不能實現。

2、魯國三桓：陪臣執國命

越是低層，越是接觸百姓生產生活的第一線，春秋戰國諸侯架空周天子的位置，卿大夫架空諸侯的位置，卿大夫下面的執

政者又架空卿大夫的權利。「禮崩樂壞」就是這樣的組織體系出現了問題。

孔子說：「天下有道，則禮樂征伐自天子出；天下無道，則禮樂征伐自諸侯出。自諸侯出，蓋十世希不失矣；自大夫出，五世希不失矣；陪臣執國命，三世希不失矣。天下有道，則政不在大夫。天下有道，則庶人不議。」

這裡的「有道」就好比給士族門閥經濟體系定了一個年限，看這種經濟管理能維持多久。一「世」三十年，相當於一代人。

最低的「陪臣執國命」，是一個家族體系能參與政務的人才不會超過三代。經濟上也是如此，如果沒有政治權利壟斷加持，應當「富不過三代」。

這就好比說，如果天子管理還有效，那麼管理體制是在年輕的時候，還可以延續很長時間；隨著年齡增長，如果諸侯開始發話了，好比士族門閥出現，地方割據開始形成，那這個管理體制能維持三百年就不錯了，「春秋」就是這一段時間的印證，延續了兩百九十四年，進入了紛亂的戰國時期，軍功爵制和草根開始嶄露頭角，分封體制開始崩潰；如果是諸侯也調不動地方權力了，那這個管理體制能維持一百五十年就不錯了，比如「三家分晉」、「田氏代齊」算是一個典型的案例，田氏齊國延續了一百六十五年，韓國延續一百七十三年，魏國延續了一百七十八年，趙國延續一百八十一年，這四家算是大夫控制國政時間最長的代表了；如果是再下的士族門閥執掌政務，已經成了亂世，那麼經濟管理能延續九十年就不錯了。在此之後，士族門閥體制的崩潰帶來的是全面的戰亂，戰亂對經濟總體進行破壞，改變了生產結構，需要「王者」來重新謀劃生產佈局，開始新一輪的天

子、諸侯、大夫混亂的局面。

那麼「有道」能維持多長時間呢？按照我們對士族門閥的分類，大致來看一下時間段，自黃帝至堯舜推行禪讓制的虞朝是一千六百年；夏朝是四百七十年，商朝是五百五十五年，這一輪家天下的士族門閥是一千零二十五年；西周加東周的分封制是七百九十年；從西漢到晉末劉裕殺死士族門閥建立劉宋，大概有六百二十二年；從北魏關隴貴族崛起到朱溫篡唐，大概有五百二十一年；從宋朝到清朝，大概有九百五十二年。可以大致看做一種生產管理的時間長度在五百年到一千六百年左右。

孟子有「五百年必有王者興」的說法，那麼我們揣測一下「禮樂征伐自天子出，大約五百年左右更換一輪」。孟子說：「由堯舜至於湯，五百有餘歲。由湯至於文王，五百有餘歲。由文王至於孔子，五百有餘歲。」其中以商湯似乎並沒有改變原來的士族門閥生產關係。如果我們以新的士族門閥為生產關係的變動，其中又分為標準制定者與典型朝代踐行者，那麼堯舜屬於禪讓制的代表（黃帝可以算是開創者）；大禹屬於家天下制度的開創者；周文王屬於分封制的開創者及踐行者；孔子是其後大一統時代、三千年政治標準的開創者，秦始皇、劉邦是踐行者；漢文帝、漢武帝是徵辟制度的代表人物；隋文帝是科舉制度的開創者，趙匡胤是科舉繁盛的踐行者。

總體來看，孟子也有和我們一樣探索興衰規律的想法，但是和我們的想法存在很大不同，這其中必定各有問題。

孔子還說：「祿之去公室五世矣，政逮於大夫四世矣，故夫三桓之子孫微矣。」

我們老話有「富不過三代」，從歷代功臣來看，基本上從三代開始就沒有可參政的人才了。成功需要有很強的背景，但是

去除背景，大才一定出於草莽。如果這個時候還沒有好的人才選拔機制、未曾給百姓分利，那麼政治根基就動搖了。孔子時代的魯國，三桓已經到了第四代，時間太久了，從人才、政治層關係到生產關係的基礎已經不牢固了，孔子認為這是一個政治層更新的時機。

3、誰才是真正的執政者？

從春秋戰國分封制下士族門閥的鬥爭來看，有各階層、各國家的變動方式，其中與舊貴族的生產關係變化是核心，蒼蠅老虎前仆後繼登場，即使留不下名字，也深刻影響各國變法和格局變化。比如楚悼王去逝，屍骨未寒，吳起前往治喪處，被心懷不滿的楚國貴族們用亂箭射傷，在射殺吳起的同時，也射中了楚悼王的屍體。令尹把射殺吳起時射中楚悼王屍體的人全部處死，受牽連被滅族的有七十多家。吳起變法也就此失敗。這些人在當時權勢如此大，名字沒留下，卻是這個時代的重要背景，是當時的一個個蒼蠅老虎。大致來看，蒼蠅多是因為屎多，老虎凶是因為有養老虎的生態。蒼蠅打不完，老虎會鬥爭，用賢人執政才能克制他們。減少官府壟斷，就能減少民生資源變成化糞池養腐敗的結果，削弱老虎的實力和蒼蠅的寄生點，能讓民生資源用在正路上。大部分的變動，並不關係到執政效率，而只是利益的鬥爭。春秋戰國時期還算不錯，即使人才遭遇的結果很不吉利，人才也成為臺上的主角之一，而在別的士族門閥籠罩下，真正關於執政效率的人才，被更大程度壓制著。人才遭遇不吉利，是時代遭遇了困頓；人才悄無聲息，整個時代和老百姓都將遭遇巨大苦難，社會將死氣沉沉。古來有覺悟的君王，如果遇見問題，最簡單和通用的解決方法，就是先反省自身，或者減少衣食，或者發罪己

詔，此後一是趕緊挖掘賢人，二是減少壟斷、赦免百姓。

說到用賢，我們必須認識到一個很難讓人理解但是卻是事實的事情，那就是「官府沒有執政能力」。我們已經說過了官府的四大資源，梳理政務只是它的義務，並不是它能夠盈利的主業，就像是一個企業從來都是逃避環境治理的責任，那是一項巨大的成本。行政資源其實是來利潤的資產，但是往往被做得不倫不類。比如一個不起眼的紅綠燈每天拍一個照片，就能比九成中國人掙得錢多。這是行政帶來的一個好處，另外因為需要管控，所以官府專營的白酒和菸草賣得非常多，可是價格和銷售緊俏程度能趕得上販毒了。我們看到現在為了執政方便，能把失業說成靈活就業，把剝削說成人口紅利。所以實際上朝廷在施政方面其實非常不專業，不管是主營業務還是非主營業務，都不專業。老百姓的命運本來就是被操控在一些非常不高明的人手裡，這些人往往在世界太平的時候爭權奪利，在危險的時候又打得不可開交。

與此伴隨，在官府執政出現問題的時候，它要變法，如果是針對外部進行變法，那基本上是加速衰亡的道路，如果從內部變法，老百姓也很難獲得好處。也就是說，變法基本上都是無效的，和創業一樣成功概率極低。

要想看執政的效果，就要看行政市場化的效果，春秋戰國的行政市場化和社會分利較多，這個時代出現了百家爭鳴；宋朝注重用科舉從民間挖掘賢能，這個朝代非常富裕。凡是士族門閥比較嚴重的朝代，比如晉朝，都比較死氣沉沉，老百姓生活也很困苦。

那官府到底是什麼？這個我沒有弄清楚，它是統治工具也罷，是聖人施政的機構也罷，是士族門閥的代理機構也罷，歷史

上也沒有給出固定的說法，大致是需要設立政治行業標準，讓它大致維持在一個平衡態，其中「不與民爭利」等原則是必須要遵守的。

官府調節不好，給百姓，百姓給到門閥，官府調整門閥的勢力，做到天下大公。能維持住這個穩態，已經相當不容易。

第二部分：士族門閥理論

1、社會體制中的三個結構

經濟基礎決定上層結構，社會的產業、行銷、合作模式都在不斷重構，新的業務和商業模式不斷創新，但是總體來看，大致可以分為君王官員等政府集團體系、士族門閥等經濟閉環體系、基層老百姓這三者。老百姓的生活生產方式決定士族門閥的排布，士族門閥又影響官員體系，時間長了以後，官員體系和士族門閥又對百姓生活生產造成妨害。如果基礎不改變，頂層設計只是更新管理層，並不能改變治理結構。想要徹底根除某一類士族門閥或者官員體系，那老百姓的生產生活結構會遭遇巨大的變故，這種變故不是漸變的，而是突變，或許還要經歷幾十年甚至上百年的痛苦。

2、士族門閥產生的兩個基礎

產生士族門閥的基礎是兩個，一個是經濟基礎，一個是政治調整的權利。這兩個都可以分解。

從經濟基礎來看，暫時可以把社會的財富流稱為「錢」，任何「錢」的流動都會產生不公正。「錢」的生產者是百姓。「天下為公」，需要把這個錢流維持在一個相對穩定的狀態。孔

子說自己的弟子子貢是「瑚璉之器」，當時子貢是世界首富，他投資孔子，投資不多，但是能夠讓之後的百代人不斷受益，是最強的投資人，是擺放在廟堂之上的容器；其次的應該是「飯桶之器」，取之於民，用之於民，典型如范蠡，三次成為世界首富又三次散盡家財。就這樣的一個瑚璉之器、一個飯桶之器，都成了財神，其他大多數富翁都是有污染的垃圾桶，把百姓的資產據為己有，讓社會財富非常不均衡，基督教說富人進入天堂比駱駝鑽過針眼還難。

好人很難發財，因為「君子不器」。君子不會主動做富翁，富翁都是容器。天下為公，君子是不會聚攏過多財產的，那樣就多出了太多責任，反而被財產所累。財富凝聚形成「堰塞湖」，導致資源錯配、社會效率低下，時不時會形成洪水，對社會和百姓帶來傷害。

百姓的生活生產形成行業、政治管理，而行業和政治管理者固化為士族門閥，這些士族門閥又推動形成了中央管理者。為政者是士族門閥和老百姓共同推動的，其中士族門閥佔據主導地位。好的行政一定要加大百姓理性選擇君主的權重（百姓會受士族門閥宣傳推廣的影響，所以金錢推動的普選，仍舊是士族門閥在選擇君主），這樣選擇出的君主才能更好疏導好「錢」，讓社會處於高效運營的狀態。

在政治調整的權利方面，可以稱之為「行政流」，人類只要有群體活動的存在，只要提到「社會」兩個字，就一定有「行政流」的存在。

行政資源來自百姓。

政治最終要落實到一個個人身上，也只有「人治」才能實現微調。千百年來官府機器換湯不換藥，有同樣的病。

那麼「行政流」來自於哪裡呢？最大的行政在民間。堯舜時期，比屋可封，每家都有可受封爵的德行。最好的法官，是糾紛不出村。最好的行政，是自我反省。百姓自己的行政是免費的，不產生赤字。政府越努力，壟斷和干預越嚴重，問題越難以解決。孔子說，「虎兕出於匣，龜玉毀於櫝中」，老虎和灰犀牛跑出來，人才毀在房地產裡，是誰的錯呢？治國非常簡單，用對人，反省好自己，還政於民，就可以了。

有政府並不一定有政治，它可能只是一個地域壟斷的企業。有禮才有政治，禮法是來自於廣大百姓，行政也是來自於百姓，官府也只是這個行政市場中的一份子、產業鏈中的一環。賢人注重通過修身來施於有政，日常坐臥都是行政的靈感源泉，但是不一定在執政者的位置，因為最大、最高效的行政，自古至今一直都在民間。百姓社會化的活動都是行政流，小到兄弟關係、日常坐臥、溝通和工作都是在做資源整合，商業模式、人脈整合、演講能力、引流轉化都是在整合行政流。也是百姓在調整行政，官府的行政只是某些類型，占很小一部分，只是和錢的關係很大而已。

「錢流」我們可以發現其運行規律，「行政流」更難感知，它們深刻影響著世界運轉的規律。那麼總結來說，「錢」是老百姓社會化的生產生活所產生的資源，是「血液」；「行政流」是老百姓社會化活動產生的能量總和，是「氣」。氣血流動，人才能正常活動。

有錢的人掌握了權力，是非常可怕的事，但是事情往往會走向這樣的結局。一個開明的朝代往往要講金錢和權力努力分開。

3、什麼樣的朝廷制度才是好的？

在這裡提出一個「行政市場化」的原則。一個很好的方法，是富翁絕對不可以參政。士族門閥能夠推送政治人才，這個社會是最沒有生氣的時代。

根據我們的瞭解，可以大致歸結一下。第一，最好的人才一定出自於草根，性價比最高的人才出自於草根。第二，士族門閥雖然能參與管理，但是總會帶上自己群體的利益觀念，是非常差勁的管理。第三，如果能有合適的制度，讓窮困的有才能的人參與管理，在他們的後人形成士族門閥之前將他們清理出去，那是最好的。第四，除了制度之外，還要有操守，制定政治行業準則，這是聖人需要做的事。

以皇帝位代表的管理層，並不能缺少士族門閥來對社會進行運營管理，皇帝的觸手沒有那麼長，而老百姓又會自發形成各種富豪、管理人等團體，關鍵是別讓這些團體膨脹，它們會形成壟斷，欺壓百姓，造成資源錯配。

4、從生理角度體會治國

朝廷對社會的管理運營，需要依靠和公司差不多的治理結構，基本上是大腦和神經的關係。大腦是在中央辦公的——包括內閣在內的大臣，神經則是中央派出的地方官吏，這些官吏有時候的管理還不太好用，因為神經有條件反射等自己的回饋機制。老百姓像是一個個細胞，那些營養豐富的地方，形成的各類器官，就好比士族門閥。

簡單來看，大腦和神經雖然受到營養的滋潤，但是它們並不是直接對細胞發出命令的，維持社會運營的，是人體的器官、經脈等各類循環系統，也就是說士族門閥對身體的運營，可能比

大腦更直接。

我們每天有八個小時需要用來睡覺，讓身體自己主導自身的運行。我們觀察到了夢境，可是頭腦中絕大部分時間，並不是觸及到神經的夢境，它還有很多的自身邏輯梳理，而夢境只是大腦自身梳理中，偶爾的形象化投射。大腦和神經越是活躍（調控），人就越可能會疲憊。大腦長時間不自我休眠（無爲而治），那人就越是衰弱。大腦大多數時間並不照顧到每個細胞，它沒有那麼強大的神經，而且那樣大腦就太累了，耗費營養會急劇增高，性價比不高。

大腦注重對自身臟腑等各類機構的調理，那麼人群中的士族門閥也不可避免，朝廷需要依靠它們來進行管理。老百姓自身也會形成各種富翁、鄉老、鄉鎮政治家族、莊園主等成型的機構來疏導生活生產。但是如果不加控制，這些富翁、政治團體會相互合縱連橫，發生病變，成爲腫瘤。社會的生產經營會產生各種這樣的結構，關鍵是要建立一個穩定狀態，也就是「治大國若烹小鮮」。

5、從公司管理角度去體會治國

中華太大了，執行長精力有限，最省事的是和西周之前一樣，王有一塊土地，諸侯們去搞承包，出了問題是他們自己的事，但諸侯做大了，管理就更麻煩了。後世皇帝的觸手仍舊不能伸到每一個地方，哪個利益集團能承包一塊地方或者一項業務，就讓他們去承包，能夠盡量維持平衡，百姓少一些怨氣，就算開明的治理了，由此有了地理上的士族門閥、行業的財閥等等。

除了涉及到產品、客服之類的士族門閥作爲直接接觸百姓的觸手，皇帝還需要建立一個分管的集團機構。開國的皇帝還容

易設置各類機構，後面的皇帝很難改變這種結構，結果集團公司的人力資源成本越來越大，最終被沉重的人力成本拖垮，士族門閥們重新去建立一個集團公司，重新建立大中華的新穩態。士族門閥也會把自己做大，吞併集團公司。直到整個士族門閥體系太衰老，也被拖垮。

管理是一件難事，雖然天下為公，但是這些財富總要承載到一個個容器裡面，那些富翁、財團、軍閥、政閥就是容器。容器設置不當，會影響老百姓的生活生產。最好的是有很多小容器，而不去設置大容器，大容器像是黑洞，吸附社會資源，造成錯配和低效率，導致民怨沸騰。集團公司要集權，但是不能自己做容器，那樣會在自身內部產生各類容器，形成士族門閥，引發貪腐和黨爭，那麼除了建立好的人力資源體系，還需要設置好自身管理的把手。因為政府本身並不善於經營，所以最好能夠用最少的管理，達成最好的治理效果，比如只要掌握好「祀與戎」。總體大致是「治大國若烹小鮮」，建立一個相對穩定狀態，不要有大的士族門閥，用無為而治才是正確姿勢。

自古以來的政治管理，可能只是為了省事，盡量維持一個平衡即可。好的地方在於，那些為了老百姓的幸福而努力的方向，往往是能到達更好平衡的一個方向。

治國管理有三個要素，一個是治國理念，一個是人才理念，一個是管理制度。其中人才理念是最關鍵的，需要用各種方法挖掘市場上的優秀人才；管理制度總有僵化的時候，需要跟著自身業務進行調整；治國理念是聖賢的專業領域，是靈魂，指導著戰略方向和企業文化。

從營養耗費和實際管理能力來看，無為而治是最節省能量並能達到好的效果的方式。在這方面，老子和孔子的觀點相同。

5. 【經義】《易經》原理

1、河圖洛書

河圖和水有關，可以打漁用。洛書和山有關，可以採摘果實。加上地球自轉、太陽方位的變化、陰雨天氣和黑夜，以及人尋路的意識，河圖洛書可能是打獵或者獲取各類食物時候的行進路線，容易找到回家的路。

2、陰陽

我這裡要說的陰陽，和我們平時認為的陰陽是不同的。沒有絕對的陰陽，大部分時間我們是從不同層次，發現了陰陽不同的表現。

陽的屬性是輕盈、活潑和發散，但是沒有力量，它一直在動，內部是不均衡的。陰是很難動的，沉積在某個地方，但是它是陽的凝聚體，因為是以相對陰鬱的狀態存在，所以可以稱為「陽貨」。在陰陽之間有一個中和態，隨著環境和空間變化，它能夠將陰轉化為陽，將陽凝聚為陰，這個狀態是一個過渡狀態，並不是陰陽的突然轉化。

人精神的昇華就是將陽貨消化，轉化為陽，並將陽保持在某個容易調動的狀態，這個狀態我們可以稱為中和態，這時候的陰陽不是氣態或者固態，它內部是均衡的、有力量的，能隨時調動其中的陰陽。

微觀的角度，從身體和心理來說，女性應該是屬陽。女人能力很強，從身體上來看，內分泌發達，能分泌乳汁、生育孩子，年輕時候有很多經血。從心理來看，思想能量很強，無時無刻不在思考。但是消化分解「陽」的能力有問題，過多遺漏了

「能量」，想法深度不夠，有靈感卻很難轉化成思想成果。

男性個性比較陰鬱，較少洩露能量，如果分解消化好自身能量，可以產生一些社會行動。

這個說法涉及一些利益判斷，如果從另外的角度分析，會有不同的結果。

3、占卜與娛樂

簡單一點，我們的內心的想法和外部的表現其實可以是不同的。如果內心的想法比較陰鬱，那就是「--」，如果充盈快樂，就是「一」。如果外部表現比較陰鬱，那就是「--」，如果應變迅速，就是「一」。那麼我們可以形成四個組合，代表四種情緒。但是情緒主要是和臟腑有關，所以用爻來表示，不太合適。

現在剔除「精氣神」的說法。

在狩獵爲主的時代，「精氣神」很重要，精是沉積狀態，神是發散狀態，可以從陰、中、陽來稍作對比，精可化氣，氣是具有發散和質粒的狀態，再化神。

人和動物作爲敵對雙方，有「精氣神」上的對峙。

精，如果男女交合，男性運動能力就變差，比如腿軟、速度變慢、平衡能力變差。如果看到女性後提不起精神，就是精力不足，打獵就會出現危險。這種情況下可能會通過身體上塗抹東西或符號來進行一些裝飾，提升氣勢。

氣，有先發奪人的感受。精足後只是強壯，需要轉化成氣，才能讓自己更加靈活，判斷力更準確，獲取更大更多的獵物。對氣的感悟要多花一些心思，可以用火去占卜，燒的時候要認眞，聚精會神，像是集體潛意識的表現，觀察燒裂的紋路情

況，指導打獵行動。

神，是思想。精力足可以衝擊，氣勢足可以轉化優勢，思想足後可以應變，可以有戰略，根據不同的動物行為特點，來進行有針對的戰鬥方式。可以通過篝火舞蹈、唱歌來進行調整。

4、八卦

精氣神對應人的身體部位，是從腎臟向上到頭腦。我們簡單理解為，精為腎和脾，氣在丹田，為食物所化，神為心和腦。

把精氣神按照身體部位從下到上排列，根據精氣神的充盈程度，分為充分的「一」和不充分的「--」，可以形成八卦。

最後各個卦分別是：乾代表天，坤代表地，坎代表水，離代表火，震代表雷，艮代表山，巽代表風，兌代表澤。

八卦對應的八種事物，是以直接的印象給出人們對它應有的理解。這種圖像感可以類比是「象」，實際的「象」並不是如天地水火那樣單一的感受，只是那些事物更貼近「象」。

可以從「作用」或者「代表」來理解這些「象」。

精氣足、神不足為兌，為澤，性悅。精足氣足的話，在心情上是喜悅的，思想不夠勇猛，對外不傷害。用澤來對應，可以在河水裡面打漁，獲取簡單穩定的成果。

神足、精氣不足為艮，為山。有想法卻很難有動力去做。翻山越嶺會是非常艱難的事情，著手和行動都困難。

精神足、氣不足為離，為火。有想法有能力，但是沒有動力，很難做激烈對抗。火的迸發和收縮狀態，能協調這時候的精氣神。

古人無舟，害怕大河，氣足、精神不足為坎，代表大河。只是氣足，精神不足的話就很容易冒進，打獵不成反倒損傷自

己。想到大河，讓自己的「氣」消退，協調精氣神。

神足氣足、精不足爲巽，爲風。有想像力但是沒有動力，可以做一些積極但是輕微的行動。

精足、氣神不足爲震，雷，是一種冒進狀態，體力浪費大，收效甚微。用雷來象徵，受到震動，不敢動彈，協調精氣神。

代表女人的卦都是有著兩個陽爻一個陰爻，代表男人的卦有兩個陰爻一個陽爻，符合人的身體實質，和人的潛意識緊密結合。

《黃帝內經》按照「男八女七」的年齡結構，將人身體的不同狀態進行了闡述。我們現在把一至八歲的男子稱爲「少男」，八至十六歲的男子稱爲「中男」，十六至二十四歲的男子稱爲「長男」，二十四歲以上的男子稱爲「父」。把一至七歲的女子稱爲「少女」，七至十四歲的女子稱爲「中女」，十四至二十一歲的女子稱爲「長女」，二十一歲以上的女子稱爲「母」。

《黃帝內經》上講：女子七歲，腎氣盛，齒更髮長；二七而天癸至，任脈通，太沖脈盛，月事以時下，故有子；三七，腎氣平均，故眞牙生而長極；四七，筋骨堅，發長極，身體盛壯；五七，陽明脈衰，面始焦，發始墮；六七，三陽脈衰於上，面皆焦，發始白；七七，任脈虛，太沖脈衰少，天癸竭，地道不通，故形壞而無子也。

丈夫八歲，腎氣實，髮長齒更；二八，腎氣盛，天癸至，精氣溢寫，陰陽和，故能有子；三八，腎氣平均，筋骨勁強，故眞牙生而長極；四八，筋骨隆盛，肌肉滿壯；五八，腎氣衰，髮墮齒槁；六八，陽氣衰竭於上，面焦，髮鬢頒白；七八，肝氣

衰，筋不能動，天癸竭，精少，腎藏衰，形體皆極；八八，則齒髮去。

由此可見，到了四七四八，人的生長才算停止，如果我們拿這四個階段來對應八卦，那可以進行如下的分析。

精氣足、神不足爲兌，爲澤，性悅，爲少女。《黃帝內經》指出少女「腎氣盛」，精氣足，發育快，善於模仿。神不夠凝聚，有依賴感。

神足、精氣不足爲艮，爲山，性止。相對於女性來說，「腎氣實」要略遜，少男在懵懂中認識周圍事物，以自我爲中心去思考，如果產生壓抑容易耗散心神，對外部理解沒有少女快。

精神足、氣不足爲離，麗，爲火，爲日，同心同德，中女。中女任脈通，精神發展比較快，想法多，有了「月事」，精化氣的能力不足，對外有依賴感，能量排出體外。

氣足、精神不足爲坎，爲水，性險。中男未長成，思想不夠成熟，氣超出精神，「腎氣盛，精氣溢寫」，好動又沒有控制力，也沒有強壯的身體做基礎，兇險。中男比較迷茫和需要立志，以疏導內心用來完成鍛煉，樹立好的理想，調節自身。

神足氣足、精不足爲巽，風，性遜，代表長女。在《黃帝內經》當中，相對於同齡男子缺少了「筋骨勁強」這一項，可能和之前一直洩露有關，身體素質就差了很多。內分泌充足，思想很活躍。

精足、氣神不足爲震，雷，性動，易急躁，代表長男。《黃帝內經》指出這時候男子「筋骨勁強」，人在精足然而氣和神難以將之疏導的時候，容易變成暴躁，意識強制，需要多學習一些自制的方法，學習爲人處世的道理。

女子「四七，筋骨堅，髮長極，身體盛壯」，男子「四八，

筋骨隆盛，肌肉滿壯」。這個時候的女子的精氣神比少女中女長女要好，從內分泌狀態來看，可以爲「乾」。但是作爲獨立個體和男性對比，男性對身體一直有積累，女性洩露比較多。在這裡用「乾」代表男性，可以是對身體積累和使用上來說，這種狀態決定了未來的社會分工，更有使用價值。從對周圍事物的把握和敏感度，或者心理角度來說，女性是「乾」，在母系社會，女性對生產的把握也是更強一些，那時候女性爲「乾」更合適。

男有二陰女有二陽，女性在總體的生理上是優於男性的，她們內分泌充足而且能夠在身體內很好地利用這些東西，生理和壽命也比較長。但是由於男性能夠積澱身體資本，產生的東西都不浪費，所以在外在體質上又超越了女性。

以上的各種說法，還需要參考潛能，身體的發育是自身在進行精氣神的均衡，我們看的應該是某個年齡段整體的狀態，從不同角度來看，各「象」隨時可以產生變化。

5、周易：身體結構

周文王是被囚禁在羑裡時做出周易六十四卦。這裡細化精氣神，仍舊對應人體，來進行感悟。初爻對應人的腎臟，二爻對應脾臟和三焦，三爻對應心臟，四爻對應肝臟，五爻對應口才，六爻對應思慮。

初爻是最具有長遠判斷力的爻，最爲沉鬱和根本。它是君位，像是「精氣神」裡面的「精」，能夠在社會上做最爲長遠也最能夠讓自己堅持的打算。對三爻和四爻的作用就非常大，跟它相鄰的二爻和它有相輔相成的作用。

二爻是宰相位，操控整體運作和走向，它有時候表示人的控制力，有時候表示人的控制欲。它的位置三焦，能夠體現人的

肚量，能夠直接控制四爻和五爻，也就是氣魄和交往能力。

三爻是總理大臣，位置在心，主管思想能力。它和四爻的關係又很密切，四爻是氣魄，有了思想，還要依靠氣魄來執行。兩者能夠直接控制五爻和上爻的表現。

四爻是將軍，或者執政官員，是具體事務的操辦者，在肺部，包括人的肝和膽，能達到怒的效果，它的含義便是「氣魄」。

五爻位置在喉部，為機構官員的職位，可以是「口才」，可以是「人際交往能力」，或者是「社會經驗」。口才和人際交往能力都需要有社會經驗的積累，是淺層的自己與他人的交互能力。

上爻是辦事員的位置，位置在面部，直接對接他人，代表行動能力，調節瑣碎事務，可以把它歸結為「思緒」、「意識流」。

與人體結合，周易的各爻有各類玩法，包括各爻之間的關係，這也可以用中醫理論來解釋。比如心開竅於口，就是二爻和四爻之間有關聯。肝屬木，心屬火，木生火，是四爻和三爻的關係。這類似六爻之間的乘承比應關係。目前沒有人從這個角度進行延伸，但是幾千年來，已經有很多業內人士根據周易延伸出了很多演算法，比如邵雍、袁天罡等。我們也可以把周易當做上面一個八卦和下面一個八卦的組合，用來代表人自身和環境的關係，或者與他人的關係，這些都是玩法之一。

在伏羲八卦和周易之間，還有連山易和歸藏易，這兩者現在已經消失了。其中的玩法，自古以來的業內人士可能都在使用。

6、新的《易經》：五臟六腑？

很多預言者說現在是周易的末期，應當有新的《易經》出現。有民間傳說應當是「弓乙靈符」，我說的以上關於伏羲八卦和周易的說法，應該不是伏羲八卦和周易的正統解釋，而是我自己的猜想，那麼我傾向於把這些理論歸結為「歸易」，也就是回歸人的自身，用來尋找解決方案。

從周易產生到現在，中醫理論已經有了更好的發展，能夠更清楚說明人的行為思想和身體的關聯，其中包括五臟六腑、經脈、七情等。

如果找一個比較簡單又能較為全面影響人的身心和意識的方法，那就是五臟六腑。

從卦的數量來看，仍舊是六個爻共六十四卦比較好，數量太少很難涵蓋太多事，數量太多又會顯得複雜。現在只是把周易的卦辭修改，六十四象重新排列就可以。以六十四個歷史人物來對應六十四卦，可以根據人物性格命運來體會每一卦。但是以人物對應六十四卦不會特別準確，所以暫不寫出來了。

下卷：策論

1.【行政】強政：行政市場化引發的百家爭鳴

1、百家爭鳴產生的經濟背景：行政業務外包的投資機會

黃帝時期，政治只是百工之一，虞朝延續到堯舜，行業利潤逐漸增多，仍舊是禪讓制度。後來夏商周形成家族管理，有了伊尹、姜子牙、管仲等行政業務外包人員。

孔子對家族行政不太滿意，不過政治行業一直在開放，戰國時期客卿制度盛行，給了吳起、商鞅等一些機會。漢朝合夥創業，股權分配出了很多問題。再後來就有了舉孝廉、科舉等制度。

百家爭鳴是在做自己企業的同時改變政治生態，其中深入政治的，比如縱橫家，將線下成本巨大的軍事、外交衝突搬到線上進行演練，減少了中間損耗。

百家爭鳴是航空級別的潤滑油，利潤空間巨大。蘇秦做了聯合國，任六個常任理事國國首相。陳平拿了劉邦幾十億，兩頓飯擺平范增，一些禮品和字畫解了白登之圍。同時，從單項業務來看，他們給各國帶來的利益更多。

當時市場競爭混亂，有很多投機取巧者。真正好好做生意的，都有核心風控，比如墨家「兼愛非攻」，儒家「危邦不入，亂邦不居」。

　　春秋戰國，行政外包能夠如火如荼展開，供養了百家爭鳴。

2、政府資源分析：主業太多，荒廢了行政

　　政府擁有政策資源（立法，收集專營權），行政資源（義務，行政產自民間），稅收資源（根植於地租），自然或行業資源（經營性資產，國企）。自古以來科舉制等都是以行政資源為突破口，因為只有行政資源對政府來說是負資產！

　　虞朝之前是打工掙錢，但是家族制以後，業務多樣，反倒主業越做越差，以至於產生了「肉食者鄙，未能遠謀」的論斷。除了雇傭一些家臣做技術官員，給自己打工，更重要的是雇傭專業的行政人才，來幫助處理行政義務，要比自己處理政務的成本低很多，效果好很多。

　　經營性資源是「開源」，行政資源是「節流」。齊景公問治國，孔子說「君君、臣臣、父父、子子」，齊景公大笑：「講得好呀！如果君不像君，臣不像臣，父不像父，子不像子，雖然有糧食，我能吃得上嗎？」齊景公要給孔子封地，孔子推辭，對弟子說：「君子當功以受祿。」為君應當把行政做好，可齊景公想到的只是收益。如果不懂得節流，開源再多也沒用，效益比不上市場企業，人力成本越來越高，壟斷經營又降低整體效率。

　　百家中留名最多的大多都與行政相關，通過法制構建、外交、軍事、體制改革提高了行政效率，讓一段混亂的時代光彩熠熠。當時的行政是市場化的，作為企業的百家可以參與進來，外聘經理人、封地等合夥模式能吸納民間大才。政府做事效率低，沒有行政才能，外聘有才能的人能節流，比開源效果好。

　　當時百家的水準怎麼樣？楚王要把書社之地承包給孔子，

宰相子西勸諫說：「國君的使節有像子貢的嗎？輔相有像顏回的嗎？官員有像宰予的嗎？孔子得到封地，以此為根據地，又有賢能的弟子輔佐，這不是楚國的福分啊！」楚昭王就取消了封地給孔子的打算。

3、百家都在做什麼：挖政府需求

墨子是科技、家居行業領導者，事業成功後，瞄準了稅收的軍事部分，吳起做軍民融合，並瞄準官營資本的改革利益。

孔子學院做影視文娛（祭祀，曾承包魯國春晚），承接了狙擊、戰車駕駛等軍民融合業務，承包過工程。孔子通過教學掌握住了外交、祭祀、工程建設、財稅管理等各項能力，後來做了全球行政獵頭。如果周遊列國的業務再成功一些，在教室給學生講個課，就是G20，吃一頓便飯，就是金磚會議，節省的成本巨大。孔子是招聘、培養人才推薦給政府，並掌握人事關係，學生們在各國任職以後，還要向孔子諮詢業務，比如「季氏將伐顓臾」。

孔子的徒弟子貢是當時的世界首富，也是孔子最大的天使投資人，曾受孔子之托，幫助魯國解除齊國的圍困，靠一張嘴挑起了中原大戰，改變了春秋後期世界格局。

孔子在行政方面有巨大品牌影響力，學生有幾個做了王師，並有很多百家學生，並成為「大成至聖先師」。司馬遷把孔子放進了帝王傳，孔子的業務太大了。

客卿制度和獵頭也密切關聯，獵頭、星探是各國使節出國的重要增值業務。范雎在魏國遭遇大難，被第一個獵頭鄭安平收留。第二個獵頭王稽帶范雎到秦國，范雎制定遠交近攻的策略，推動了秦國統一世界的進程。景監曾三次引薦商鞅見秦孝公，成

功為商鞅變法鋪路。

當時的行政，基本上沒有什麼不可以外包。百家懂得挖掘政府的需求，做出增量外包業務。

4、行政外包行不通，行政承包來補充

在隋朝創立科舉考試之前，有各類制度來選拔行政人才，春秋時期的六藝，就算是選拔方式之一。行政缺少市場化，選賢制度有問題，高薪養貪也沒用。除了從民間選人才這種行政市場化方式來提高效率，還有內部管理創新的行政承包——捐官。

秦漢時期就有拿錢財換官的說法，清朝時期達到了頂峰，明碼標價。分長期工和短期工，一種是直接賣四品以下官職，一種是根據職位可能產生的利潤來賣錢。乾隆時期是一個價格，到嘉慶的時候範圍更廣，價格也降低了一些。

清朝賣官，七品官知縣大概需要四千六百二十兩銀子，普通人年收入大概在十兩銀子。2018年全國居民人均可支配收入28228元，正縣級職務，四千六百二十兩銀相當於13041336元，如果任期三年，除開工資不算，每年最低需要有額外營收4347112元。加入總投資額年10%投資回報率的1304133.6元，每年總營收5651225.6元。四品道員一次投資則需46293920元。

根據政府壟斷經營的不同，官員收入也不同，但是可以看出來，成本非常大。每年五百六十五萬元餵不飽一個知縣，也雇不起管仲、商鞅、吳起，但是雇傭第二梯隊的李悝、申不害完全夠。

5、百家能給政府省出可計量的利潤

如果是行政外包，會出現百家爭鳴。如果是承包制，是殺

雞取卵。墨子做軍事外包，蘇秦做外交外包，商鞅做法制外包，都會產生實實在在的、可量化經濟效益。軍事省出一塊錢就能看到一塊錢。

六十多年來，中國共向一百六十六個國家和國際組織，提供了近四千億元人民幣援助，不如用智庫援助。世界上沒有貧窮的地方，只有貧窮的政治。援助錢是填不滿窟窿的。首先應當看到國際局勢裡存在提高整體效率的空間，然後以某些國家為著眼點，重置國際局勢，會有國家為這些行動買單，並為中國帶來效益。

從形式來看，外交分支能夠直接從國際援助中分羹，可以做成天使投資。行政分支可以通過智力援助的方式，由政府採購後輸出到某些國家。經濟分支走大一統，形成區域的貨幣體系，如果採用貨幣民間化的方式，可以在全球推廣。

軍事分支，二戰以來，美國力挺以色列打了五場中東戰爭，如今每年對以色列進行數十億美元的軍援，結果美國自上世紀七〇年代開始掌控中東至今，不但在與蘇聯競爭中獲得勝利，到今天依然享受石油美元帶來的巨大戰略紅利和對一些地區的掌控力。從全球整體來看，軍事輸出會大大拉低市場效率。中東地區一直處於混亂當中。

有效率提升空間，就一定有市場。打開市場，一定有人來解決問題，提高效率。

2018年美國軍費開支6220億美元，排名第一，中國1918億元美元，排名第二，英國538億美元，排名第三。精明的投資一定從國際上把利潤撈回來，美國賺的就是別的國家損失的。蘇秦發明了一個合縱策略，使秦國十五年不敢出函谷關，十五年的軍費收益應該是多少？軍事是重資產，但是軍事外包是智力密集型

的輕資產運營，從政信軍事著手，智力融入越多，擴展到外交、經濟領域，地區不均衡發展會越來越少。線下的高成本放到線上，等其中的資訊不對稱均衡，全球經濟一體化也會到來。

軍事是邊際，各國的經濟是基礎。變法的利潤空間比軍事的利潤空間大出好幾個量級。變法牽一髮而動全身，從細分領域不容易成功，比如單獨對股市進行變法，是不可能成功的，所以變法存在贏者通吃的局面。從行政最高層進行變法，成功幾率大，需要高薪、高提成來聘用大才。

行政外包能夠挖變法分支的牆腳，孔子的業務做成功，就不存在商鞅的利潤空間了。這是行業內部的顛覆，通過對整個生態的改善來獲取利潤，壓縮其他分支的利潤空間。如果沒有行政標準的改善，別的分支對整體效率的提升能力存疑。

6、政信行業的311分支：三個指導、一個支撐、一個變革

儒家五常是「仁義禮智信」，其中「信」就是「政信」。行政做到信實很不容易，需要市場化來解決不融通。未來可能會按照311的方式進行排布，包括三個指導、一個支撐、一個變革。

三個指導包括：

政信外交，等待其他分支確立後，再延展利潤。

政信軍民，從政府來看，要將軍事學院化、市場化，為百姓生活服務。從市場來看，軍事外包更傾向於輕資產，通過外交手段來解決軍事問題。

政信經濟，簡單說是政治經濟，和政府相關的所有經濟行為，內涵各類標準的制定，比如全球統一的貨幣民間化。

一個支撐，是政信行政，支撐各國政府來提高自身效率。

　　一個變革，政信變法，可以當做各類改革的統稱。現在全球是新的春秋戰國，先變法，變法程度深，就能內富外強，掌控話語權。

7、人才聘用機制

　　行政市場化的天使投資引發百家爭鳴，需要形成政府採購智庫的制度，而且是在核心行政上採用市場化的行政採購。社會招聘來的外交人員，難以顧及到全球制度改革與行政效率。可以採用風險投資模式，由行業提供外交人員。體制內行政人才有不足，需要獵頭、人力外包企業來幫助，並進行權力和資金隔離，防止貪腐。

　　從政府角度來說，對人才的尋求走不得捷徑，行政首腦首先一定是人事經理。從事外包業務的從業者，也應當找準自己業務，分析利潤，挖掘客戶需求，幫助政府實現效益提升。

　　另外，政府可參考以下內容。

　　第一，形成政府主動的求賢招聘體制。柏拉圖在《理想國》裡說，哲學王具有天然的合法性。孔子則說「臧文仲其竊位者與！知柳下惠之賢而不與立也」。天下為公的基礎是賢人得位，中等人才看市場，大才一定不入俗，求賢一定要不拘一格。體制內的人才很多，但是很多時候沒有辦法用出效果，所以一定要找對合作方式。比如在外交領域，就需要能站在台前協調的人。一個外交官的定位應當是能做外國首相，在本國也得有副總理的水準。通過外包業務來挖掘能夠單打獨鬥的人才，可以由個人求職者來應聘，可以從圈子內找獵頭來推薦。行政人才則可以走教育機構招聘的路線。

　　第二，可以採用編制外的客卿制度。客卿大多數是天使投

資類型，不論出身，吸收民間能人。秦始皇驅趕客卿被李斯攔下，推動秦國發展的大部分是客卿。秦穆公計賺由余、五張羊皮換百里奚，在人才戰略上玩出了新高度。秦孝公重用商鞅，秦惠文王重用張儀、司馬錯，秦昭襄王重用范雎，秦孝文王重用呂不韋，甚至秦始皇以土地換韓非、重用李斯，都是大人才戰略。

第三，客卿制度下的外國首相返聘。顧問制度性價比不高，心思也不整齊，只能做顧問。

一切國際戰略的根本，是人才。

2. 【變法】術變：變法是個天使投資

1、變法與企業管理

兩千年前，秦孝公下定決心，發出招標公告：「諸侯卑秦，醜莫大焉！……寡人思念先君之意，常痛於心。賓客群臣有能出奇計彊秦者，吾且尊官，與之分土！」

企業的改組已經足夠驚心動魄，政府作為地域壟斷的大型企業，內部組織優化改革產生的漣漪更大。大企業的病症已經很明顯，而政府對自身的改革顯得尤為艱難。

艱難到什麼程度？艱難到內部的人已經沒有足夠的動力來進行改革，任何的變動，都是通過加強外部壟斷來促成自身財務報表的優化。竭澤而漁，副作用往往會逐漸顯現，遠遠大於最初的作用，百姓的損失比政府的財務改善要多得多，最終這些又要回饋到政府身上。

秦孝公既是招標，也是招聘合夥人，高薪資，高獎金，期權激勵。每年不定期旅遊，到齊楚燕出訪。不定期團建活動，帶

兵攻打韓趙魏。你負責智力出資，一定程度承擔改革風險，秦國股票兌現，爲的是把秦國帶入一個健康發展的環境。一次投資，長期回報，勝過溫水煮青蛙。

敢於「與之分土」，說明不改革的成本將會是失去更多市場，擁有的股權就不值錢。但是也說明，改革的成本到底有多大！這是高投入、高產出的專案，最終讓秦國資產規模擴大六倍以上。

而商鞅作爲職業經理人，把變法的矛頭引到自己身上，以悲慘結局換來秦國的明天。同時，二世而亡的結局也在產品選擇中定下。

2、帝道、王道、霸道三個產品

商鞅給出了三個產品，帝道（聖王道）、王道、霸道（小王道）。前兩者性價比高，操作難度大，週期長，被拋棄。秦孝公選擇了霸道，而且是非常低端的霸道，從此秦國走向了慢慢強盛，到達頂端突然崩潰的道路。

第一輪路演，見到了秦孝公，商鞅推薦帝道。按治療層次來說，「君有疾在腠理，不治將恐深。疾在腠理，湯熨之所及也」。從皮膚治療疾病，熱敷就可以。

帝道的核心，是「受國之垢是爲社稷主，受國不祥是爲天下王」，君子敏於自身，「朕躬有罪，無以萬方；萬方有罪，罪在朕躬」。帝道通過給自己治病，來達到天下大治，這是大醫者，治未病，在疾病產生前就進行預防。

帝道的關鍵，在於覺悟，在敏於事理。寬則得眾，信則民任焉，敏則有功，公則說。對百姓要執行中道，對自己則要嚴格，由自身來形成良好的對外效果。君子是一個處理器，百姓只

負責提交任務，處理好壞全都是自身的問題。君子要從任何資訊中獲取對自身的認知，從中找出治療自己的方法。

謹權量，審法度，修廢官，四方之政行焉；興滅國，繼絕世，舉逸民，天下之民歸心焉。執大象，天下往，往而不害，安平泰。

簡單說，帝道就是德治，道法自然，是聖王之道，是王道中的極品。聖王之道，遵從大道，以德觀世，以仁治世，以禮治身，是很自然的政教合一。百姓能夠根據他的治理來達到自治，也能夠通過他獲得方便的行動，也能夠自我形成良好的道德，天下運行的效率很高。擁有聖王之道，即使足不出戶，天下也能夠歸心。

秦孝公玩不轉，打起了瞌睡。

第二輪路演，商鞅推薦了王道。王道是治理世界的重要路徑，也是大醫者。「君之病在肌膚，不治將益深。在肌膚，針石之所及也」。需要針灸。

智者化繁為簡，大為而小治，仁者以小見大，小為而大治。君子需要有一顆敏於事理的心，懂得反省自身，通過微小的手法，來調順行政，讓百姓自然。功成事遂，百姓皆曰「我自然」。

但是王道已經有比較明顯的疾病，「國有家者，不患寡而患不均，不患貧而患不安。蓋均無貧，和無寡，安無傾。夫如是，故遠人不服，則修文德以來之。既來之，則安之」。百姓生產生活均衡，就沒有貧困。政民和樂，自然不會有孤寡無依的情況出現。國家安泰，百姓和美，就不會出現極端的聲音。如果有任何的異樣，那肯定是君子自身出現問題。

王道有「寡、貧、傾」等不合適的聲音，而君子能夠調順

這些問題。

王道有一個效率問題。最大的行政在民間，堯舜時期，比屋可封，每家都有可受封爵的德行。最好的法官，是糾紛不出村。最好的行政，是自我反省。百姓自己的行政都是免費的，不產生赤字，為什麼不用呢？君子越努力，百姓生活會越差勁。君子懂得反省自己，百姓自然就會有德。用一句詩詞來表示，就是簡在帝心：以利尚賢民多爭，亂世之下有大能。君子輕身民相讓，君子貴身民相輕。大德隱德民含德，大為省身世無爭。天下污垢在我身，簡在易形天下明。治國其實非常簡單，反省好自己，用對人，就可以了。

王道就是仁治、禮治的結合，在行政上極為高效，在百姓教化上的能力稍有不足，但懂得通過自我反省來給百姓留出充裕的空間。擁有王道，在亂世比較難以被人理解，但是要獲取天下大治，必須要依靠王道，它是治世的保障，維繫文明的主線。要做王道，可能要辛苦一些，用經濟的手段來達成目的，用言語和行動來為人做一下示範，立德、立言，不可以立功。

秦孝公的興致比前一次好點了，但哈欠連天。

第三輪路演，推「霸道」，但卻是層次非常低的霸道，已經類似於「雄道」。「君之病在腸胃，不治將益深。在腸胃，火齊之所及也」。而雄道則是「司命之所屬，無奈何也」。

霸道需要的治療成本非常高，操作流程更複雜。是藥三分毒，可改革的毒性，在七分以上。霸道通過整合外部的利益關係，來讓社會能夠繼續運行。如果用醫生來做比喻，那霸道就是拙劣的醫生，要給人開刀做手術。其實天下哪裡有大病，拙劣的醫生拿別人開刀，好的醫生拿自己開刀。

霸道是沒有主人的德行，卻想要為天下做主。仁者是人之

主，霸道則是比較少自我反省，通過對內反省和對外各類手段，來達到天下有尊卑序位。

霸道就是小王道，是王道中的殘次品。對內來說，霸道要降低自身的行政成本，雇傭專業的行政人員，把自身打造成爲一個優質平臺，讓各種企業、人才來唱大戲，等到自身做大以後，這些企業、人才就可以幫助自己，在國際上參股別的政府平臺。但是參股是很困難的，免不了自己東奔西跑，去推廣自身的業務，爲別的國家出謀劃策。管仲和齊桓公是霸主，對內施行好的治理，對外聯絡諸侯，救華夏於危難。

晉文公只是懂得利害，楚莊王懂一點禮法，但是他們都不是霸道，只是雄道而已。霸道是能匡扶天下，即使有不服，也能夠得到天下的擁立，因爲沒有你的話，世道運轉不開。山中無老虎，猴子稱大王，霸道就是猴子，雄道就是小丑。

3、盡職調查：改革是個天使投資

帝道是制定行業標準，別的平臺馬上會使用你的標準和內容，聽從你的派遣，成爲你的分部門。王道是產業鏈的核心，友商會馬上派人來取經，服從你的戰略，聽從你的指揮，成爲你的分公司。霸道是行業領導品牌，讓同業別的平臺緊緊圍繞在你身邊，聽取你的資源調配指令，一起把產業做大做強，但也不乏掌握技術想要單幹的。雄道一頭獨大，封鎖技術，想做成行業巨無霸，別人只是暫時競爭不過你而已，但是宣傳推廣、管道成本巨大，很難靠口碑形成影響力，同業都在通過模仿（制度靠攏）和技術創新（招賢）想要爭奪你的市場。

春秋戰國，市場競爭混亂，做標準不如搞行銷，做產品不如搶市場。企業做的大的成了寡頭，田氏篡齊；子公司做大的，

三家分晉；分公司做大的，各國都是周王室的分公司。

實際上秦孝公採用的是雄道，而不是霸道。

投前盡職調查，對風控、財務進行探討，商鞅的雄道出了問題。

投資經理甘龍和杜摯上來進行測算。

甘龍曰：「臣聞之：『聖人不易民而教，知者不變法而治。』因民而教者，不勞而功成；據法而治者，吏習而民安。」

這句話是說，任何的法律、制度都是死的，都是不產生功過的，關鍵的是使用它的人。菜刀在廚子這裡可以做出美味的菜肴，在殺人犯這裡會產生另外的作用。政府財務產生問題，不應該去叨擾百姓，讓百姓去承擔成本，而應該專注於自身的優化。問題的關鍵，是沒有聖人在位。

聖人可以不修改民俗、法律，能夠通過對行政的換血，來達到修理壞瘡、生長新肉的效果。糖尿病是因為貧富不均，自身不能消化某些產能，不應該通過出口來賤賣自身糖分。高血壓是經濟失靈，很多重要的部位不能得到充足的養分供應。壞瘡是因為中央臟器顧及不到某些邊角，某些部位微循環不足，發生病變。聖人的教化，能夠不修改病人的器官，順應活人本身的身體狀態，來調節一個人的病。

但是，秦孝公不是聖人，接受不了王道。那麼霸道呢？

杜摯曰：「臣聞之：『利不百，不變法；功不十，不易器。』臣聞：『法古無過，循禮無邪。』君其圖之！」

杜摯的意思是，變法是個天使投資，沒有百倍的利益，不要隨便變法，沒有十倍的功勞，就不要隨便改變機構設置。否則就會和笨拙的醫生一樣，腳疼砍腳。

法家通過縫縫補補來變革經濟，殺菌消毒來改變行政，可

能把人的腿給卸掉，把器官割一部分。在商鞅還好一些，但是在行政層內部，沒有辦法進行變革，每次變法都摻雜各種勢力，束縛了手腳，改變了方向，從開始就蘊藏著失敗；資源太多，不懂得順應市場，不懂得效率和信用，最後讓市場更加蕭條；掌握太多手段，有著勢力，讓變革成為空想，老百姓買單；掌握行政資源，不遵守「民可使由之，不可使知之」，誤導社會資本。變法難有成效，但是蛀蟲消耗的錢非常多，讓秦孝公越搔越癢、越癢越騷，最後想要斷足。

變法基本是依靠老百姓受損來讓政府做完美一些的財務報表。大病才用猛藥，任何改革都是七分毒，成本全轉嫁給百姓。百姓是社會基礎，最終又會反過來影響政府。很多變革都是失敗的、無用的、奇葩的，在吸引人的注意力、浪費人的時間。以利招民，大盜橫行，粗鄙的改革讓邪佞鑽了漏洞，讓準備好好幹活的資本打了水漂，破壞了行業的正常發展。讓百姓來為不成熟的改革買單，和謀財害命是一樣的。

和孔子的獵頭公司合作，花點工資就能洗乾淨，省下大量行政成本，卻要付出改革家的買命錢，老虎老鼠的阻力成本，百姓遭受苦難的成本，和所有變法在品質上很低下的成本。甘龍和杜摯認為這筆投資不值。「虎兕出於柙，龜玉毀於櫝中，是誰之過與？」老虎從籠子跑出來作威作福，灰犀牛對百姓橫衝直撞，國之大器、國之棟樑卻被悶死在小房子裡，這是誰的過錯呢？變法是一劑猛藥，是來給病入膏肓的人續命。是藥三分毒，許多改革的毒性得占六七分，改革家都挖得了一手好坑，最後成本都會轉嫁到百姓身上。

放在現今，產業串聯能力更強，沒有千倍的利益，就不要去觸碰變法，否則沒有效果，會產生相反的效果，加速衰落。

4、大醫者儒家和名醫變法者的區別

《論語‧堯曰篇》有「有罪不敢赦。帝臣不蔽，簡在帝心。朕躬有罪，無以萬方；萬方有罪，罪在朕躬」。

帝臣不蔽，簡在帝心，屬下的污垢就是自己的污垢。「受國之垢是爲社稷主」，「古之學者爲己」，從自己身上找問題，天下可以得到治理。堯舜在位，以自己承受天下污垢，結果比屋可封。

如果每個人從自身尋找問題，擔負大責任，行政效率才會提高。簡在帝心，民心爲帝，君子需要承接百姓心爲自己心，在其位後謀其政，而不是只想著改善自己企業的財務。

上文的路演，會看到法家和儒家的區別，孔子可以留下行政外殼，可以不修改民俗、法律，能夠通過對行政的換血，來達到修理壞瘡、生長新肉的效果。儒家是聖人教化，不修改病人的器官，順應活人本身的身體狀態，來調節一個人的病。商鞅的改革造成的後遺症遺留千年，孔子大道不行，才來了縫縫補補的改革派。

商鞅是從民間來的，即使才華不夠，也是實幹派。甘龍和杜摯有才華，但是在大企業做經理人時間太久了，看多了利益糾葛。想要施展，卻被周邊的同事束縛；想要嘗試效果，最後卻想讓別人買單。資源太多，對創業者可能是損害；資方太強勢，對自身業務會產生誤導；讓市場買單，市場會聽你的嗎？

但是商鞅來了，他們提出風險管控。如果不能確保獲得百倍利益，不要變法。績效不提升十倍，不要隨便修改公司架構，整個市場都會受到影響。改革副作用太大，是天使投資，無論改革成功與否，老百姓一定會有人來爲其中的副作用買單。

整個春秋戰國的最有效變法都是從外聘開始的。這樣也

好，如果體制內有人說想要變革，效果可能更低下，不如從外部雇傭變法者。但是，要思考一下自己到底是需要一個醫生來給自己開刀，還是一個大醫生來給自己做保健。

5、性價比最高的孔子

春秋時期，劣幣驅逐良幣，質次價高的商鞅賣出了自己的產品，孔子的產品只是在小範圍試用。

有了孔子，就不用商鞅。「帝臣不蔽」，只要換血，瘡口就會長出新肉。蒼蠅打不完，可以換玉杯來頂替。不會有上樑正可下樑歪的情況出現，各國維持低效率，讓蒼蠅老鼠和自己一起吃飯，互相傳染，牆角只會爛的更快。

孔子只能走行政最高層路線，業務能力太強。楚昭王打算把書社之地封給孔子，宰相子西勸諫說：「國君的使節有像子貢的嗎？輔相有像顏回的嗎？官員有像宰予的嗎？孔子得到封地，以此為根據地，又有賢能的弟子輔佐，這不是楚國的福分啊！」楚昭王就取消了封地給孔子的打算。割別人的腿好過割自己的闌尾，這是肚量問題。

孔子走不通，戰國時期各國就只能走外聘管道，找改革家來刮骨療傷、截肢，可是把成本轉嫁到了改革家身上。吳起、商鞅落下慘烈的下場，一個被亂箭射穿，變法全盤推翻，最後楚國被滅掉，一個被車裂，滅了三族，給政信又抹了黑。拿金錢讓改革家視死如歸，又增加了變法成本。

病入膏肓的是企業管理，而不是百姓，為什麼要把成本轉嫁到百姓身上？一個孔子花點工資就能清洗乾淨，能省下大量的行政成本，誰也不會受到傷害，卻非要付出改革家的買命錢，內部阻力成本，百姓遭受苦難的成本，和所有變法在品質上很低下

的成本。即使是商鞅，在外逃住店的時候，也驚歎於自身創造法律嚴苛卻不自知。

商鞅變法的法令是從櫟陽發出，項梁在櫟陽地區被抓，安徽蘄縣的獄掾曹咎利用自己在櫟陽的人際關係，寫了一封信，讓櫟陽的獄掾司馬欣放了項梁。政府壟斷越強，法令越嚴苛，官吏的權利就越大。大家在鍋裡吃東西，等鍋爆炸，是秦朝中央來承擔了罪責。陳勝吳廣起義，劉邦廢除苛法，卻造成了大勢，最終讓秦朝二世而亡。

因此，變法在簡。從小病到大病，治療方式都是「簡在帝心」。未來兩千五百年，孔子的標準延續，成爲行政指明燈。

3.【變法】策變：多行業看政府需退出產業政策

1、大醫治國，土地為本

市場比政府更明白怎樣利用好土地，政府只要退出產業政策，市場就可以讓土地以較合適的狀態分佈產業。

每塊土地有自己的個性，有不同產出、人口分佈，能促進群體的幸福。在市場看來，土地沒有貧瘠與否的區別，只有利用方式的不同。

各行各業的勞動利潤率和資本利潤率趨向於一致，這是邊際效應。政府財稅、產業政策混在其中，是擾亂力量。產業的不均衡是政府造成的，導致產業鏈利潤分佈不均衡。農業利潤率低，恰恰說明了農業有著很大的潛力。

勞動回報是不是能夠得到值得的利潤，和供需有關係。上

游農業供應量大，議價能力低。當經濟不均衡，首先表現為農業生產得不到足夠回報、農業產品找不到銷路。經濟不均衡是政府產業政策、稅收政策導致的，財政稅收讓整體的產業回報率變少，再通過產業鏈供需，讓農業得不到足夠回報。一個人末節大出血，整體血壓會減小。

農業是產業鏈上游，是產業源頭，農業利潤增多會吸引人口，最終還會促成科技等產業鏈下游利潤增多，進而增強產業循環動能，吸引更多人去參與農業、科技製造。加上農業的利潤正常，科技製造會反過來促進本國農業生產的優化，提高農業勞動回報率，形成良性循環，讓產業發展更均衡。

任何產業政策造成的不均衡，都會通過產業鏈對農業等基礎產業形成壓制。如果不得已要出臺產業政策，需對農業進行傾斜，農產品供應增多，增加了經濟發展的動力，通過產業鏈補貼下游。

金融是氣，土地是血，產物是氧氣和養料。當供氧量、養料增加，血液會帶它滋潤到其他部位。當科技進行反覆運算、熱火朝天，也會促進血液循環。當科技等產業鏈下游出現問題，就是軀幹的末節出現問題，不可以限制其他產業、補貼末節，這樣會造成高血壓、糖尿病。血液不能將氧氣、養料供應到末節，是因為自身氣血不調，是政策、金融在其中形成了阻礙。必須先打通市場，之後甚至是對末節進行徵稅，也會促成它通過產業鏈來吸納更多利潤。

市場發現提高效率的地方，搶佔市場，引發同行業效率提升、利潤降低。產業重新佈局，資本回報逐漸又歸於平衡。這和健身的過程相似，政府以動態的眼光觀察各個行業的市場化調節，不必出臺產業政策來擾亂市場。

2、農業和科技：產業鏈的兩端

大國小國都注重農業，大國在於長久耕耘，城市化的小國家可以用少量土地來融合勞動力。

農業是勞動力的緩衝產業，能夠給科技發展帶來支持。農業勞動利潤率是其它行業利潤率的基礎、穩定因數。在這個基礎上，科技創新會站在不同的高點。農業能穩固科技發展的不穩定，當科技蕭條，農業吸納勞動，緩衝利潤降低。科技發展的時候，農業作為基礎，讓科技發展後勁更足。

當科技弱勢的時候，不可以剝奪農業，因為農業在幫助攢勁。科技發展時，增強農業才是補充力量的正確方式。增強農業「治百病」，能對沖政策造成的產業不均衡。

科技是沒有國界的，不均衡是各國政府政策壟斷造成。在壟斷前提下，科技在大國小國看來不一樣。大國產業森林體系發達，需要更穩定的自然經濟，把所有產業當做一鍋炒，若烹小鮮，不能為培育某品種的幾棵樹而改變土壤環境，造成大的空虛。小國是試驗田，若烹大鮮，小地謀耕耘，可以有產業政策，也會引發明顯的興衰週期。

產業政策不是科技發展的動力，市場才是，科技的落後是政府造成的。科技依靠國家的市場、土地、農業。想讓科技發展，最好農業利潤率高於別的國家，通過邊際效應，讓科技站在較高起點。發達的科技是食物，促進人的生長。為下游產業補充產業政策，像一個人打腎上腺素，長期會造成很多不良反應。

農業作為支撐，是行政製造的不均衡的緩衝力、平衡力。需要政府退出產業政策，讓經濟自然發展。

糧食是天然的貨幣，比政府信用貨幣說服力更強，也更難受到政府的操控，產業政策和企業壟斷是同樣的性質，最終會引

發市場的衰退。

3、中國的農業：介於小農精耕細作和大莊園之間

有經濟學家表示，成為人類文明發祥地的環境比較中庸，首先氣候不能太惡劣，而且土地不能太惡劣，土地太惡劣不能養人。其次土地太肥沃、陽光充足的地方，容易生長太多不適合人食用的植物，單是除去它們，就要耗費太多勞動。因此從土地品質上來說，中國是有著強健體格的。

中國的市場是世界上最優質的。農業也有著厚重的傳統，耕地和人口的比例不比日本等小國要小，也不至於像美國那麼大，在產業調整上有很多的靈活度，關鍵是看政策如何減少錯誤。老祖宗更懂中國，以農業為基礎的發展模式，能直接提高產業總體效率，不適合日本的小農精耕細作來增大成本，也不適合美國的大莊園來浪費耕地，必須通過自然經濟探索一個中間路徑。

中國的人口是世界上最聰慧的，在科技方面，只要把市場還給百姓，採用輕徭薄賦的傳統自然經濟，一定會迅速發展。

資本和土地獨立了，農業才會有生機。仰賴農業獨立，科技和資本才能獨立。產業政策的結果和希望往往背道而馳，即使有土地紅線，也會造成良田萬畝無人耕，百姓流離失所。政府是市場的一部分，甚至只是大企業之一，而不是市場的主導。

小國可以把農業作為商業來做，它的各方面的變動也建立在整個國際整體的大致穩定上面，可是中國的變動會引起世界內容的新格局。中國包括農業在內的行業發展，需要有自主的路徑，它是世界經濟的根本，而不是順應者。順應國際，就不能發展自己。發展自己，國際會順應中國，到時候整個國際經濟基礎

就已經改變了，就無從談順應國際。

4、關於醫療改革：政策退出

　　醫療在當今似乎是稀缺資源，如果醫療政策照顧大眾，似乎財政補貼就要彌補一個很大的窟窿，好像人們都要把珍貴的藥品藏到家裡當飯吃。生產技術比較差，導致供給比較差，但是需求相對較多，稀缺物品反而有很高的利潤率，很多人可以把它被當做藏品也即投資品。而當它變得普遍的時候，人們並不會有特別的儲藏意識，它的價格和利潤率也就降下來了。公共產品符合這一特徵，人們不會把公用電話和垃圾桶搬回自己家用，在公共產品由特殊到普遍的過程中，是生產物品效率的提升，導致供需產生變化。有些物品是完全市場化生產和銷售的，同時有一些產品，比如醫藥和教育，卻是由政策掌握其變動的部分，構成對邊際需求的限制，導致更迭速度變慢。政策對這些產業的影響是十分大的，如果不能準確預料到價格和價值的這種變動中引出的社會生產變化，就會把小成本計算成無底洞的大成本，實際上是阻礙了物品的生產效率的提高，阻礙了物品的普及。醫療的稀缺反而正是政策造成的，政策永遠不是促動力，促動力是市場。

　　政府和企業都是企業，政府政策就表現為企業的不公平競爭，通過供貨、補貼、虛假消息等方式打壓對手，然而其指向並不會成為最優。大型企業可以通過控制供應鏈、宣傳、補貼、收購等方式，來消耗市場上的創新，將創新導向有利於自身的方向，讓市場跟著自己的節奏，讓有利於自己的創新成本越來越低。而在醫藥方面，則完全產生了劣幣驅逐良幣，廉價、有效但不讓企業賺錢的藥品遭到淘汰。

　　在政府眼裡不應該有「發展」這個詞彙，也不應該有「經

濟增量」，而應該把市場看做靜止。從這個方面來說，醫療市場的成本其實越來越大，最終由百姓來承擔成本，連政府都受到拖累，需要大量補貼和越來越深的介入，成為惡性循環。而中國古代的醫療體系本來是非常低廉的。

5、關於互聯網、科技：政策提高實體經濟回報才能促進其發展

生產稀缺物的供給方的勞動力成本，和本行業的資本回報率沒有直接關係，而與社會平均勞動成本相關聯。任何創新也是這樣。

發現開採成本低優質礦產後，要經歷產品價格傳導的過程。最初產品還會按照市場價格去銷售，然後減少一些劣質礦開採業務，達到價格和供給新的平衡。在這個過程中，資本會用社會平均勞動成本來雇傭工人，利潤全部給到資本。但是隨著供給增加，價格降低，礦產品質下降，企業運營成本增加，競爭者進入替代品行業。最終，價格還會表現為和人力成本相差不多，產業資本利得、勞動利得趨於平均，但是中間有一個市場的供需調節的過程。

礦產的市場龐大，政府的資源體量不足以對其造成太大影響，但是其他行業，政府就有很多參與的空間。大一些的石油行業，歐美會以軍隊、戰爭、華爾街來破壞正常的市場。

再小一些，如果有行政參與，會破壞行業正常發展。政府介入光伏產業，產生不公正競爭，誤導創新的方向，迅速將行業導向夕陽行業。未來在應用方面落下的功課，還需要從頭來補。

政府越努力，對行業的發展越不利，耗費財稅資金，誤導社會資本。

別的行業也是這樣，比如互聯網。創新在最初都表現為破

壞行業規矩，增強資訊溝通，減少中間成本，產生降價空間，打擊對手。但是經過合適調節，對實體經濟整體回報率會產生提升，全產業鏈重新構造，對百姓更友好。如果有政策在其中產生隔閡，互聯網科技反而怠惰下來，提高商品價格，多賺取差價，增加管理成本，最終返回平庸。

電商、科技在總體交易中所占比例不大，最終勞動力回報還會參照市場總體的平均回報。實體經濟才是財富的源泉，互聯網只是工具，互聯網科技最終一定是要增強實體經濟效率，如果它並沒有輔助實體經濟生產出更多產品，只是在行業攪和一通，問題一定是出在政策上。

「先進於禮樂，野人也」，邊際效應是科技造福百姓的平衡點。面對變化如臨大敵，想要通過增加市場成本來達成監管，是法制，這樣市場主體全都成了破壞者。面對變化出讓利益，政府應當減少政策糾纏成本，主動放出一些權力、利益，讓市場自己去平衡結構，讓科技自己增加監管投入，從實體經濟回報的提高讓科技發展能夠從總體提升產出，讓科技更具有創新的緊迫感和韌勁，市場主體就全都是友好的，這是禮制，是真正的市場化。

新產業新物品在最初都耗費投資，我們與其說它的需求很大，不如簡單說成它的生產不能彌補需求，這種不契合的表現就是儲藏價值，稀缺物品更便於儲藏。當一個物品顯得炙手可熱的時候，對它的投資就會過熱。如果是市場自主行為，這種投資會加大物品的價格，促進對物品的更充分的利用，形成「它價格變高了，但是在那個層次不再稀缺」的效果。當這個產業成熟並普遍化的時候，應當有一些投資會白白浪費。這是正常的產業代謝，最好由市場自主決定。總體來看，「人之道損不足以奉有

餘」，政策的著眼點以為是市場失靈，其實只是市場的正常反應，政策的介入會加大其不協調。「君子周急不濟富」，「急」的使用是效率最高的使用，如果政策介入，往往會成為「濟富」，不用再談「貧」，政策的介入是「濟富」和「造貧」的過程。最好反省自身，看看自己在其它哪些方面造成了困境。

6、教育只是資本遊戲：市場化的教育和鄉校戰略

讓學校作為補貼仲介，首先會留下油水，其次會改變方向顧及不到人才。學校圈子小、管理固化、利益鏈條單一，沒有市場發現人才的能力，也沒有市場發現優質教育結構、內容的能力。

在就業率方面和工資方面，不是教育的結果，而是教育補貼的結果。財政表現為淨利潤，財政對學校、學生補貼，進入企業，相當於補充企業的淨利潤，撬動資本槓桿造成不均衡。稅收造成了行業不公正，沒有必要在學校教育上加劇不公正。

富裕產業教育的投入，應當由私立大學去完成，最終仍舊是讓他們獲利，讓市場來為人才買單。企業比政府更珍惜錢，對行業變化也更敏感，公立學校反應慢一點，注重為窮困的人才、行業兜底，而不是獎勵富裕人才、產業。

從資金使用效率來說，學校不能促進社會生產，市場才能促進生產。不公正就是最大的低效率。

教育投資建立層級，人才選拔方向不對，效率極低。按照文憑去參加工作，又佔用了過多社會資源，擠壓了有才人的空間。格局固定的大學是不可能教育出人才的，真正的人才要改變各行各業固定格局，從而提高社會效率。只有人才選學校，學校培養不出人才。大學功利性很強，對改變個人的命運沒有什麼幫

助，不要想著彌補行政錯誤。只是爲人才提供一個平臺。

家庭對個人更爲敏感，投入資金學習，是以淨利潤的方式去補充資本，注意這種投入是不是涉及到遺產稅。

第一，資金的利用公平。地域資本價值體現在地產總價上，利潤的分佈和人的分佈相同，整體的教育法於地，所以可在房地產稅上做文章。大學有產業特色，最好完全市場化。

第二，資金的利用效率，要教育政策統籌。比如加強學校資源分享，減少不均衡。讓市場決定企業辦學和捐贈的比例。

大學的理想是它達不到的，需作爲一個平臺，大量減少師資投入，建設電子化鄉校。

從投入和產出比來看，北京大學是把山區小學和各種職業技校都加進來後，全國最差的學校。北大有七千億元資產，賣掉後在全國建設七千個鄉校，由鄉民自治。中國有六百六十個城市，兩千八百五十四個縣，四萬一千六百三十六個鄉鎮。每個縣都可以擁有2.45所鄉校。

網路教育成爲趨勢，讓鄉校爲普通人提供更低廉、更優質的網路教育服務。凡是賺錢的政府資產都應當賣掉，減少與民爭利，讓政府專注主業。減少學歷、學位的限制，讓市場自主選擇實用、有趣、高效的課程。

7、福利體制改變：以福田院爲例

歷代王朝都創建了許多養老救濟機構，唐代設立悲田院，宋朝的福田院功能比較齊全。一般由皇帝親自主持其建造與政策。收養孤寡無依的人，爲他們提供醫療救助、食宿，冬天提供炭火補助。還爲外地人提供廉租房。同時爲學生提供住宿和學習，很多學者都是在寺廟裡來講課。簡而言之，那是一個開放式

大學，福利高，生活成本低。

它們的管理工作交給了一個非常專業的隊伍——寺廟。聖人無爲而治，做出了最好的開放式管理，員工能不斷自我更新和約束，比宮廷雇傭太監的方式好，更加適合做民生保障之類的慈善工程。

然而當代的寺廟、教堂，從功能和作用上都已經衰落，需要結合當代大學，建立更加適應時代的新型機構，來對鄉校、福田院來進行管理。其作用有三個。

第一，鄉校，承擔教育改革的任務。鄉校要達到自我治理，行政服務人員偏慈善，可以推選或者專門培養，或者委託機構託管，最終的目標是降低教育成本。

同時，因爲它生活成本低，以低成本共用學習的軟體、硬體資源，是各類共用經濟的試驗田，所以它也會成爲最大的創新創業基地。從生活學習來說，它小可以是村子的鄉校、教堂，大可以是開放的社區大學。另外一定要找到盈利、獨立運營模式。

第二，醫院，承擔醫療改革的任務。現代的「縫縫補補、殺菌除蟲」的醫療方式，對人體屬性沒有太多瞭解，屬於「醫治死人」的方式，而傳統的中醫則是醫療活人，幫助正常人「大保健」，將病症化解於發端。現代醫療體系、醫療體制有問題，沒有增加行業效率，醫療成本越來越大，但是世界上的癌症人數不斷增加，並且創造出了「愛滋病」等新型疾病，加大了社會成本和人群的苦難。中醫在中國古代以極低的成本，構成了全民醫療體系，提高了全民體質。通過鄉校、福田院來承擔部分功能，和現在的學校、社區醫院是相似的，他們用的藥品也是低價高效的，需要自由市場體制來降低醫療成本。

同時，它也將成爲全民共用健身的地方，公用足球場、籃

球場、跑道、健身器材，並爲各類競技體育、武術等提供創業平臺。

第三，福利院，承擔政府福利制度改革的任務。以市場化的方式來提供廉租房、福利房、保障房，能夠降低管理成本，增強管理效率，覆蓋更多人，把錢分給更多人、更加需要的人。政府不擅長運營，成本巨大。壟斷越多，漏洞巨大。最需要的不是社會資本給予金融支持，而是給予管理支持。如果不改善自身運營模式，社會資本給予再多錢也沒用。

和社會最重要的合作，是怎麼樣讓社會幫助自己治理好社會。政府和社會合作，分享利潤，分享稅收，就能夠用最少的付出，讓社會幫助把自己的管理工作做好。

治理能力最強的是市場，最敏感的也是市場，政府不擅長任何具體事務，最擅長的應該是「君子反省自身」，想辦法調動社會處理行政資源，讓社會自己來治理自身。政治就像疏導水流一樣，不應當把產自於市場的行政資源先弄到自己池子裡，成爲死水或者爆發洪水。君子的具體的業務越少，管理的疆域範圍就越大。君子越不與民爭利，百姓就越依賴。

8、國企在做什麼？

市場都不盈利，國企肯定更不盈利。國企責任不明確，命令混亂，缺乏市場敏感度，管理效率低下，一定比市場化企業效率低。

市場沒有盈利，國企竟然盈利了。第一，可能利用了自己的壟斷地位，形成市場不充分競爭，第二，可能利用壟斷地位，將自身成本轉嫁給了客戶。

國企不可上市，不可盈利，上市是與民爭利。如果國企能

夠以市場化的方式盈利,那麼這些工作完全可以交給其他企業去做,政府不可分散自身業務,增加管理成本,降低管理效率。既然不可盈利,那也不可上市,只能以自身的財稅來補充。國企不可與民爭利,如果參與有利行業,一定會依靠自身政策資源形成畸形競爭。因此,有利,趕緊賣出。有才,讓他獨立出去。

政府對市場不敏感,如果不盈利,說明市場需求不足,政府沒有必要花更多錢。如果是兜底,可能是政策引發的血液不通,在這個地方產生了瘡疽。大醫治國重保健,最好的行政仍舊是利用市場來消除瘡疽,減少更多併發症,否則就用小醫的方式來挖肉補瘡,這樣行政成本會增加,最終體現為管理者的智慧和治國成本的關係。

國企盈利不行,不盈利也不行,為什麼要國企?降低行政成本就是降低市場成本,簡化行政最有效。市場的問題不是市場失靈,而是行政失靈。

9、虛假的調控:恰恰是政府製造了行業不均衡

不管是轉移支付、家電下鄉、財政補貼還是其它的政府行為,都說明其中存在不合理,那麼應該去解決問題。如果信不過企業,又為什麼信得過政府呢?為什麼又要政府來做二手調節,和銀行一樣把如此多的行業融資都做成間接融資,降低整體社會效率呢?如果政府專注自己的主業,就不存在地區發展不均衡。政府本身就是一個企業,如果沒有遵守聖賢制定的行業規則,甚至比其他能夠自己制定行業規則的企業的效率還要低。

現在各國政府地域壟斷嚴重,對百姓生活造成了很大的困擾,而且大企業病嚴重,效率低下。無論政府做的任何事情都要交給企業,給哪個企業都一樣。壟斷了最有利潤的行業,卻通過

產業鏈的供需和稅收，把別的行業做得利潤非常低，讓外界以為那些不賺錢。各類專營製造的醫療、教育等一些行業的公共產品供給不足，最終還是要政府拿自己的利潤去填補，只是留了一手油，又降低了行業效率。

有需求就一定可以做，如果不掙錢，說明不是假的需求，就是政府運營有問題。政府也是企業，屬於市場的一部分，市場的失靈需要打破壟斷，用更大的市場化來克服市場的失靈，所以政府不僅要退出產業政策，甚至還要通過百家爭鳴、科舉來推行政市場化，讓政府真正成為生產部門。

現在政府只會收稅，可收稅的成本也轉嫁給了百姓。稅收是一種巨大的不均衡，所以不可以有稅收，讓政府成為生產部門，收取自己提供服務的費用。如果經營的錢不夠運營成本，可以外包。有了稅收，政府的主業就會改變方向，越來越不擅長行政，所以一定要通過外包等方法來降低成本。即使政府什麼都不做，只是把行政外包給物業後做房東，也比用產業政策混亂各行業發展要好。一切稅收的根本是地租，做好房東，對接好支付，剩下的交給企業來做就可以。

4.【經濟】身合：從地價、資本和勞動來看消除稅收的必要

1、土地價格等於附著在土地上的資本價格總和

李嘉圖的地租理論，是最貧瘠的土地上無需支付地租，但如果你想要耕種最肥沃的土地，那肥沃土地的產出減去同等勞動或者同等資本投入在貧瘠土地上的產出，多出的所有產物都應當

歸於地租。

延伸開來看，最貧瘠的土地不值錢，但是最肥沃的土地上比最貧瘠的土地上多出來的資本，最終都會表現為土地價格。土地價值是資本的最終體現，於國而論，就是一國一區內所有物品甚至包括人的總價格，表現為房價、地價的總和。

土地價格等於附著在土地上的資本價格總和，土地經濟要占一國經濟的50%。如果追究資本的來源，資本本身就來源於土地。

房地產就是貨幣，比金銀等行業產物的貨幣屬性更強。

可以大致說，地租，將佔據土地收穫減去成本、人工之後所有利潤的一半，剩下一半給到資本投入或其勞動。也就是說，土地經濟將和資本平分利得，和利率直接掛鉤。如果追究資本來源，資本本來是不可以得利的，而且資本的運用者本身也是在依靠勞動獲取報酬。這個問題暫時保留。

稅收根本上就是針對房地產徵收的稅，是資本稅，也是地租，本質上是地租。

2、「資本利潤率」和「勞動利得率」的關係

「勞動利得率」有邊際效應，社會的平均勞動利得率趨於統一，也正是邊際效應，讓人口向資本多的地方富集。

「資本利潤率」的分佈，受政策的影響非常大，也是不均衡產生的原因。資本要向利潤高的地方富集。

而稅收就是純利潤。

可以說是財稅造成了勞動過剩和資本匱乏。古代種地十倍利，暫定其中一分給政府，一分給地租，一分是資本收入，七分是勞動投入。當向企業徵收兩分利，最初地租和資本需要平分剩

下的一分利，資本利得率會下降50%。當開始徵收三分利，百姓就要在貧困線掙扎。資本會先倒下一片，資金價格上漲，土地變得貧瘠。徵收五分利用來倒騰利潤，會造成地區、行業、資金分佈的不均衡。稅收是直接撬動利潤槓桿，後果非常嚴重。

　　財政是要花出去的，不管是採購基礎設施建設還是其它公共服務，都不能改變其「淨利潤」的本質，以槓桿的方式形成資本的富集。一分財稅投出去，資本會來十倍，人口會來十倍。

　　財政和土地價格的關係，可以簡單理解為，如果想要知道一個城市的價值，那就用花費在本區域的財政稅收，減去全國最貧困地區的財政稅收，然後除以資本利得率，這就是本區域土地的價值，也就是吸引來的資本的價格。人們圍繞在肥沃的城市，地租就上升了。由於勞動利得率的邊際效應，會使城市的勞動環境趨向於和農村一樣艱難。你在農村除去吃喝住以外，每個月能節省下八百元工資，在大城市當中如果工資比農村高，那房租和生活成本，一定要趨向於昂貴到讓你每個月除去吃喝住以外，也只剩下八百元工資利得。否則農村當中的人不會停止向城市遷移，以勞動人口的增多，通過勞動供求關係和住房的供求關係，來使城鄉勞動利潤率趨向於統一。

　　也就是說，決定人們生活品質的並不是城市，而是已經被財稅弄得貧瘠的農村，那裡才是赤裸裸體現邊際勞動利得率的地方。多一分財稅，整個國家的土地會變得貧瘠，沒有受到財稅照料的地區，則被撬動槓桿失去資本，變得更加貧瘠。

　　房地產市場如此大，佔據全國經濟的50%，政府壟斷的資產還不足以控制及對抗這麼大的市場。依靠財稅填補的方式，終極敵不過市場的作用。政府本身就屬於市場的一部分，只是地域壟斷的企業，可以和托拉斯一樣攪亂市場，造成貧富差距，形成奢

侈消費、雜亂叢生的服務業等平衡利潤的方法。

農村不幸福，城市也不會幸福，全國的勞動利潤率是趨於一致的，稅收造成土地貧瘠以後，包括戶籍制度在內的調節方法，都很難彌補這份落差，撥開政策製造的重重迷霧、重重泡沫，城市和農村一樣會變得不幸福。

3、治大國若烹小鮮：均無貧

老祖宗在產業自由發展方面，一直處於世界上最開放的狀態，比現在人更懂得怎麼利用中國的土地，進行怎樣的產業配置。

烹製大魚，它自身內部會傳導熱量，適合產業結構簡單的小國。治大國則若烹小鮮，全國要當做一盤來炒。如果人為隔離，一個地方養大魚，一個地方養小魚。地區各自為政，出臺人口和資本政策，那會攪亂整個市場資金的分佈，造成過冷過熱。任何相關的地區政策、試點都不會造成整體的富饒，只是搶奪其它地區的資本以及人口，耗費百姓過多精力。地方政府一定要退出產業政策，甚至中央政府也必須退出產業政策，才是「治大國若烹小鮮」的正確方式。打通漁場，順勢而為，讓魚自由生長。

稅收和產業政策調節淨利，是在貧瘠土地上施肥，肥沃土地減少投入，讓吃飽的魚增加消耗，別的魚卻長不大，是消耗資本淨利潤和誤導資本方向。政策不會使總體的產值增加，引導下各地的老百姓生活不會是一樣富有，而是和貧瘠土地上的生活方式一樣艱難。

當今全球缺乏政治，政府幾乎不是生產部門，所以財政也可以歸結為稅收。如果行政市場化，讓行政成為生產部門，那財政收入是按照勞動服務收取報酬，就和五千年前一樣成為一個行

業的收入。資金價格下降，土地變得富饒。

也就是說，稅收是不應該存在的，政府應當依靠自身勞動獲取報酬，這樣土地就會變得肥沃。

世界上沒有貧苦的地區、差勁的百姓，只有不合理的政策、稅收、戶籍制度、國界造成的不均衡。均無貧、和無寡、安無傾。貧困、孤寡、社會不安定都是政府造成的。聖賢以自然縱觀全域，功成事遂，百姓皆曰我自然，自然才是高效的。

虎兕出於柙，龜玉毀於櫝中，老虎和灰犀牛跑出來，人才毀於小房子中，這是誰的過錯，又要誰來解決呢？只有人才來解決。一國富足看貧孤，一國安定看賢能。在第一次世界大戰之前，國界和民族沒有太大的區分，後來產生偷渡、難民、戰爭等地域壟斷結果。民間應當盡快形成更好的行政業務，比如貨幣民間化（非區塊鏈），減少政府在秩序維持、稅收機構設置、貿易秩序維持、貨幣政策方面付出的巨大成本，以及經濟人文不通融造成的低效率。

5.【經濟】法合：貨幣民間化統一度量

1、價格的基礎是稀缺性，稀缺性的基礎是有價值

價格是由物品的稀缺產生的，當一個物品屬於稀缺物品的時候，價格較高，但是仍舊有人願意為它買單，用於在利潤較高領域創造價值。也正是有這些「最終買單人」，能夠確定它的價格。稀缺物品價格的提高，導致其在更多實用領域無法施展身手，大眾的儲藏需求（投資需求）減少了它的損耗，提供了穩定輸出。

相對來說，生產稀缺物的供給方的勞動力成本，則更多與社會平均勞動成本相關聯。

價格的基礎是稀缺性，稀缺性的基礎是有價值。金銀的稀缺性，就成爲其價格的形成要素。自古貨幣是民間、市場化的，用金銀交換，價格有起伏，但是它們是眞正的行業產品交換，不會催生經濟週期。

沒有價值的東西產生價值，往往是市場不融通。紙幣沒有稀缺性，沒有大的價值，各個政府在其之上強加的價格，導致了不平等、不通融。

2、貨幣的變化

貨幣不是剛需，交換才是剛需。早期的貝殼、鵝卵石是個人信用支撐，在部落內部可用，用於簡單的物品交換。在更大的交換體系、交換量下，更多行業參與，產物也更多，價值定量更難。在炎帝時期，貝殼、鵝卵石在部落聯盟中不再適用。

最爲龐大的是農業糧食之間的交換，另外還有煉銅、繰絲，產品長時間成爲硬通貨。

煉銅業可能會形成比某個政府更大的企業，形成寡頭。煉銅業可以把銅做成刀幣形狀，增加價值背書，同時解決煉銅業的產能過剩。政府以專業從事管理的行業特徵具備很多優勢，如果以自己的品牌爲刀幣背書，就會從中抹油水。黃帝時期部落聯盟信用背書的手段，可能已經很流行，要不然在神農時期的行業糾紛，不至於演變爲部落聯盟的戰爭，這和一戰前後的世界格局有些相似。

虞朝及之後不同形態的刀幣流行，可以直接稱量銅的重量來計算，其匯率較爲市場化。貨幣也是市場化的，部落內部的刀

幣像是當今的手機，各自設計價值密度較高的刀幣來競爭。貨幣的屬性是商品，需要實用，如果鍛造技藝一般，就需要薄利多銷。

國際上的交流依靠更多的商品，從各地給中央進奉的產品可以窺其端倪。虞朝進貢牲口較多，商朝喜歡收集銅來做鼎，春秋時期進貢特產。

到秦始皇統一貨幣，刀幣改為圓形方孔，減少了實用價值，增強了政府背書。

漢代封國給大臣製造貨幣的許可權，地方自己掌握貨幣厚度、大小，設計版面、更新版本，通過促銷來打開一部分市場。錢幣有優、劣分別，民間對好錢和壞錢也會挑剔。政府壟斷發行，製造了質次價高的銅板、紙張，才產生有欺詐屬性的「信用貨幣商品」。加上政府運營成本越來越高，漢武帝推動鹽鐵專營，貨幣也有了一定專營屬性。

3、現代的紙幣

「貨幣」是不存在的，商業的本質是物品交換。宋朝出現紙幣「交子」，並未推廣開，政府推廣紙幣就是做大到壟斷的企業幣。政府壟斷貨幣發行還很短暫，現代的國家和地域壟斷形成時間也很短暫。

紙幣商品運作模式依靠政府集權，必須通過政府的紙幣，才能參與到教育、科技、製造業，更多勞動力為政府服務。紙幣推銷成本也轉嫁到百姓身上。貝殼時期的個人信用背書，還不至於變成了政府信用的大面積盤剝。

紙幣在全球、國內各地價格是不對等的。國內有一個笑話，某人到西部山區買了一個農民一斤大棗，價格一元，給了農

民一張十五元的紙幣，農民找回他兩張七元的紙幣。國際的笑話是用冥幣到金三角交換。如果交換量小，它是真的假的都無所謂，人們只需要一個交換仲介。如果用糧食交換足夠方便，可以不用紙幣，商品不豐富的地區可以有各種通貨。紙幣回歸了它的原始形態——貝殼、鵝卵石，印刷精美卻沒有刀幣的實用。在某些地方，不適應紙幣遊戲，不僅紙幣失靈，連政治行業也失靈了。《山海經》記載黃帝和蚩尤作戰，用到各類飛碟、機器人等攻城器械，別的部落像猴子看人一樣不知所以，沒參與進來。

紙幣不能促進生產，作為一種價格遠遠高於其實際價值的物品，已經形成了很多副產品，增大了貧富和地域差、造成了證券市場的高估值、推動美國石油戰爭、形成國際掠奪和貿易隔離、造成行業的價格不對等「濟富造貧」、造成經濟週期、派生出比特幣等同樣虛假的貨幣市場。現在美國是通過戰爭來維護美元地位，國家內部則是通過通脹、上市等遊戲，來維護政府巨大的運營成本。

秦始皇統一度量衡背後，是順應市場，其中文字統一沒有順應市場，就沒有成功。如果政府壟斷貨幣發行，製造太多專營，管理工作會非常大，效率會非常低，政府在這方面不專業。如果一個國家內部都不能協調統一，製造了糖尿病（出口消化產能）、高血壓（地域貧富不均），在國際上更是會手足無措。

推行紙幣，各國相當於用自訂的石頭、貝殼在進行交換。如今的紙幣推銷和全球商貿不融通，又到了一個禁錮較大的時期。需要返璞歸真，把政治行業化，把貨幣市場化，調動更多部落來參與。通過觀察古代貨幣演變，新的貨幣時代又要出現。

4、形成貨幣民間化的傳導機制

經濟危機和週期是虛擬貨幣將價值錯配造成的，主要是政府信用虛擬貨幣（紙幣）造成的。政府虛擬貨幣有政府資產支撐，這是騙人。如果政府企業能上市，資產不能兌換給百姓，那麼它才是造成通貨膨脹、需求不對稱和經濟危機的罪魁禍首。

民間產生比特幣，是對政府信用貨幣的不信任。比特幣無價值，比不上紙，比不上可以做食品、飼料的貝殼，做建築材料的鵝卵石。但它是市場化、民間化的，比紙幣更正統。加上本身特性，在政府紙幣濫用失去信用的情況下，竟然能一時得逞。

民間虛擬貨幣和政府虛擬貨幣同台競爭，當政府不出讓貨幣發行權給市場，市場的虛擬貨幣總量增加，進而產生通脹。然而最大的通脹還是依託政府信用產生的。從實體經濟來看，百姓只是拿政府的畫紙兌換成民間的電子虛擬符號，其體量比紙幣小，虛擬貨幣和實體經濟的不對稱，主要在政府信用貨幣。

因此，需要在政府和市場之間形成一個有效傳導。當政府管理效率低下，一定要將實體經濟對應的政府虛擬紙幣傳導回市場，來提高效益，率先推動這個機制的部落，將主導未來全球金融權。

最好是行業自然定價產品作為貨幣。實體經濟對應實體經濟，貨物對應貨物，產品對應產品，但是怎樣產生這樣的機制，需不需要把所有的資產都數位化、符號化，來促成新的度量衡大一統，需要更多的研究。

5、誰適合扮演作為「商品」的貨幣？

「貨幣」的風險在於獲得壟斷地位的企業，在低價值商品上增加的高價格。

貝殼和鵝卵石是有很大實用價值的，但是價格虛高，被市場拋棄。紙幣的價格比貝殼和鵝卵石更虛高，但是背後有政府的專營和壟斷作為背書。政府壟斷自然資源，建立城市，推行紙幣商品，很多人就成為紙幣商品的推銷員，把紙幣推銷到鄉村，實現資源的交換。政府增強紙幣使用範圍，從中抽油水，在資源和人之間建隔離牆，降低了社會效率。紙幣是一個高估值的商品，在紙幣流通和產生通脹過程中，有東西在不斷丟失，但是行業產物交換不存在這個問題。

黃金和白銀在較長時間作為民間化的貨幣，只是一個行業的產物，不能代表整體價格。

銅鐵產量比金銀高，便於交換，較易於儲藏，市場比較喜歡，政府順應了這個趨勢。它們在全球的產出和流通比較順暢。石油同樣作為行業的產出，在全球的產出不均衡，流通不暢，但是在當今國際貨幣中扮演了重要角色，未來也不可或缺。

鑽石非常稀缺，但是有最終的工業買單者來為它定價。

布帛比較實用，比黃金白銀更為成熟，在很長時間內是國際貿易的一個通用載體，但是當今有更多可替代的載體。

農作物以物易物，是自古至今最為龐大的交換，經濟學家容易忽略它的貨幣價值。

從作為商品的貨幣角度來說，比特幣跟以上貨幣都沒辦法對標，只能跟空氣對標，比空氣有優勢的地方在於稀缺性，但是沒有實用價值作為基礎，是一個空中樓閣。央行數位貨幣作為企業幣，也是空氣幣。

這和勞動沒有關係，即使是生產比特幣的供給方的勞動力成本，也更多與社會平均勞動成本相關聯。沒有實用價值作為基礎，這份勞動完全可以廢掉。有企業（包括政府）做背書的數位

貨幣，打破背後不合理的壟斷，和比特幣的屬性、市場價值是一樣的。

作爲商品的貨幣，實際上又不是稀缺的，都可以嘗試找到工業替代品，在這個關節，勞動成本又和價格密度對接起來，但是勞動力應該怎樣做貨幣？

有比貝殼、紙幣、黃金、石油、農作物更具有貨幣價值的東西，那就是土地。大地是萬物之母，這些東西都產自大地。

農作物、石油等除去勞動力以後，收成有一半是給到地租。土地的價值是所有價格的一半，土地的價值，等於其附著物（包括人在內）的價值，和當地人的收入與消費天然掛鉤，土地價值非常穩定。行業的產物交換受到供需的影響比較大，區域土地相對來說只和總體價值掛鉤，受到的影響比較小。

可以設想全世界的大宗商品交易平臺，做出石油貨幣、糧票，讓它們自己流通。還可以設想土地數位貨幣、山川貨幣，成爲沒有貶值和擾亂市場的貨幣，糧票則代表利率。任何資產都數位化、貨幣化，通過掛牌來獲得貨幣，將它流通起來。

政府可以推，民間也可以推。存在提質增效的空間，就有市場，未來市場化的貨幣會逐步替代全球的證券交易市場、貨幣發行機構、外匯管理機構。

6、大陸時代統一度量衡：貨幣民間化

海洋是自然隔離，大陸卻沒有國界限制。政治業的地理隔離沒有道理，會降低產業發展效率。海運比較便宜，隨著磁懸浮眞空管道列車的使用，陸運也將變得便宜。

養人的是土，而不是海洋，未來是大陸時代，只要減少貨幣、證券等仲介，直接穿透底層資產進行貨幣民間化，那麼全球

經濟均衡的時代就會到來，大同世界也近在眼前。

亞當斯密的經濟學理論幫助殖民地獨立，是看到自然經濟蘊藏的巨大效率。現代金融體系是一場騙局，但是同樣有許多經濟學家出現。經濟學任何理論都是人造的，不存在自然定理。盯著自然效率，將經濟學理論損之又損，以至於無爲，就有新的理論出生。可以先存有某些目的，然後去思考，大膽爲某些目的而製造出經濟學理論產品。經濟學理論允許有創造性的抄襲，如果將他人的理論進行了改善、應用，那就是你的理論。

所以，大膽創新，爲天下大同努力吧。把世界呼聲較小、潛力較大的增量行政資源挖掘出來，幫助均衡天下資源，讓百姓沒有天生的貧窮、不公正。

6.【外交】術御：以王道為全球行政管理提質增效

1、王道及其管理範圍

中國傳統行政方略有「帝道、王道、霸道、雄道」，商鞅見秦孝公，展示了「帝道、王道、霸道」。核心是「王道」，「帝道」是「聖王道」，「霸道」是「小王道」。春秋只有「興滅國，繼絕世」的齊桓公是「霸道」，其餘皆爲「雄道」。

佛教說王有四類，金輪聖王治理四方，銀輪聖王治理三方，銅輪聖王治理二方，這三者爲「財輪王」，以經濟協調世界。鐵輪聖王是「軍輪王」，以武力統一管理一方。此四王與「帝道、王道、霸道、雄道」相對應。

未來全球化依靠「王道」。「王道」的核心是十分優秀的

管理能力，能夠通過反省自身來達到天下大同。君子內明，行政
昌明，行政成本低，會在不同範圍爲人所用，表現爲王道覆蓋的
面積不一樣。

2、成就王道的參考數據

老子創造了政治學的頂層架構，是聖人之治。孔子創造了
完備的行政章法，是禮治。禮是治國大器，如果加入教化，
「仁」是治世大器。

從《道德經》、《論語》可以充分瞭解到「王道」，如果
發揮充分，可以成就「帝道」。

把《論語·堯曰篇》當做一個行事守則，大致能夠成就
「王道」。

「禮制」和賢人搭配，能夠成就「王道」；與內明的人搭
配，能維持「霸道」。「禮制」是聖人的工具。

3、王道的守則

以「禮」爲代表的行政特色，特點是君子通過省身來爲
政。所有的社會問題都是政治問題，所有的政治問題又都是爲君
者的問題。老子說「受國之垢是爲社稷主，受國不祥是爲天下
王」，堯舜則說「朕躬有罪，無以萬方，萬方有罪，罪在朕
躬」。如果從外部去尋找問題，那麼問題是永遠不會得到解決
的。「簡在帝心」，如果所有問題都集中在一個人身上，那麼君
子只需要通過改變自身，就可以讓天下清明。這種行政方略，是
降低管理成本、獲得巨大市場效果的路徑。

大致來看，可以總結如下：

以利尚賢民多爭，亂世之下有大能。

君子輕身民相讓，君子重身民相輕。

大德隱德民含德，大為省身世無爭。

天下污垢在我身，簡在易形天下明。

各類行政部門和施政方略都相差不多，核心處理器、行業標準的「仁禮」，是不變的。修身是治國的前提，管理成本和效果和君子個人的品行直接關聯。

4、禮制輸出的二級管理工具：信

禮治是王道，可以提煉適合管轄區域使用的章法，產品之一是「信」。大禹治水的時候，採用「疏」而不是「堵」的方法來治理水患，就是政治的「信」。「政治」大致來看是「正文」、「水台」，通過文思來理順自身思路，像疏導水一樣去行政。低級的治理，想要堵住一個錯誤，往往要創造更多錯誤來彌補，最終浪費了社會資源，看起來費盡氣力，但是其實效果很差。

達到「信」，最重要的是改善自身理念，節省成本。達到「信」，自身的「敏」是重要工具，這是主動的「信」。通過市場的調節、用戶的攻擊，一些大的企業家也能掌握「信」，通過改善自身來順應市場，這是被動的「信」，能達到強企的效果。治國水準也是這樣，「生而知之者，聖賢；學而知之者，賢；困而學之，富；困而不學，窮」。

「信」要通過對自身的反省來到達。外在的「信」是「執政者認為」，往往體現為「不信實」。內在的「信」是「自然」，通過對自身的改觀，瞭解原委，作為行為依據。「功成事遂，百姓皆曰我自然」。「口號式治國」、「願景治國」、「想像力治國」、「投票治國」都是不信實的表現。

「信」的根本，還是以最低的成本在市場達到最好的效果。通過外部來治理，成本巨大，效果不好，政府成為壟斷企業，有政府沒有政治。

5、王道的免費策略：簡政、讓利

對政府的運營和對企業的運營一樣，要秉承「君子不器」的理念。錢多了會縮短事業的壽命，遲早被各種競爭和人力成本拖累。當你的管理理念、運營策略只能養一個企業的時候，業務拓展能力就沒有了。當你開始做具體的業務，說明你的管理理念只能養活一個企業。

民生總歸會交給一個個政府、企業來做。當你把具體業務出讓，養了一群閒人（賢人），別人都圍繞在你身邊，競爭者也採用你的標準，事業就會迅速拓展開。

全球企業能做到三千年的，只有孔子、釋迦牟尼、老子等。這三人擁有「最好的管理」，在三千年間不斷有新的力量加入，並對自身進行改善；最好的產品，創造的IP經久不衰；最好的輕資產運營，讓別人去做重資產。別人的經營不善，不會影響自身品牌。

「與民爭利」是大忌。壟斷經營的大企業，超過三百年的只有漢朝、宋朝，而且中間都經歷了二次創業。壟斷能力最強的秦朝只存活十五年。讓利於民，理念不斷創新，被廣泛採用，大量的依附者、子公司、分公司就會出現。

當你還利於民，業務越來越少，少到每天只要反省自己，那麼你就會很專業。全球的政府競爭者也會成為友商、子公司、分公司。

執政理念在國內能優惠到成百上千個企業，經濟就會強

大。管理沒有隔閡，沒有戶籍、民族、學歷等各類限制，以省份一樣的統一來管理一個國家，就會有足夠精力來託管別的國家。

6、孔子的王道：小而無內、大而無外

　　子路、曾晳、冉有、公西華陪孔子休息。孔子說：「不要因爲我比你們年齡大，就覺得我有什麼權柄。你們平時私下嘮叨，說別人不懂你們，如果我眞的懂你們，你們打算做什麼？」

　　子路脫口而出：「有千乘軍隊的小國，圍困於大國之間，外部遭受兵災，內部百姓窮困。讓我來管理，三年左右，對外軍隊驍勇，對內百姓知書達理。」

　　孔子對這個回答很不屑。因爲管理成本大。

　　在堯舜眼裡，有外部敵人和內部饑饉的說法嗎？外部有兵事，要化解，減少消耗。內部經濟困難，那是因爲執政者事情沒做到位，「均無貧、和無寡、安無傾」。如果用子路的思想去治理，那麼外部少不了兵災，內部少不了各種產業政策、貨幣政策調節，成本大，最後還眞不一定會取得子路希望的效果。

　　治國不是靠想像力和血氣，要有眞正化解的方法。

　　管仲打了很多貿易戰、外交戰，那是霸道。有權柄卻不與外爭，是王道。當反省自身，受國不祥，可以爲天下王。要把問題看做自身的管理問題，這是管理者一個人的危難，而不是一個國家的危難，這樣就會對內做到信實。任何外部的衝突都是君子反省自身的素材，通過消除桎梏，把對方的市場統一爲自身的市場，這是對外的信實，對方政府就無力對抗。

　　小而無內，對方沒有攻擊目標。大而無外，變對方爲己方，戰場在外。當對方的百姓是你的百姓，對方的國土是你的國土，他又能怎麼進攻你呢？

7、執政：吃土最有營養

管理者無能，管理成本越來越大，地盤卻越來越小。要懂得寂寞，寵辱若驚，任何管理成本都不要轉嫁給百姓，這些成本會成為你的資本。

吃土最有營養，這是一個經驗。一個人很難承受侮辱，但是當上級、百姓把問題壓過來，你在不滿中依照禮法接受了問題，把工作做好，那份榮耀和成就感才是真正的「功勞」。創業者在困窘中低成本做成大事，才是對社會的回報。

百姓是君子的上級，百姓從來不直接發佈命令，因此也沒有錯。當下屬給你一個爛產品，你會覺得他信實、可靠嗎？即使你被動來承受「國之不祥」，通過自身來改善問題，提高自身的素質，那麼世界馬上就會投靠你。但是在你「受國不祥」之前，是很難看到會有「王者榮耀」的效果的。

「敏則有功」，主動體會百姓的苦難，把百姓的哭號聲作為指令，在萬民之下，成就王道。

8、王道的利刃：用市場化處理市場失靈

伏羲畫八卦，指導人群打獵；神農創《連山易》，聯合部族；黃帝時期有《歸藏易》，調理內政；周文王做《周易》，觀內勢。王道在他們這裡都得到了實施。

中國自古行政沒有壟斷貨幣、土地。禮制約君，法制約民，雙軌並行。其中禮制降低成本，法制以高成本提供行政服務。家族企業依禮管財產，有一定度量。產生災害了，是上天對自己的懲罰；百姓窮困，是因為自己太奢侈，要輕徭薄賦；市場失靈了，要收斂政策，市場就有發揮空間了。

政府也是企業，市場的失靈是因為政府的干涉，需要用更

開放的市場來克服市場的失靈。楔子越插越多，事情漏洞更多，失靈更多，成本更大。當今全球地域不均衡，是因為政治體系有問題。在神農這裡，沒有權柄調整別家事務，可以通過市場化的優質服務來統一部族。

使用成本很高的法制，缺少市場化和民主。在它之下，有了各種藏汙納垢的社會組織，來截取油水。社團企業治理，花百姓的錢，成本轉給百姓，講願景，推諉責任，建立國家、民族、戶籍、海關、貨幣等隔離。國在攻打國，民在攻打民，金融搶劫盛行。在這個基礎上，推行王道很簡單，只要在法制之上設置禮制，在政黨之上設立賢人（哲學王），然後和神農一樣，在管理、經濟、人才等方面推出各類優質的市場化產品，即可逐漸控制和優化各國行政。第一，當今全球體制效率低，空間大；第二，市場競爭少，也不用改變原來的全球結構；第三，普選、聯邦制的國家，依靠高效率跟百姓要業務。

7. 【外交】文御：禮制推廣真正的市場化和民主

1、「賢人」是「哲學王」的2.0版本

哲學家執政是柏拉圖理想國家的核心。《理想國》的核心是正義，離開哲學王統治，正義的實現就成了一句空話。哲學王統治是合法的，其合法性不在於人們的同意，而在於哲學家基於智慧統治的自然正當性，無需經過人們的同意。柏拉圖認為，哲學家統治不是完全不可能的，但極其困難。哲學家的產生就比較困難，哲學家成為統治者更為困難。最後，柏拉圖提到，如果哲

學家有幸成為統治者，它要根據理想的模型來改造現實的城邦，建立一個正義的國家。

不跟柏拉圖繞圈子，直接說，「賢人」是「哲學王」的2.0版本。孔子也認為賢人具有天然合法性，「臧文仲其竊位者與！知柳下惠之賢而不與立也」。天下為公的基礎是賢人得位。

同時，孔子老子的方法流傳兩千五百年，其行為方式不是看他當時是否成功。君子固窮，小人窮斯濫矣，沒錢時候的創新才更能提高效率開拓市場。哲學王不必得到認同，成為具體的管理者。「孝乎惟孝、友於兄弟、施與有政，是亦為政」。真正的哲學王、賢人，已經自然在執政了，好的行政標準自然有人會用，孔子使用代理執政人方式，其標準才會延續兩千五百年以上。

通過讓人們認同來成為「統治者」，其根本是想借助行政資源來發號施令，效率會降低，反而被束縛手腳。「今之學者為人」，任何人都會覺得自己知識高深，覺得自己能讓社會變得更好，關鍵是那些能發現自身不足是造成社會困頓的原因的人，才是不論是否拿到權柄而能夠影響政治生態的人。

哲學王在意拿到權柄，一定不會治理好世界，可以參照《子路曾皙冉有公西華侍坐》中孔子對子路的評價。相對於得到權柄，賢人更擔心自己的思想，賢人才是一個成熟的哲學王。

一個人跟你談公益，是他的商業模式不成熟。一個人跟你談理想，恐怕要降福利。一個人跟你談家國復興，困頓就會降臨到你頭上。一個人跟你談行政困難，想轉換成本給百姓，那他就是「哲學王」了。

把學問和應用分開探討，那這個學問一定是不成熟的。柏拉圖是一個學者，說法比較初級，探討一元論的美，是因為沒有

把握到「本體」，比較盲信。成熟的人知道應用。

2、「禮制」就是真正的民主

行政資源產自百姓，君子想好自己怎麼可以不摻和，百姓就能用市場化的方式處理好政務。採用「禮制」，是百姓對君子發號施令，因此，「禮制」就是民主。、

禮制的民主含義可以通過兩句話洞察。一是堯舜時期「比屋可封」，百姓淳樸，可以挨家挨戶封爵位。最大的行政在民間，百姓調理好自身事務，是最好的行政官。二是「孝乎惟孝、友於兄弟、施與有政，是亦為政，奚其為政？」百姓生活方方面面都屬於行政，最大的行政是百姓對自身鄉鄰、家族、社會關係和事務的處理。

「行政」、「政治」這兩個詞已經包含「民主」，把行政看成一種資源、和糧食一樣的產物，它源自百姓。可以說「禮」就是行政資源的處理方式、加工機器。上禮來自下民，「先進於禮樂，野人也，後進於禮樂，君子也」。君子對行政的處理效率落後於「鄉野之人」。用百姓自己市場化的方式處理，就是民主。

相比較而言，從古希臘開始的「誰聲音大就聽誰的」，是亂政而不是民主，每天都是各種團體的鬥爭，沒有中庸之道的和諧，只是通過各種方式掩藏矛盾，社會治理成本巨大。「禮制」才是真正的民主，是兼顧全民的「大器」，是最低成本的社會治理。

3、「禮制」就是真正的市場化

經濟事務最終都要交給一個個企業去做，國企和私企是一

樣的。政府加入企業運營，會拉低整體效率，造成自身業務混雜。採用禮制，執政者不與民爭利，是眞正的市場化。

法制下的商業模式，是百姓不能做什麼，如徵信系統，效率低下，相互不通融。對外則產生了國家、民族、法定貨幣、跨國罪犯等，造成區域不平衡。

因爲有關稅，所以有跨國貿易犯罪；因爲有稅收，所以有偷稅漏稅；因爲有專營，所以有非法經營。「民不畏死，何以死懼之」，正是因爲各種條條框框的存在，所以出現了各種新奇的詐騙、各種違背道德的行銷，「道之以政，齊之以刑，民免而無恥」，只要不違法，就可以敗壞道德，不斷創新詐騙方式，增大社會運行成本。形成行政法律塡補和創新詐騙的惡性循環，社會問題就不能解決了。市場的失靈是政府這個壟斷企業造成的，必須用更大的市場化來破解市場失靈。

大赦天下不如收回觸手，消除沒必要的犯罪，降低社會運行成本，要用「禮制」。

禮制下的商業模式是眞正市場化的商業模式，是可以爲你提供什麼方便，人與人、商與商之間融通方便。禮治側重君子內治，外部無邊界，覆蓋面大，百姓免費幫助治理行政顧及不到的角落。

禮制一定要輕徭薄賦，政府減少與民爭利。一定要專注主業做好服務，政府提供稅收單據、網路申報服務，企業只要按照單據交錢購買就可以，否則就換一批能提供更好服務的人，這樣就會讓一些有才能的人也嶄露頭角。現在的企業法律體制限制了百家爭鳴的出現，不管你是不是個人才，想要做事，先要以稅法專家的身份入夥，這對專才來說是一個致命的門檻。

總體來看，禮治是低成本的市場化治理，百姓免費幫助治

理。禮制下有法制，法制下無法制。法制約民，經濟蕭條。禮制約君，百姓和樂。

4、用禮制推廣市場化高效管理

　　政府不專業，出示的代碼太原始，企業、個人的操作門檻相當高。協力廠商則可以把政府的代碼轉化為便於操作的模式，最終的結果是，政府只要控制好稅收資源，告訴協力廠商自己想要哪些錢，協力廠商就可以為上下游提供更優質、更有效果的服務，達到三方共贏。

　　協力廠商如果認為政府提供的初級代碼不合理，也可以深入到初級代碼的改善中。春秋戰國的百家爭鳴，都是一個個有能力的企業家，他們的觸手下至百姓商貿、工業、技術、農業的改善，上能改進行政效率，以自身來改變政治經濟生態。跟不上變革的國家會眼睜睜看著自身衰弱下去。

　　在這個基礎上，一國的關稅部門，可以服務於另外的一個國家。如果統一標準，培訓和學習成本也會大大降低。可以在全球成立行政市場化的工作部門，以極高的效率，來提供零關稅貿易、免簽證等業務，一方面服務於百姓，一方面對接政府。只要有提質增效空間，就一定有市場，剩下的是看企業主如何打造合作模式和談業務。

8. 【外交】政御：以人子監打造行政標準

1、人子監：培養基督再臨時的「人子」

　　本篇主旨是和孔子學院合作或者託管孔子學院，打造為全

球的黨校、文旅的迪士尼、新的基督教廷。「國子監」不局限於一國，翻譯為「人子監」（the Son Of People College）。

基督教中「人子」，專指和耶和華聯繫密切之人，後來是彌賽亞的獨稱。《新約》中，耶穌以「人子」隱喻自已。在《福音書》中，接近八十次記載了耶穌使用「人子」的自稱。《啟示錄》中則記載，「燈檯中間有一位好像人子的，身上穿著直垂到腳的長衣，胸間束著金帶」。這似乎是說明耶穌再臨的時候穿著書生漢服。

舊約《以西結書》記載神多次稱以西結是人子，耶穌也用「人子」來自稱。《但以理書》提到了有一位「人子」：「我在夜間異象中觀看，見有一位像人子的，駕著天雲而來，被領到亙古常在者面前，得了權柄，榮耀，國度，使各方、各國、各族的人都事奉他。他的權柄是永遠的，不能廢去，他的國必不敗壞。」這位人子就是指向耶穌。

國子監在國際上培養「人子」，耶穌是「萬王之王彌賽亞」，從信仰和行政上有著關聯，便於推廣。

科舉制度作為全球性的公務員考試，可以挑選「人子」，託管聯邦州、政府。

孔子學院作為國子監在全球的分支，教授語言和行政。現在孔子學院和大學合作比較多，未來它將成為大學的政府管理系。

孔子學院效率低、被排斥，資金耗費巨大，成效極小，需由國子監託管，從文旅、行政教育、科舉推廣三個角度，由國子監去改善經營狀況，提高資金效率。

2、人子監的IP打造

孔子學院最大的問題不是行政輸出問題，而是沒有實在的行政輸出。需以人子監的名義進行行政輸出，盯準各國行政提質增效空間，以市場的方式來做大。

孔子學院使用大量志願者人力；顛倒了生產者和消費者關係，是因為沒有切實的產品和商業模式；每年二十億元投入，肯定已經形成了利益鏈條。如果改革已經不見效果，不如另外建一個人子學院。下面的方略，可作為修改，也可作為新建。

（1）名稱為「人子監」。

（2）院旗為彩虹旗幟，代表耶穌再臨時候頭頂的七色光彩，也代表美洲霍比人預言的「彩虹戰士」。雨後天邊掛彩虹，也是中天中國榮耀照耀的地方。

（3）口號「匯人子、育哲學王」。

3、人子監的產品

（1）科舉考試。漢語是科舉考試的附屬品，主產品是科舉考試。「進士科」選拔行政人才，「帖經科」、「墨義科」、「詩賦科」等五十多種科舉作為漢語教育檢驗。

（2）行政教學。漢語是行政教學的工具，研發教學課程，比如「禮制體系」、「聖人之治」、「本體學」、「理學」、「論語」、「道德經」、「中醫」等課程。

（3）學生為四類貢生。包括：

貢監：考試入監，為秀才，全日制，全球通用；

例監：財經界、企業主等捐資入監，主要用於歐美；

舉監：現有官員入監，選擇科目，修一定課時，主要用於中華周邊國家；

蔭監：各國高層官員及其子弟，可函授或聽取網課，主要用於家族制管理的國家。

（4）文旅。包括天堂小鎮、啓示錄樂園等，打造中國版的迪士尼。

（5）影視。AR大電影三部曲《創世紀》，將基督教納入佛教道教。九季電視劇《新封神榜》，將佛教和基督教末世相同的地方表現出來。災難大電影《彩虹計畫》，推廣中國行政體制下的天下大同戰略。

（6）人間天堂計畫、鄉校計畫等。設計人間天堂的文體綜合體，在人間建立天堂。推廣鄉校設計，逐漸取代基督教堂。

4、人子監的行政標準

一流企業做標準，二流企業做政府平臺，三流企業做產業。

孔子的標準已經延續兩千五百年，在這個標準之上，我們加以創新，形成道、德、仁、禮四層架構，有儒、釋、道、神等多執行緒運作，並以國子監爲凝聚點，形成最強處理器，處理經濟民生問題，做政務諮詢。

CPU：I9—道，I7—德，I5—仁，I3—禮。

執行緒：儒、釋、道、神。

作業系統：儒家、禮、聖人之治

協議：科舉制、政信指數、法律體系、貨幣體系

CPU：不同地域文化、教化的融合，核心數越多，融合越好，顯示越好

RAM：人才。太學、國子監等行政教育

ROM：人口。通過民間自主優化教育體制、學科體系來擴

容，群體智慧，有用文件和無用文件都儲存其中

顯示器：群體的評價和生活。比如免簽證制度、戶籍制度取消、民族融合、關稅取消等

APP：聯合國、WTO等組織

代碼語言：漢語

作業系統以道家聖人之治爲心法，儒家禮治爲工具，相容聯合國等各類國際組織、WTO等各類貿易組織等應用，形成改良，促成新時代、新國際組織的出現。

打造全球統一的標準協議，包括較爲統一的法律體系、貨幣體系、政信指數以及選才體系等。主導科舉，爲全球性的公務員考試。未來爲進士安排各國實習職位，和孔子一樣，走行政人力外包事業。

全球不同地域的人文教化構成我們的顯示，容納的文化類型越多，核心越多，越能發揮更好的效果。而群體的評價，比如免簽證制度、戶籍制度取消、民族自然融合、關稅調整和取消等，將構成直接顯示效果。

背靠中華強大的語言（代碼語言），通過國子監的人才（RAM）及機構管理（主機板），與中華強大的人口和文化（ROM）結合，將爲各類人才和思想提供舞臺。

未來做全球化的民間貨幣體系，將發行權讓給百姓，將線下資源貨幣化，打造土地爲代表、整合行業資源如黃金、白銀、穀物、石油、土地的全球數位市場。降低上市企業的高估值，將所有資源平價，一直到消除當今股市而形成全球數位市場。以民間貨幣打通貿易障礙，減少石油等資源戰爭，消除當今的匯市而形成全球統一商貿。

5、人子監的市場空間：百家爭鳴的生態打造

沒有完整的生態環境、利潤空間，不會產生快速的推廣效果。打造百家爭鳴的生態，要依託人子監挖掘出的各國行政提質增效空間。

（1）政府四大資源：提質增效空間

政策資源，幫助收集專營壟斷權；

稅收資源，直接利潤；

經營性資源，國企盈利；

行政資源，唯一的負資產，行政人力外包的突破點。

行政是唯一的負資產！自古有科舉、舉孝廉、聘用等作爲外包突破口。可以讓哲學王統治者成爲常態。另外，稅收是一種錯誤和不均衡，政府爲什麼不可以像五千年前一樣是生產部門？

（2）百家爭鳴利潤空間

政府擅長盈利專案，不擅長行政，百家爭鳴是行政外包，節約成本看得見。

政信行政：解決政府人力成本高的問題。

以清朝爲例，壟斷不算嚴重，賣官創業，七品知縣每年需要收回565萬元。

政信經濟：解決政府經營困難的問題。

美國債務二十二萬億美元，超過GDP。希臘債務危機、英國脫歐等問題，都證實政府經營困難。

政信變法：解決政府運營成本高的問題。

醫療衛生、教育經費占政府財政收入比例高。

政信外交：解決政府外交效率低下的問題。

貿易戰、石油戰爭不斷。蘇秦讓秦國十五年不敢出函谷關，爲世界省下美國軍費投資總量以上的收益。

政信軍民：解決軍事國防成本高的問題。

2018年美國軍費六千兩百二十億美元，占美國GDP的3.3%。

人子監瞄準政府低效空間，收費與免費結合，製作完美的政府財務報表，消除大企業病，讓政府效率追趕中小企業。越便宜的產品效果越好，越貴的產品銷量越高。政信數以萬億計的藍海，正在打開！

6、對外援助改為智力援助：推三大業務五大政信諮詢產品

財政部的財政統計中，中國每年提供的對外援助規模呈上升趨勢，2015年最高值為195.37億元，2017年為168.7億元。

一個國家之所以民生出現問題，是因為內政有問題。政府也是市場的一部分，如果不順應市場，有再多的資金投入也不可能達到期望的效果。對外援助給錢不如給智力，節流才是最大收入，發展民生是最大的開源。

對外智庫援助將分為以下業務。省心省時省力，讓政府專注獲利主業。看得見額度的利潤，看得見效果的託管，看得見度量的諮詢。

（1）三大業務

文化教育與人才培養服務：

提供傳統國子監行政文化人才培養、文化監管和科舉選拔服務；

機構託管服務：

託管政府的公益機構或者行政機構，測定目標，優化機構設置，提高效率，促成機構設置目標的達成；

封地管理服務：

自貿區等小封地，近者悅，遠者來；直轄市自治省聯邦州，百姓有過，在予一人；國家首輔，萬方有罪，罪在朕躬。對地方政務進行總託管或分類託管，降低管理成本，增強管理效果，在增強地方市場經濟體量的同時，增加政府的最終收入。

（2）五大政信產品

政信行政產品：

和孔子一樣，為各國各級政府提供行政業務諮詢，做行政獵頭，提供官員人力外包支援和委託培養。物美價廉，大量節流！

效果：虎兕出於柙，龜玉毀於櫝？老虎灰犀牛亂跑，人才毀在房產裡，不存在的！

政信經濟產品：

提供經濟方面的公共決策諮詢和管理服務。省心省力，優化經濟結構，消除經濟隱患，促進市場擴大體量。合理開源！

效果：國有家者，不患寡而患不均，不患貧而患不安，蓋均無貧，和無寡，安無傾。

政信變法產品：

在改革前，為改革做頂層設計；在改革中，為改革提供定性定量諮詢服務；在改革後，為改革做定性定量的效果評估和績效評價。促進節流，政民共生！

效果：帝道、王道、霸道三層次。季孫之憂，不在顓臾，而在蕭牆之內也。

政信外交產品：

採用合夥人制度，提供平臺、品牌和諮詢支援，為蘇秦等能人做天使投資和管理，與政府達成三方合作。縱橫捭闔，小投入，大效果！

效果：搭建聯合國，掛六國相印，秦國十五年不敢出函谷關。

政信軍民融合產品：

採用合夥人制度，提供平臺、品牌和諮詢支援，爲墨子等能人做天使投資和管理，與政府達成三方合作。

效果：兼愛非攻，止戈爲武，不能爲老百姓帶來利益的軍事就是瞎花錢。

7、服務於民：培養哲學王，從百姓手裡託管聯邦州

古代家天下，孔子不得不依附於國君。在普選制度的國家，可以繞開總統，以「哲學王的自然合法性」來競選州長、總統、總理，形成對聯邦州的託管，推動政務諮詢業務發展。

比如，通過人子監培養哲學王、賢人，在美國可以形成印第安人、華人州長和總統。

在家族制的國家，則可以推動本國的政務外包業務、行政獵頭業務和客卿制度三個。本國政務外包是百家爭鳴的業務，有春秋戰國作爲實例，可以推動。行政獵頭也是有春秋戰國實例，其中孔子是佼佼者，培養了許多國師、總理。客卿制度則是當時各國或主動或被動發起的，比如燕國招賢「千金買馬骨」，齊國「鄒忌諷齊王納諫」，李斯解除秦國的「逐客令」，以及呂不韋案例中各國爭相聘請異國總理做顧問。

9.【外交】教御：以文旅建立人間天國

1、太極殿＝兜率天摩尼寶宮＝啟示錄景區

《啓示錄》對比《彌勒上升經》，可以知道，耶穌再臨的時候，和彌勒上升的場景是一樣的，可以說把兜率天的淨土帶到了人間，實現耶穌人間天國的願望。已有相關動畫，可製作AR場景用於文旅。文旅加入道家元素，設立太極殿（「上帝」、「安拉」的定義均與「道」相似，也是「太極」的表現），將兜率天淨土變成民樂廣場，在中國表演AR《彌勒上升經》，在基督教世界表演耶穌再臨的AR《啓示錄》。

1:13 燈檯中間，有一位好像人子，身穿長衣，直垂到腳，胸間束著金帶。

注解：漢服，人子監學子。

1:14 他的頭與髮皆白，如白羊毛，如雪。眼目如同火焰。

注解：彌勒菩薩眉間有白毫相光，眾光顯耀百寶色。

4:2 我立刻被聖靈感動，見有一個寶座安置在天上，又有一位坐在寶座上。

4:3 看那坐著的，好像碧玉和紅寶石，又有虹圍著寶座，好像綠寶石。

注解：碧玉是說彌勒的頭髮是紺青琉璃色，紅寶石是說彌勒有摩尼如意珠如甄叔迦寶（赤色寶），又有虹圍著寶座是七寶射出的無量光及帷幔。

4:5 有閃電、聲音、雷轟從寶座中發出。又有七盞火燈在寶座前點著，這七燈就是神的七靈。

4:6 寶座前好像一個玻璃海，如同水晶。寶座中和寶座周圍有四個活物，前後遍體都滿了眼睛。

4:7 第一個活物像獅子，第二個像牛犢，第三個臉面像人，第四個像飛鷹。

4:8 四活物各有六個翅膀，遍體內外都滿了眼睛。它們晝夜不住地說：「聖哉，聖哉，聖哉，主神是昔在、今在、以後永在的全能者！」

注解：玻璃海是琉璃溝，四個活物是獅子座四面的雕飾，其中主雕飾是獅子雕飾。寶座前的七展燈是獅子座前的七寶。三對翅膀是獅子座前的蓮花。

4:9 每逢四活物將榮耀、尊貴、感謝歸給那坐在寶座上、活到永永遠遠者的時候。

4:10 那二十四位長老就俯伏在坐寶座的面前敬拜那活到永永遠遠的，又把他們的冠冕放在寶座前，說。

佛經：善法堂的四門外生四朵蓮花，水色交映，好像寶華流，每一朵花有二十四位天女。

7:9 此後，我觀看，見有許多的人，沒有人能數過來，是從各國各族各民各方來的，站在寶座和羔羊面前，身穿白衣，手拿棕樹枝。

7:11 眾天使都站在寶座和眾長老並四活物的周圍，在寶座前，面伏於地，敬拜神。

佛經：彌勒菩薩出現兜率天後，即時與諸天子，個個坐在蓮花座上，日夜六小時常常演說不退轉之法，不久即成就五百億天子，使他們在無上正等正覺得不退轉。

2、佛教的欲界天小鎮＝基督教的天堂小鎮設計

基督再臨會在人間建立天國。佛教的欲界天，就是基督教的天國。天堂小鎮設計靈感，是佛教、基督教、道教諸天。

基督教：天使六層天，上帝一層天或三層天。

佛教：欲界六層天，色界二十二層天，無色界四層天（三界）。

道教：欲界六層天，色界二十二層天，無色界四層天（三界），梵民天四層（脫離輪迴）、三清天三層，大羅天一層。

根據對各層天的研究，其結果大致如下：

1、第一天

（1）佛教說法：四天王天

欲界裡邊，四天王天是最大的地方，大的分化有四層，是軍事戒備的場所，用來抵御阿修羅的進攻，和人間在地理上相接，由四大天王掌管。

（2）基督教說法：月球天

稱為Shiamaim，由加百列（嫦娥）掌管。駐守此地的天使群也負責管理星星、氣象等等。月球是最接近塵世的天界，信仰不堅者的居住地。

2、第二天

（1）佛教說法：忉利天

忉利天意譯「三十三天」，有三十三個天國。居須彌山頂巔，中央為主國帝釋天，為三十三天之主釋提桓因（帝釋）所居，四方各有八個天國，四角四峰。

（2）基督教說法：水星天

稱為Akira，大天使拉斐爾的領地，部分受懲天使的禁閉所亦設於此。水星天，力行善事者，死後靈魂居於此。大天使拉斐爾就是欲界天主帝釋天。

3、第三天

（1）佛教說法：夜摩天

自夜摩天以上之諸天被稱爲「空居天」，脫離須彌山，相傳夜摩天界光明照耀，生於此天界之天人，身體輕盈潔淨，相親相愛，享受種種歡樂。其殊勝妙樂，遠非忉利天所能及。

（2）基督教說法：金星天

稱爲Sagoon或Shehkim，支配天使爲權天使Angel。在伊斯蘭教中，死亡天使Azrael領有此一天界。金星天是多情者的靈魂居所，和佛教的說法相同。

4、第四天

（1）佛教說法：兜率天

兜率天有內外兩院，「外院」是凡夫所住的穢土，「內院」是一生補處菩薩（即將成佛者）居住的淨土。釋迦牟尼佛爲一生補處菩薩時，也曾在此天修行，現爲補處菩薩的彌勒，今也在此處說法教化。

（2）基督教說法：太陽天

稱爲Zeble或Mahanon，由大天使米迦勒支配。《啓示錄》中所記載的天上耶路撒冷城，便坐落於太陽天，《以諾書》亦聲稱生命之樹長在太陽天的義人之園中。太陽天，智者與聖者被安置於此重天。米迦勒是彌勒，太陽天對應大日如來，這一天的地位比較尊貴。按照佛教說法，居住在兜率天內院的聖者、智者應當是座天使。

5、第五天

（1）佛教說法：化樂天

此天眾生因能常思維修習正法，攝念正心，斷諸欲貪，修習善業，增長善根。於自身諸欲，不需假以知足念，貪念自然不生。得自在樂。故稱化自在天。但遇到外緣時，仍會被染著至貪念現前，不得自在。

（2）基督教說法：火星天

稱為Mahon，此天之北部為荒涼廢墟，設有天使的牢獄，南方則是舒適宜人。火星天的支配者一說為墮天使Samael。火星天，殉教者的靈魂被賜居此天。

6、第六天

（1）佛教說法：他化自在天

他化自在天，佛教欲界六天中最高一層天。此界天眾自己不用變化出欲樂來享用，但是卻能隨意受用其他天人化現出來的欲樂目標，故曰他化自在。

此天為欲界之主與色界之主摩醯首羅天，皆為佛教中害正法之魔。即四魔中之天魔。釋迦牟尼證道時，來試障害者，亦此天魔。或言第六天上別有魔之宮殿，魔住之，非他化天王。這與基督教第五天的墮天使Samael相似，基督教有一種說法，墮天使Samael（薩麥爾）就是撒旦。

（2）基督教說法：木星天

稱為Zebel或Maccon，天使學習智識的所在，智天使的大本營。日與夜分別由Zeber、Saabs掌管。木星天是明君的居所，介於炎熱的火星和寒冷的土星之間，因此氣候宜人。根據這種說法，他化自在天應當是智天使——也就是無色界天人學習知識的地方。

7、第七天：土星天、恒星天、水晶天，神的御座在此。

因為這裡太過閃耀，基督教世界的人是看不清楚這裡的。希伯來人認為自己是座天使，能看到其中分為三層，那麼「土星天」可能就是佛教中的二十八層「色界天」，「恒星天」可能就是佛教中的四層「無色界天」，「水晶天」則支持了道教的說法，是「三清天」，再往上是大羅天。佛教所說是當時的印度人有業障，中國則是人人心裡有一個理，一個太極，是能夠正面「神」的。可以猜測，有業障的印度人和自稱座天使的希伯來人，是「色界天人」，中國人則是「無色界天」人。

8、總結：佛教、基督教、道教IP合一的關鍵事件——六層天

根據基督教說法，天共有七層或者九層，其中最高的第七層或者第七、八、九層，因為太過閃耀，普通的天人不能夠直視。那麼，這第七層到第九層天，不是基督教所能解釋清楚的。

基督教能解釋清楚的六層天，和佛教欲界六層天不僅是相似的，還是能夠互相彌補的。佛教沒有說清楚的地方，基督教的描述能補充。基督教沒有說清楚的地方，佛教能補充。而且基督教側重實際的形態，佛教側重教化闡述。

比如，第一層天，都是偏軍事化，用來作為保衛天國的場所。

第四層天，佛教天主是彌勒，基督教天主是米迦勒。佛教說第四層天有內院，彌勒在裡面給天人說法，外院的俗天人進不去，甚至不能看到兜率天內院，這裡是淨土。而基督教說，第四天是米迦勒教授座天使知識的地方，低級天使不能聽到。下面會講到，座天使其實是色界天人，基督教補充了佛教的內容，說明兜率天淨土內的主要聽眾是色界天人，這也預示了彌勒教化的形

態。

第五層天，基督教的說法，北部是荒涼的地方，用來禁閉天使。南邊是溫暖宜人的氣候，適宜生活。而佛教的說法，這裡是化自在天，眾生修習正法，從其下諸天攝取材料製作幻象，得到其中的歡樂。但遇到外緣時，仍會被染著至貪念現前，不得自在。這樣兩級的分化，正符合基督教對於此天的描述。

第六層天，基督教說是智天使學習的地方，佛教則稱為他化自在天，這裡天人不僅於己身諸欲自然不起貪念。於外緣所遇眾生心念諸貪相亦能不染著，令貪念自然不生，得外緣自在。這裡的天人再向上就是色界人了，而智天使則是色界人或者無色界的人，可能在這裡又開了一個淨土培訓班。

道教與佛教的三界二十四層天相同，但是多出了梵民天、聖境四天。在這一點上，基督教比較支持道教，首先基督教諸天地位低於佛教和道教，不能進入色界天，這符合《聖經》福音書中耶穌的預言，基督徒只有重生才能進入天國，現在，天國也就是色界天以上，還沒有向基督徒開放，需要先等基督再臨。而佛教諸天未及道教，佛教所述脫離輪迴、脫離三界的難度非常大，提出梵民天會有更多迷茫，有人說脫離輪迴的阿羅漢、辟支佛、菩薩和佛分別住在梵民四天。基督教不仔細看是七層天，將色界天以上看成一個，但是仔細看是三層結構，其中分別是色界、無色界和梵民天，再往裡就真的看不到了，因為「上帝是不可質疑、不可猜測的」，否則只會理解錯。

3、佛教、基督教、道教合一IP：天使園林設計

基督教、伊斯蘭教都來自於猶太教，有一個共同的大天使：基督教的米迦勒、伊斯蘭教的彌額爾，其對應佛教的彌勒，

在第四層天居住，太陽天也即兜率天。也對應阿波羅、太陽神密特拉等。成系統的教化中，天堂及天使是比較共性的存在，普通天使可達的六層天國可能是佛道的欲界天，熾天使是無肉體的脫離輪迴者，智天使為無色界天民，座天使為色界天民。可把這些內容做成一個文旅園林。

基督教有些教派認為耶穌在天上的職位是大天使，名字是「米迦勒」（《聖經》中出現的第一個熾天使，和「彌勒」發音相似）。季羨林和其徒錢文忠教授發現，「佛家的未來佛彌勒佛和基督教的救世主彌賽亞是同一人」！彌賽亞、彌勒發音相似，同為至尊。未來基督再臨是彌賽亞，和傳說中彌勒末世渡人一樣。

佛教、基督教、道教IP合一的關鍵團體 —— 天人及九階天使：

神聖的階級

　　熾天使 撒拉弗 Seraphim（脫離輪迴）

　　智天使 基路伯 Cherubim（無色界天，中國人）

　　座天使 托羅努斯 Thrones(Ofanim)（色界天，如印度人和希伯來人）

聖子的階級（欲界天，基督教世界的人）

　　主天使 托米尼恩斯 Dominions

　　能天使 衛爾特斯 Virtues

　　力天使 帕瓦斯 Powers

聖靈的階級（欲界天，基督教世界的人）

　　權天使 普恩斯巴厘提斯 Principalities

　　大天使 阿克安琪兒 Archangels

　　天使 安琪兒 Angels

按照基督教已經公認的天使體系，天使分成三類九等，其中較低的六等分佈在欲界天，對應欲界六層天的教化。還有三等高等天使，分別是熾天使、智天使、座天使。

1、熾天使就是脫離輪迴的佛菩薩、阿羅漢：熾天使是天階中最高級「神聖的階級」的最高等級，對熾愛產生共鳴。意思是造熱者，傳熱者。極少從事任何勞動，唯一的使命（或雲本質）就是歌頌神，展現神的愛。熾天使無形無體、與神直接溝通，是純粹的光和思考的靈體， 以其振動創造生命，以赤紅的火焰為象徵，是以太陽為化身的最優秀的天使。

其中，以太陽作為化身，符合「大日如來」的說法。唯一的使命是歌頌神，說明是在天界最高層，也就是梵民天以上，脫離了輪迴，很少參與人類活動。基督教見到的熾天使只有兩個，其中一個是米迦勒，也就是彌勒，另一個是分身，後來主管地獄的路西法，象徵基督教很少受到「上帝」的照料。而沒有形體的，除了熾天使，還有智天使。

2、智天使就是沒有形體的無色界人：智天使象徵神的智慧，其語源為「仲裁者」或「知識」，意味著認知和看見神的力量。智天使有直接凝視上帝之光芒的能力，同時不動情地、純潔地和開放地接受來自上帝的光照（這符合中國「人人心中有一個理，有一個太極」）。熾天使及智天使，在正式的天使系統中應該是處於最內環的天，是無實體的存在。無實體的存在，除了脫離輪迴的佛菩薩，就是無色界天民了。同時，中國人可以通過戒除欲望修往無色界天，同時每個人心中有個太極，有一個道，這與基督教完全不同，按照基督教的說法，那麼中國人就是上帝選民，接受上帝的知識。而《聖經》福音書中耶穌不讓基督徒直接進入天堂，只有重生的基督徒才有資格進天堂，基督徒不可猜測

上帝，是一致的。

3、座天使就是沒有人類缺憾的色界人：這稱號表明它們之中有一種對一切塵世缺陷的超越。它們毫無激情和沒有對物質的關懷，而完全適宜於接受神聖的巡視。如果熾、智天使維持其純靈的存在體的話，座天使（掌管神的正義）才應該是物質世界和神國間的介面，是物質世界的基礎及來源。猶太教似乎認為所有希伯來人的祖先升天後，都會化為座天使，這個說法沒有被基督教採納。他們的特徵符合色界人的特徵，色界天人沒有凡人的各種欲望，只有精神上的享受，不用吃喝拉撒，也沒有肉欲，可以隨時變換身上的衣飾，身體輕靈，淨土主要針對色界天人，包括兜率天的淨土。

4、上帝就是「道」的具形化：基督教和伊斯蘭教都是發源於猶太教，有共同的幾位天使，典型比如大天使米迦勒（向穆罕默德傳遞《古蘭經》）。因為基督世界的人的原因，將「god」具形化，其實「god」是無實體的存在，它和「安拉」一樣，「是天地萬物的創造者，他自由自在，無始無終，永恆，無形無相，至仁至慈，本然自立，全知全能，超絕萬物」，追本溯源，「安拉」、「god」的描述更貼近於「道」。而「上帝」這個名諱，其實是道教的翻譯，類似「玉帝（全稱『昊天金闕無上至尊自然妙有彌羅至眞玉皇上帝』）」、「眞武大帝（又稱『玄天上帝』）」等。

「民心為帝」，聖人無常心，以百姓心為心，承接不同的民心成為不同的帝。

綜上所述，天堂小鎮是綜合三教靈感而創建的遊玩和修行場所。天堂小鎮是三教一體的遊玩和修行場所，而且互相彌補。在描述上，我們通過建築來體現，在教化上，可以通過園區的教

學來體現。

4、百教合一的教化超市設計

　　心學、理學是對先聖學問的延續，容納了道學、儒學、佛學等各類教化，是教化超市。通過建立心學、理學園區，能夠形成對各類教化的梳理，將各類教化融入其中，分門別類，不同的人可以從不同的貨架挑選自己喜歡的商品，依照自身的體質來挑選適合自己的教化。

　　按照《黃帝內經》講，體質分爲生理和心理兩類，兩者緊密結合，界限不是特別清楚。一個民族的文化，根本就在於一個民族的體質。文化深入百姓的體質，成爲百姓自身的構成部分，其中最好的教化，按照老子的說法，是「日用而不知」。在設計部分，我們會詳細對其進行闡述。

一、教化學問理論

　　文化分成學與教兩個部分，學是人們自主的領悟，在最高的層次是明心見性。教是口耳相傳，幫助人們感悟。

　　所有的教化大致分成：祖教、宗教、民教、社團教。

　　1、祖教：文明之發端，萬理之起源。

　　第一是祖教，這時最初的知識，是教化之始，origin，不能反駁，因爲你用來反駁的語言系統都出自於它，只能做出和它平行的知識才算成功。它是四維知識，看起來凌亂，但是每個時空都可以用，代表學問是道學。

　　2、宗教：文明之延續，治世之保障。

　　第二個是宗教，爲宗的教，開賢人教化，包括儒學、心學、理學等，接續祖教治化世界，三維知識，有的時候有的空間

不大好用，比如亂世難為，卻是治世保障。形而上為學，形而下為教，雖然儒學、心學、理學在名義上是「學」，但說出來教導大眾，就是「教」，而「學」只是沒有具體形態的思維過程，凌亂卻能給單獨的個人帶來頓悟感，只有個人真切有深度的思考才是「學」。

3、民教：形象而省力教化百姓，生活之依靠。

第三民教，這是最為龐大的教化，幫助百姓生活，正統的高端大氣上檔次的民教，比如佛教、道教。

還包括理念教，比如高尚、道德、誠實、正直等理念詞彙。「生而知之者」，沒有切實含義，但是支撐人的信念，是常規道德的起源。

科教，多是二維的知識，和科學有所不同，真正的「學」是無形的，是思考過程，說出來就成了教化。

巫筮教，包括占卜以及拜火等教化，這些教化在人類早期有比較明顯的表現，如今很多只是歸於習俗。

習俗教，百姓依生產生活所產生，是禮法和教化的來源，比如孔子說「麻冕，禮也；今也純，儉，吾從眾」。

歷史教，主要的是歷史經驗形成的有關社會管理和為人做事方法的教化。一國「文化」體現為一國人的「體質」，這些「體質」經過千百年的變遷，保留在人群的「性」與「情」中，體現為有不同的思考和情感趨向。從技術上來說，「歷史」很大程度上體現出「文化」。

傳說教，人們觀察一些社會事件結合人群品性產生的故事，和「習俗教」有類似的地方，體現人群「體質」。其中最為豐富和具有柔和人文氣息的是中國的各種民間傳說，它能體現一個人群的「文明」程度的人群素養，是洞察文化的窗口。

4、社團教：處理社會具體事務，爭執中略有頭緒。

第四是社團教，高明一些的偏向於「學」，比如王陽明做的社團，比如船山學派，這些是學習團體。還有一些社團教派，產生了具體的「教派章程」，比如五斗米道等。Religion是「社團」的加重詞彙，屬於社團教，外國無「宗教」。

二、五大建築群的理論

教化分門別類，小可以建設教化產品超市，大可以建設五大建築群。

1、祖祠

祖包括伏羲、黃帝、炎帝、堯舜、姬昌、姜子牙、老子、孔子、孫思邈等人，風格低調，很多人都是沒有留下名字的，最好不要安排具體的人。歷史上的人自動歸位。要放書，比如《易經》、《八卦》、《黃帝內經》、《道德經》等。

2、宗祠

包括孔子、孟子、朱熹、二程兄弟、陸象山、王陽明等人物，孔子可以歸於祖祠。在宗祠裡，最好也不要建立塑像，只是把宗學的書籍擺放在裡面，比如《論語》、《近思錄》、《二程全書》、《傳習錄》等書。

3、民祠

最大的祠堂和貨架，要分成七個以上的分區。

第一，兩大民教教派，佛教和道教。

第二，理念教，包括道德、正直、誠實、善良等詞彙，其中每個詞彙用一個形象來表徵，比如「高尚」是男根頂一顆心，很有藝術感。

第三，科教，其分類目前還不明晰。

第四，巫筮教，包括拜火習俗，占卜習俗等。

第五，習俗教，放一些好的風土人情的東西，場景佈置溫馨華美。

第六，歷史教，主要是歷史經驗形成的有關社會管理和爲人觀點的教化。

第七，傳說教，是人們觀察一些社會事件結合人群品性產生的故事，拜訪民間傳說的典型IP。

4、社祠

佈置一些牌位，分四德天，根據歷史人物來排功德。

許多醫學人物，比如醫神華佗，藥神李時珍等，放在一德天。

政治人物在歷史上最耀眼，也非常多，要按功德排位。文財子貢，放在二德天。武財范蠡放在四德天。文判官包拯放在一德天。

牌位是稱量歷史名人的功德，對百姓形成指導，爲各行業樹立標竿。

5、勇祠

園區外面加入勇祠，列入歷代有超人能力的人，比如殺勇白起，將勇項羽，兵勇韓信。因爲不是主流，可以歸類到歷史教，但是由於很有代表性，所以可以建立這個祠堂。按照劉邦的一個說法，在祖宗文化傳承中，這些人是「功狗」，社祠封神也是封功狗，祖宗爲功人。

品牌報告

姓名：陳立強

門派：儒家

風格：孔子

理論產品名稱：禮制、王道、百教合一的文旅

理論產品介紹：禮治是政治業標準，是低成本政治管理，百姓免費幫助治理；王道推廣政治標準，各國在此基礎上進行適合本國的調整；百教合一以文旅爲突破點，凝合百教，宣傳推廣中華文化。

項目名稱：國子監、人子監、孔子學院

項目合作設計：託管孔子學院，恢復國子監，推動科舉考試，選擇能治國的人才，向政府推薦，做高官；託管孔子學院，改造爲國子監的國外分支 —— 人子監，以行政教育、科舉，拉攏各國政治經濟人才，施行文化監管，以文旅影視的方式優化基督教世界文化。

目標投資人：君主

產品報告

1、商品名稱：《【修身】1、心體：本體、本心的結構》

商品說明：為賢人提供修身素材，可自己採用

定價：0元

2、商品名稱：《【修身】2、道體：道德仁義禮樂的作用流程》

商品說明：道德仁義禮樂類似大數據運算過程，是聖賢智慧的運算流程

定價：0元

3、商品名稱：《【治國】1、政體：禮制是低成本的行政治理》

商品說明：王道推行的方法，政治行業標準，打造全球大同的基礎

定價：0元

4、商品名稱：《【治國】2、中國歷史上的士族門閥概觀》

商品說明：中國歷史上士族門閥的興衰，看有道之世能夠延續的時間

定價：0元

5、商品名稱：《【經義】易經原理》

商品說明：推測八卦、周易與人體關係的原理，推算新的「歸易」

定價：0元

6、商品名稱：《【行政】1、強政：行政市場化引發的百家爭鳴》

商品說明：能夠使用的人可以聚集天下人才，成就霸業

定價：0元

7、商品名稱：《【行政】2、明政：古代行政體制挖掘政信指數》

商品說明：依禮修明內政

定價：0元，缺貨

8、商品名稱：《【變法】1、術變：變法是個天使投資》

商品說明：正視何為變法，提供比變法成本更低的方案，可提供部分諮詢產品

定價：五億元

9、商品名稱：《【變法】2、策變：多行業看政府需退出產業政策》

商品說明：從各行各業看簡政方略

定價：合作模式及價格需協商

10、商品名稱：《【經濟】1、身合：從地價、資本和勞動來看消除稅收的必要》

商品說明：廢除人丁稅，消滅寄生者，近者悅、遠者來，得宗旨的可以富民強國

定價：0元

11、商品名稱：《【經濟】2、法合：貨幣民間化統一度量》

商品說明：商業價值比區塊鏈大，用百姓自己的力量統一全球金融商貿

無定價

12、商品名稱：《【外交】1、術御：以王道爲全球行政管理提質增效》

商品說明：以王道在全球推廣政治標準，協調他國政治

無定價

13、商品名稱：《【外交】2、文御：禮制推廣眞正的市場化和民主》

商品說明：中華文化、行政標準全球行銷方略

定價：行銷推廣費用，自定

14、商品名稱：《【外交】3、政御：以人子監打造行政標準引發百家爭鳴》

商品說明：託管孔子學院，打造人子監，挖掘各國賢能

定價：二十億元/年，風險自擔

15、商品名稱：《【外交】4、教御：以文旅建立人間天國》

商品說明：百教合一，基督教爲佛教分支，推廣文化大同

定價：一千億元投資合夥，十年內支付完畢

三、明至書（初稿）

《明至書》意思是「快速明心見性至於太極」，根據陳立強的明心見性體驗來撰寫。

我大概是在十八歲左右，高中時期明心見性的，現在我們的教育體系是應試教育，當時我對國學沒有什麼研究，但是根據自己的感悟，獨立提出了本心、氣質、性等詞彙，並提出了逸思、白日夢等修身方法。等到上大學的時候，才發現這些都是前人研究了幾千年的東西。

當時有一個很奇妙的感覺，就是感覺人生最快樂的可能就是那種狀態了，甚至比男女之事更長久，馬斯洛稱這種體驗為「高原體驗」，就是有不斷的靈感，生活到處都在釋放光芒，自己和萬物融為一體，其實就是「天人合一」的感覺。自己對「心、氣、性」有一些理解方法，就比如說，佛家說的人的本性是貪嗔癡，這是人的身體的屬性，是人之初、性本惡的地方，可以說是「體性」。人之初性本善的地方也有，人的本性是長進、快樂和全面這三種。第二個很明顯的感覺，就是能夠把時間拉長。

另外我在看到朱熹的《近思錄》，大概是在2017年左右，對「道德仁義禮」有了更多的理解，大概是有了對「道」的一個定義。我個人感覺這可以算作是悟道，但是這種感覺遠遠比不上天人合一的那種感受。

《明至書》的修身方式，可能是更方便的修身悟道的方式，同時對學員的要求會更高，你如果達到了心學大家——比如陸象山的層次，我跟你一說你就明白，你如果達到了賢人的層次，我會求著你跟我學習。對於普通學員，只教給你方法，很大概率上是不會領悟這裡面的精華的。這個需要嘗試著去做。

我現在的這套方法就是針對高中生，因為我是在高二到高

三的時候明心見性，這時候的人精力旺盛，我的修身方法又類似於道家修煉內丹，你精力多了，材料就多。另外這套方法會讓你直接面對煩惱，佛家是讓你斷除煩惱，但是我這套方法是讓你揪著煩惱不放，就是要克服它，因爲任何的外物都是你的素材，都是你丹爐裡的材料，就看你能不能消化它，這個才是無漏之身。因此它對你的精力、智力都有非常高的要求，你雖然一直在苦惱，但是也一直在開悟，某一天你可能會突然就明心見性。同時它還會讓你多加鍛煉身體，多加長進，實際上人成年後就很難長進了。

《明至書》是用本心的三個光明的性，來克服本體的貪嗔癡。明白的人能看到本心三性的無限量的光明，不明白的可能就看見三個燈泡，這些光芒照射不到他的心裡。你每天思考各種事情，有很多煩惱，但是你必須有足夠的力量來一一化解它們。高中生每天在學校裡待著，每天都在想事情，而且有充分的精力想事情，事情還不多。但是作爲成人，我們想的東西太多了，沒有足夠精力，必須拋棄一些沒有必要的東西，所以我這套方法就有點較眞，適合單純一些的人去學習。他們不放過身邊每一個問題，又消化了每一個問題，在一個比較小的環境，達到了一個很高的境界。人生高度本來就不在於你經歷了太多，而在於你思考了太多。只是經歷了太多，可能被同化，可能被打磨，可能失去了很多本眞的東西。但是你從正的角度思考了很多，不斷致良知，獲取知識好的那一端，少一些經歷也可以悟道，這也是爲什麼古代賢能的人多，而現在的人有了很多科技，就開始自以爲是，反而顯得非常愚鈍和冥頑不化了。

我們再做一個比喻，就好比你把自己吃下去的東西充分消化，即使吃很少的東西，也能飽了。但是現在人吃了太多東西，

他根本就不消化，有什麼用？有些人不能消化水分，結果就是濕氣太重。有些人吃了某些東西，比如羊肉，身上就會散發羊的味道，吃了什麼就變成了什麼。有些人不能消化思想，那他就是一個平凡的有習氣的人，不能成為謙謙君子。

簡單說，我這套方法就是教小孩子們快速明心見性，你在接觸社會之前先悟道了，未來碰見社會上的事情，你根本就沒辦法不去參與，因為看到社會上那麼多錯誤，你就會想要去改變。也就是說，你已經過了自己渡自己的階段，你現在已經想要並且有方法去渡人了。

這套方法看起來也會非常內斂，對於一個有智慧的人來說，他用這套方法很可能都不知道自己什麼時候就明心見性了。對於我個人來說就是這樣，因為太容易，所以不太珍惜，到現在我才打算專門講解《明至書》。這本書應該會成為我畢生最經典的經書，目前我還沒有把它修改好。因為是新的東西，太貼近現實，看起來有些荒腔走板，需要我未來在很多教學裡，總結出更讓人信服和專業的內容，像釋迦牟尼、老子、孔子、王陽明等聖人及各位賢人學習，打造出較為專業些的IP，比如打造中天學派。

總結一下，我的方法是從初學，到有心無科的小學，也就是最大的交叉科學，然後到有象無理的大學，最後明心見性到達太極。這個過程中會用到我們平時已經在用的一些方法，比如說白日夢，學生們上課總是愛做白日夢，做白日夢其實是非常爽的一件事，我的教法能讓你充分利用白日夢來修身。學生也喜歡想像，我會告訴你如何利用平時總在做的事進行修身。還有一些平時的欲望的控制，我會告訴大家如何操控這些事來提高自己的氣質。到太極以後，還要退轉向下，類似倒駕慈航，開始做聖賢。

在這個過程中，需要知道道德仁義禮，還需要一些具體的行為做法。《道德經》講了這些行為做法，《論語》也講了，我們講的是一些基礎的心法。總之，這些都是利用我們平時已經在做的事情，充分修身。

《明至書》也會教給大家如何聽音樂和思考，聽音樂是分層次的，這種思考也是有技巧的。我們是思考白天的事，然後想像過去的事和未來的事，通過這些你會進入你的潛意識層面，回想起很多曾經的情感，挖掘自己的記憶，萬物都是有情的，是我們情感意識的體現。佛家也認為，覺而有情，始證菩提。在克服困意的時候，就是能夠快速打破業障的時候，所以我們這種躺著修行的方法也是重要的一環。

總體來看，《明至書》是我的明心見性做聖賢體系的一個基礎教材，未來我會花比較多的時間來修改它。它的體系大致如下圖所示。

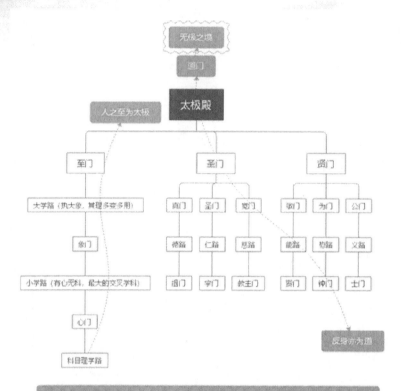

人在學習的過程中，先走科目理學的道路，入心門，進入小學，也就是最大的交叉學科。然後入象門，走入大學路。到達至門，進入太極。

從太極下來做聖與賢，總結前人的經驗，劃分出了六條路。

再談一下和《明至書》沒有太大關係的事情。這是我的學問最精華的地方，現在看來似乎有成為獨立IP的傾向。現在我簡

單把它總結成爲到達太極的一條路和六條成爲聖賢的大概的路，它是要幫助大家來理解修身成聖賢的大概方法的，我本身是希望大家不要固化自己的認識，但是我現在有把它固化的傾向。如果未來我眞的可以成爲望孔子、老子項背的一個聖人，它也可能會被學者們固化和發展，用來幫助更多智慧一般的人來修身爲學。我看到，關於紫薇聖人，有重新封神、教人成聖賢、百教合一、《燒餅歌》金線之路的說法，這些其實也是我想要在這個學問體系進行IP延伸的地方。民樂廣場下其實還有祖祠、宗祠、民祠、社祠、勇祠的建築方案，其中祖祠宗祠是供奉聖賢的地方，社祠是封神的地方，勇祠是封有超人能力但是沒有功勞的人的地方，這幾個祠堂也是百教合一的超市，將各類教化按照祖教、宗教、民教、社團教來分門別類。而一條進入太極殿、六條成爲聖賢的路，有可能會成爲七條「金線之路」，那麼在我這個中天學派裡，成聖也就有三個果位，成賢有三個果位。祠堂也就是按照金線之路的功勞排列標準來封神的場所了。它和現在熱門的推塔遊戲「王者榮耀」的「王者大陸」世界觀背景有相似的地方，那麼「王者榮耀」可以算是我的封神榜單、封勇榜單裡的一個世界，爲此我未來可能會拍攝十二季的電視劇，來演繹包括東西方神話在內的一個世界觀很宏大的故事。不過說到底，我其實眞正應該傳播的只是太極殿這個很簡單的理念。

第一章：初學

一、一在體會「萬物之理」

最初的物理，是多思考周圍的道理，細心發現是非，增加思維的縝密度，多進行換位思考，體察事物的道理，最終使思維變得敏捷。一定要注意思考的連續，要堅持不斷思考，處處找靈感，頭腦不斷地分析解剖，不能有閑著的時候。在合適的時候，似乎用思維改變了體質，分泌了精神能量，使自己在思考上能夠不斷深入和變位思考，這樣生活的效率比一般人要高出很多。這方面，重在「功」，和身體鍛煉一樣，不斷進行突破和積累。

二、二在體會人心

在體會人方面，是在交往中對雙方的是非進行思考，以善心和上進心來體會事物，利用他人的弱點或強勢的地方，對自身進行塑造，克服本體的蒙昧，克服人最初在認知上的障礙，這樣逐漸想像力會很發達，感情會很豐富，因為比較早克服本體障礙，感情也變得通透，可以自然做一個君子。這個過程中，一定要求善，減少自身的各種小毛病，這也是逐漸形成自己健康生活習慣的過程，比如不隨便吐痰，不以他人的惡推到另外的人身上。這方面，重在「覺」，增強感覺能力，增強體察能力，增強

敏感度。

三、共同的一條：進步、自新，其表現在體會物理上，是「不以為知」，表現在體會人上，是「善知識」。

進步是求知的方向，自新是求知的心理感受。在這個過程中，不斷自我否定，不斷換位思考，不斷遞進，逐漸求得更深刻的認知。

表現在物理方面，是不以自己知道的為真知，而是不斷進行深入思考，挖掘背後的道理，努力發現新的問題。這個過程中，會逐漸瞭解問題背後的大背景。重要的表現是，豐富了自己的聯想能力，能發現各個似乎不相干的事物之間存在的聯繫，這是思考的基本功。一定要把握住的心態，是不斷從細微的地方，給自己搜索新問題，發現自己未知的領域。

「善知」或者「善知識」和王陽明的「良知」相似。簡單說，「良知」就是「知之良端」，分析事情道理的時候，善惡權衡取其善端、良端。「善」更注重心理感受，靠覺悟，「良」更注重遞進關係，要有很強的邏輯分析能力，是「功」。「善知」在認知過程中，更注重發散思維和聯想能力，幫助認識到各種可能性、各種是非之間的連接，有些甚至已經超越引起自己思考的事件本身，依靠自己的想像和推敲，擴展到更大的格局當中。兩者要結合使用，在獲得良知，並把當前事情的邏輯思考清楚以後，進而用善知識繼續延展出新知識，推測其它情境下的可能性，不斷交叉遞進。

四、「善」理念的連續性

「善」是一種督促人上進的理念，沒有確定含義，但其有屬性，就是具有很強的「連續性」。如果把握住了知識中善的部分，就可以通過這部分繼續進行深入辨析，挖掘更多知識。善的心理感受是向上、向深入的，而且更加明媚。如果是分析到了惡知識，那麼思緒就此停住，很難有更深刻、更連續的材料供自己分析，來讓自己長進了。

五、善念

善念是心思細膩、滿懷希望的樣子，是對生活場景的好的念想，引出感情的重要方法，讓細節變得顯著。它是細微和不構成知識的，主要是淨化內心，產生好的印象和感受，看到更多的美好，擁有更多感覺。

六、不斷換位，體會人心之「和」，增加自身「感染力」

在初學當中，在體會人心的過程中，要不斷挖掘善意的方面，這樣會發現有非常多的可能性，進而改善自身的認知狀態，最終會感覺對全域有把握，自身的「感染力」也就提升了。不斷換位思考是基本的方法，體察各種可能性，思考應對方式，是延展自己心理體驗的過程。最終，似乎能夠挖掘出別人善意的方

面，將別人的認知導向「和」，而實際上只是改善了自己的心性認知能力，增強了自己的心性體悟能力，讓自己減少蒙昧，變得通透。這個過程會體會「善」，獲取「善知識」，能夠讓人在認知中不斷達到新的層次。它的屬性是有很強的連續性，把握住一個善的認知，這個認知還會推著人向更深的層次進發，而有了惡念，那思考便在這裡停止了，心性可能會一時低落下來。在通過善知識不斷深入和聯想的時候，「和」是非常重要的體驗，這時候自己知道了別人行為的起源和可能的各種走向，並對別人的行為有引導和把控的能力，似乎能夠通過語言和行為來感染別人，讓別人放棄執拗。達到了這個地方，認知可以暫時告一段落。

在人文上，在交往上，最終分析到較深層次，感受就是「和」。如果沒有感受到「和」，而是感受到了惡，那樣甚至還不如不思考。在上進中突然停止，性情會走向反向。

另外，智慧不足的人，在感受到惡的時候，可能會減少自己的認知通透度，用「善良」的感悟力來彌補自身的缺陷，進而缺少了行動能力，因此最好用智慧而不僅僅是感悟來達到「和」。而初學的人，一定要直接面對惡，增加認知角度，從惡中也要分析出善的可能性，進而把握住善的可能。對於初學者來說，從外人的角度來看，自身的善良只是外在性情柔化，而自身更多的感受還是認知上的長進，「善」是一種認知狀態，而不是對個人的定位。

七、物理：靈感、頓悟

物理方面一定要有頓悟，通過聯想來把新的認識加入到你

原本的認識當中。初學中自己的認識能力很差，對外物的邏輯認識是很混亂、很不透徹的，這時候需要有不斷的靈感來填充自己的認識。事情的原因絕不是你想的那樣，用靈感來搜尋更深的是非，用聯想能力來將更多道理連接進來，實現思考上的頓悟，就可以有「自新」的感覺。

八、進步、自新

對物理的思考、外物的思考注重「功」，「功」達到了，自身認知結構會發生變化，認知上的「自新」感受會給人愉悅感，自身性情也會在這個過程中得到優化，這是一個不自覺的過程。精進不斷的「功」表現在感受層面是「進步」。在人文上，在交往上，最終分析到較深層次，感受就是「和」。這種「和」如果得到了外界的回應，會感受到「自新」，這是性情昇華的自新。

這個過程中，一定要喜歡「自新」，顛覆原本的認知，開拓並接受新的認知。如果真的精進了，那麼注意力一定會放在「進步」和「自新」上。如果稍微不精進，可能就會被「自得」蒙蔽。「自得」是在小學升至大學時候需要用的方法，在沒有進入很純粹的心境的時候，「自得」的感受會帶入污濁的東西，阻礙自己進步，如果感受到自得阻礙了進步，就要增加「功」，不斷思考，不斷自我否定改善性情，讓自己的注意力集中到「進步」和「自新」上。

九、多觀，跳躍觀察，外化當時認知向內跳躍

反觀是在小學時候用到的方法，在初學當中，因為認知能力比較差，自身蒙昧，感受不到「反」。這個時候，是在各種角色中不斷跳躍，嘗試從各種角度去體察一件事。自身各種直觀的感受，往往是很錯亂的，正是要通過改變角度，來對自身性情和欲望進行打磨。這時候自己也不清楚什麼是對的，什麼是錯的，什麼是比較公允的，只是在不斷進行嘗試。等熟練以後，會有「反觀」的感覺，就是從反面來觀察自己當時的感觸是不是正確。這是一個權衡的過程，對輕重拿捏比較精準的時候，才可以直接上手。等熟悉了反觀，等遇到一件事，往往反觀兩三次，就可以找出準確定位。這個定位，就是對一件事的準確態度。對於過於激烈的事情，雖然通過反觀能大致確定其位置，但是細節的地方還是要打磨。

跳躍觀察，有兩個方向，一個是橫向的，是消除前期角度的牽絆，進入另一個視角去觀察，比如另一個人的角度。另一個方向是縱向的，從當前的維度進入另一個維度去進行觀察，主要體現在思維的不同層次。人在思考問題過程中，會產生更多新的感受，那麼哪個感受有問題，哪個感受很重要，當前又要先解決哪個感受，就考驗自己的思維能力了。

我們現在直接說向內的跳躍，這是很重要的跳躍方式。初學者在思考問題的時候，總是有太多不合理的情感牽絆，這時候一定要不斷向內跳躍，審查自身這時候的思維和情感，有哪些不合理的地方，挖掘它能夠讓自己長進的地方，排除不合理的情感，優化臃腫的情感，磨刀不誤砍柴工，讓自己變得更精準、更

輕便，這才能去挖掘想要解決的問題的道理。需要注意的是，一定要清楚，最遠的路就是最近的路，如果想要解決這個問題，一定要先把自身的各種問題解決順利，把相關的問題都思考完全，然後才能真正解決原本要解決的問題。任何思考都是這樣，不忌諱走遠路，在長期的積累後，才能讓自己的思維變得鋒利，在思考其它問題的時候才能更快速。

十、希望和想像

希望和想像是在自己追尋善知識、追尋事物道理的時候產生的好的感想，是讓認知明媚起來的理念。適合使用這種思考方式的是十一至十三歲的孩子，通過努力求知，通過精進，加上自身生理激素的刺激，讓自己能夠活到希望和想像中，促進自己不斷進步。這個過程一定要追求精神的超脫。

第二章：科目之學

　　初學通過善知識來達到對外物的體會，用挖掘新問題的方法，增強了自己的思考能力，接觸的都是比較幼稚和初級的事物。在那個過程中，側重對自身的引導，側重對自身的調整，外界是引發因素，從外界或眞或假的較幼稚的是非中，體察出眞知。這時候，自身的想像力已經超出了現實。

　　到了比較深的層次，人心在現實中展現不和，認知方式得到挑戰，這個時候陷入困頓，就需要用比較磨練的方式來達到精進，這時候就到了消耗心神和消耗思考能量的時候了。先要把「功」做到，求知的武器才更敏銳。

　　科目之學，要鍛煉自己的思考能力，通過各種邏輯的分析，讓自己思維的「形式」更靈活，達到萬事萬物在「理」上都相通的感受。這個時候，要深入到「物性」，人有心性、本性、體性等，物自體也有物性。窮理者知其形，格物者識其象，不僅要認識心性，還要通過格物認識物性。

一、理思

　　開發思考和想像能力，思考要超出問題本身，進行延展，進行深度的想像和開發，其中物理的思維是比較好的思維方式。

二、體育思考：不同的鍛煉，全面的鍛煉，不斷提高自己的極限

人不經常運動就會累，人的思維也會變得非常慢。而堅持一種鍛煉也會覺得累，最好的方式是堅持多項運動，可能某項運動會帶動其它部位的繼續運動，不斷推高整體的極限，這樣就不會感覺到某個部位的勞累，而是感覺整體的舒暢感。

因此，要掌握多種體育鍛煉，要多種方法交叉鍛煉，思維一定要活躍，態度要積極多變。一個經常運動而且運動比較協調的人，會感覺到胳膊酸或者腿酸，但是他很難感覺到什麼是「累」。

克服自身蒙昧的方法，從體育上去糾結是較好的方法之一。在這個過程，是和人進行較深的本體交流的時刻，可以因為煩惱和氣惱站立在多個角度，打磨細節，最終的結果是，發現自身的長進才是克服矛盾的正路。如果年齡稍大，由於可塑造性較差，潛力喪失，會比較難以體會這種長進的愉悅，可能會消磨掉自己的潛力。在年輕時候多進行體育的思考，最終一定會體會到潛力就是一種能力。

三、高看外部，向上、向學、向善

把任何的外部事物都看成複雜的和高深的，能夠從更宏觀的角度，去審視一個事件的形成過程，又能深入微觀，對其產生、發展的過程的每一個細節進行思考和打磨，用各種可能性來讓自身的認知得到增長，以其任何的可能的善的發展來督促自身

的成長和長進。期間的任何關於站位、換位進行思考的過程，都可以成為改善自身思維習慣，改善自身本體屬性的過程。

這種思維方式是「善知」的延續，但是現在更傾向於對事物道理的挖掘，這時候自身的性情感情都已經比較協調，自身的糾結處於次要地位，要對外部的各種可能性提高敏感度，在對外界的深入瞭解中，自身的品性也會順便得到優化。

四、立志高遠，追求永恆

立志高遠，追求永恆，能把握住更加準確的上進路線，也能堅持比較久。無論是體育還是對榮譽的幻想，都要以最高的標準來作為目標。在這個過程中，自己會有非常大的思考空間，並讓自己的思考在這麼大的空間內，幫助自己得到很大的提升。

五、存在即是合理，存在即是不合理

任何事情的存在都是有其道理的，然而任何事情的存在又是沒有道理的。前者幫助自己旁敲側擊，從細處著手，理解事情背後的真相。後者能讓自己找到解決方案，讓荒誕的事能從本源上得到解決，讓更奇妙的道理得以凸顯。

六、自己所知道的任何事情都不是真實的，自己不能真正瞭解一件事

自己所瞭解的事情都存在細節上的疏忽，存在巨大的不合理。從細微的地方發現新的問題，挖掘更大的問題，然後再次去深入解決這些問題。真正瞭解一件事情，不是瞭解了事情本身，而是對其周圍的事情有了更加深層次的認識，這件事的位置就正了。如果熟練於挖掘細節，善於分析，會逐漸發現一個特性，就是自己似乎永遠不會真正瞭解一件事，總會有更細微的地方值得自己去挖掘，而那些道理，不僅讓這件事看起來更「新」，讓自己看起來也會更「新」。

七、頓悟瞭解「理」的理念：和

當自己對某件事還有不平的感覺的時候，有著情感上的不順服的時候，就要從「理」上尋找其是非，從外界關聯中尋找是非，從自身尋找理解上的偏差和性情上的不順服，一直達到相對順服。找到非常蹊蹺的關聯，能夠有十足的把握，才算對這件事有了合適的定位。而真正瞭解一件事，是能夠發現由這件事引發的各種可能性，知其本，明其延續的方向。

八、學習中的停頓

窮理格物，窮理者，知其形，格物者，識其象。深入窮

理，格物明心性，外物之形多變而多用，這就達到了眞知。在這個過程中，窮理的同時必須要格物，在挖掘事物道理的時候，一定要通過某種心理和生理動作，完成對事物形象的瞭解和固化，和聯想記憶法有相似的地方。窮理要用「功」，而格物需要對自己的認知甚至性情進行模式塑造，要糾結，要花費很多的心神，可能會煩躁，引起不好的感受，這個時候可以稍微停下來，想一想別的事。

要記住，這時候並不是放棄了糾結，放棄了從這個角度對某個道理進行固化，而是要把這種思慮安插到自己心裡，放到自己潛意識裡，似乎一直在想著這件事，等有空就要拿出來反芻一下。等到認識到了更多的事物，或者由於這個思慮去接觸了更多需要的知識，這個問題可能會突然明朗，格物便成功。日常生活中很多道理都是藏著、藏著就沒了，可能是因爲知識太匱乏，認識必備知識的機會沒有到來，或許要等到很久以後，才能眞正明白當時的道理。

窮理格物的一種感覺，認爲任何道理，都要從理論上印象化到自己的認知甚至身體當中，才算眞正瞭解了一個事情。要注重心法的鍛煉，注重理論構想。

注：從初級的角度解釋一下窮理和格物的區別，這兩者都要比記憶知識要高明很多，是從自身角度，將知識固化到自己身體中的過程。如果僅僅是記憶，那是外在的道理，很少牽涉到是非以及應用。只有深入挖掘，瞭解了事情的來龍去脈，並且印象化到自身，對事情的可能性和走向有了把控能力，才是「眞知」。窮理更像是拆解，是挖掘，是「功」。通過聯想，加上頭腦中的某些印象，才是格物。

上文說到的「象」，並不牽涉具體事物的形象。人在睡覺

過程中，一直在進行兩種思維，一種是有具體事物的形象，這就是夢，它只是形象而不是「夢」。另一種比夢境要多很多，如果夢只是娛樂，那麼它才是睡夢中人的意識的主要工作，那就是「思辨」，是邏輯分析，如果白天為一些理論上的事情糾結，那麼這種事情大部分都要靠夢裡的糾結讓它更清晰化、更軟化，讓自己有意識的時候更容易解剖這件事。這種思辨的過程，也是將事情印象化到自身的過程。我稱這種「印象化」為「象」。

第三章：小學

小學的特點是「有心無科」，能夠窮理格物，逐漸深入思考，發現數量不能引起質變，專注發現「心性」、「物性」。

一、自我審視

很嚴肅的自我否定與審查，就像老師審查行為思想有問題的對象，各種詢問與逆向推敲，找到合適的解決方案。

二、有深度的思考

就像是潛泳，一步步潛入更深的層次。也像是無氧鍛煉，每一次嘗試後，都能增強自己的心肌活力。深度思考足夠多，下一次思考就更加省力。如果思考深度不夠，就很難得到「自新」的感覺，也很難挖掘到本源。淺層次的思考只牽涉是非的羅列，並不會真正解決問題，深度的思考，才能挖掘各個事物之間因果聯繫。深度的思考引發思維的蛻變，讓自己的思維知覺更加敏銳。一句話概括，是窮理到格物的層次，思考的深度引發心靈的感受。

三、物理因果

　　事情並不是有著因果的，經過很多的思考，會發現兩個事物似乎只是前後出現，後者是由更多的事物聯合引發的偶然現象。如果再加入新的事物，似乎還會有更多潛在的是非。有這樣的認識，建立在自己勤加思考的基礎上，「功」足夠以後，會有這樣的思維能力，似乎把因果拆解了，能從中發現更多細小的聯繫，幫助自己再次深入問題，進行分析和推導。這種思維影響到自身品性，培養發現問題深入思考的能力。

四、讀書要超越文本

　　在這裡，讀書要遠超書本內容，在理科方面，要超出題目進行有深度的思考，在更宏大的範圍內，尋找新的矛盾和可能性，在更小的範圍內打磨細節，發現更大的問題，放到另外的維度和尺度進行思考。至於哪種先、哪種後，先思考哪個再思考另一個，對問題進行多大的切割和何種角度的切割，需要根據自己的思考經驗來進行整理，不能因為太紛繁複雜而有退意。要樂於思考，進行較為終極的思考，對問題的終極有著深刻的追求，並且有格局有步驟，有進步的方略。這個過程中，要有終極的理念，樂於在複雜和困難的事情上進行思考，最終會明白達到結果的最便捷的方法，恰恰是繞遠路。

五、看書，思辯的技巧：文與質

看書的效果，要品味其「文理」，行文的物理邏輯和感情邏輯。

其中物理的邏輯，包括各種奇妙的思辨，自己要琢磨其道理，然後通過格物的方式來理解其精神內核，調動和改善自身氣質和思維，構建超越文本，屬於自己的文理。比較深刻的物理邏輯，能夠讓人的思維跳躍，靈感爆棚，能讓人更好把握現實之間的聯繫，通過精妙甚至機巧的文字，來達到某種文理的闡述，看起來文字會很有靈感、很有個性、很有力度。其中，通過幽默的方式來表述，會增加道理的婉轉程度，減少對自身的限制，增強自身文理的靈動。

感情邏輯不會太注重外物，而注重感情的邏輯。如果讀書深刻，超越文本，深入感情，那麼可以嘗試將自身的感情通過文字表述出來，但是大多數時間仍會覺得拿不出手。感情的邏輯製造出的文字，會在一定程度上掩蓋自身的感情，而通過借用外物來表述出某種奇特的幻象，像是童話。如果不熟練，看起來會很幼稚，甚至無痛呻吟。鍛煉感情邏輯，可以通過不起眼的小事，來達到心靈上的高度認知，從細微的地方發現新的世界，這方面一直要鍛煉，很難達到真正滿意。它是藝術化的，達到某種程度的認可就可以。

文理，就是要將自己的物理邏輯和感情邏輯通過文字來表述出來，其「理」難以條分縷析，但是能表述出效果。尤其是對感情的審視，有些不顧及旁人的雜思亂想，而是通過自身的觀察，通過某些角度的闡述，一下子能讓讀者站立在有高度而且正確的位置上。文理不急於表述，而注重內部的梳理，待通暢之

後，通過簡單的話語表述，能將其來源、位置、走向一下子印象化到別人心裡。鍛煉自身文理的過程，也是提高自身氣質、端正自身態度的過程，在這個過程中不斷增加自己擁有的內質，成為自己構建文理的動力，這就是「質」。

六、讀書的層次

看書聽音樂都是分幾個層次的，是打坐的高效率方式。

首先是能看下去，能投入到書本中。這是理順思路，能坐下來學習知識了，速度可快可慢。

然後是深入思考和創新，比如經濟類的書，速度可能會忽快忽慢，但自己能有意識仔細篩選，挖掘實際上不明白的地方，不忽略問題，更能思考出自己的觀點。

然後更加深入，不滿足於表面的文章，這是藝術層次，多見於文學類書，最終看的不是書，而是篩選自己的思想，看的不是畫，而是本體思緒的翻滾和靈動的思考。可能會糾結，但是總能獲取更大的通明感，其知覺已經不是明白不明白的問題了，而是自身性情的調和。超出文本，進入藝術創作的層次，怎麼也看不快。其中有幾個要注意，比如白日夢、冥想、逸思的思考方法，對應有不同的層次，這個時候已經深入大學了。

文本的好惡只是相對的，其中有絕對的東西，就是心的拓展。不同的年齡有不同的意識能力，其觀點千差萬別，關鍵要掌握別人是如何掌握這些的，文筆，思路，徵引，如何做成某些事的。看書，不僅能看到別人的寫作過程，還能看到作者沒看見的地方，以善觀之不僅是修心，還是修能。以為很多東西是作者看

到的，但作者其實沒有看到，能力就是在這個過程修成，這個時候去和作者探討較量，發現作者越來越高明，其實只是自己越來越高明。不在其位，不謀其政，因觀點不同、立足點不同、能力不同、興趣不同。看書要足夠深入，得其位，明其政，超其政而不知，正其政而得進。

好的地方在於，這種看起來糾結的讀書和理解事物的方式，可能是最方便的，繞遠能達到更好效果，雖然以為自己胡思亂想、感情膚淺繞不回來，但是自己思考的東西確實更加有連續性、更能解決問題，總有一段時間要拋棄別人的不呼應，自己去走一段，然後發現其實周圍還有很多人，這些就都是比較高的人了，因為本體本心趨同，總有可總結的成果。路程散，但從方法上最終都是歸心。

七、讀文學書

想像的物理世界：在讀文學書上，更要發揮超出書本內容的思考和想像，要有藝術的眼光，對事情進行各種角度的思考。因為自身處於學習長進過程中，所以能從並不高明的內容中想像出另一番世界，這類似於「白日夢」，是人在清醒時候的夢境。

想像的感情世界：比較好的狀態是，不論文學本身如何，自己能從這個文學中看到一個感情世界，比較深入的世界。要側重從書中挖掘出的小的感情，進入更深的場景，將這些感情擴大。這類似於「冥想」，像是窒息時候在感情通道將某個點的亮光放大，是人在清醒時候的夢境。

經過整理的物理和感情世界：這就是「逸思」的作用，是

安逸情況下的思考，將自己已經比較熟練的、想像的物理世界和感情世界組合、品味、整理和修改，讓它成爲自身氣質的一部分。

這種細嚼慢嚥的方法，在初期比廣泛涉獵要好許多，可以通過自身的想像來清掃自身蒙昧的地方，可以說是開「慧」。涉獵別的書只是「知」，清掃自身蒙昧的地方，能夠增加「識」，是高效的方法，掃一個地方，能識別外部萬千世界，即使看少部分的書，也能夠開拓自身在相關領域的能力。

書可以多看一些，關鍵在某段時間，一定要有每一部分都要細嚼慢嚥的體會，要持續在兩三年的業餘時間中增加這種「感情通道」的體會，算是對心靈的一種塡補。

八、藝術的思維

細嚼慢嚥就是一種藝術的思考方式，通過各種想像力，凝聚在某個事情上，擁有多種變換視角的體會。融入自身的感情，或過去的感情，或回憶起某些時間產生的感情，將它重新安置到自己身上，而且多出很多靈性，那麼看待事情就不是分爲科目，而是有綜合事理的眼光。

感情的「文理」是不嚴格遵照邏輯的，很多事物的眞實道理，也是不遵守邏輯的，關鍵是心態要正確。從文理的角度來說，正確看待某件事，用最簡明的方式來表述它甚至都不夠，這件事正確的態度，可能不像文理那樣是收縮的，而是像感情一樣是發散的，有時候闡明其前進的方向，甚至不牽涉到這件事本身，而有些事情的眞實走向，是在另外的維度。這個時候，就需

要自己有強大的「質」的積累，能夠從更宏觀、更正確的角度去考量這件事。民之知在心，智者之知在勢。心小的人只看到眼前的是非，不明「勢」只依附「勢」，「大人」格局要大，內「質」要足，能看到隱藏在另外維度的「勢」，能夠扭轉大「勢」。

藝術的思維過程千差萬別，但是最終，都歸結到「心」，並在最深層次的某些點達成共識，也就是藝術化的共鳴，同時不能苛求共鳴，仍要繼續尋找差異化。

可能最初看一件事情，需要努力去思考它，變換位置去開拓和上進，但是這個時候，問題變少，自己會分出一部分精力，用來進行迸發的感情和靈感的塑造。你所看到的事情，不僅是問題，還有與之相關的人文化的感情和想像，自身的情感變得豐富和容易展露，這是自身氣質的豐滿和柔化。藝術化的思維，其感情邏輯非常重要，同時要和物理、文理的邏輯一起來使用。

九、體育

跳是競技運動的核心，跑是一切運動的核心，競技運動又是提升人的對自身認知能力的重要鍛煉方法。用頻繁的運動來促進認知的靈動，增強自身的思維高度，促成自身認知的向上態度。用身體的鍛煉來克服認知的缺點，自身體質的長進克服本體帶來的困境。要從競技運動中糾結思考，體察是非；從消耗體能的運動中，不斷增強自己的耐受力和毅力；製造認知上的果敢和大膽，樹立高目標。

十、認識事物道理的方法

事情的原因不在於原因本身，在於弄清楚周邊的是非，這件事就自己明朗了。永遠不要認為自己真正瞭解了這件事，要用側面去理解它，用旁敲側擊的方式去感悟它，最終能從任何事物中有感情延展，用情體驗萬物。

要想從文理上弄清楚一件事，關鍵要端正其位置，要端正位置，先要從道理上弄清楚這件事，不管是從大的方面還是小的方面，從挖掘道理中知道其「善」的地方，挖掘其來源和將要走向的方向，然後從文理上給一個客觀評價。

十一、認識別人行為的本源：從功利到生理

借助別人來理解自己，分析別人來調整自己。一定要多體察別人行為的本源，清楚其來源到結果，明白其脈絡。無論是體會他人的感情，他人的智力，還是他人的外在驅動力，都能夠幫助自己調理自身的行為規範。到了比較深的層次，對別人的行為有著充分的認知，甚至能夠預測到別人的行為規範，生活在人群中，即使不和他們進行交流，也能夠感覺自己沒有離他們太遠。自己一定要掌握「適應」的技巧，能夠融入他人，掌控他人的感情動向，知道他們行為的規範和邊緣。最後，能夠感受到別人的行為的生理限制，有哪些生理特色決定了他們的行動，而他們的行動又體現了他們的哪些生理變化。

十二、分析自己行為的本源

本心的三個趨向，快樂，長進，全面性。

人的行為有很多出發點，仔細分析所有行為，把所有道理上阻塞的地方疏通，把所有關於情感或者趨向的不合理的地方整理合理，行為的很多外部來源就會減少，以至於原本有些行為看起來沒有意義。但是經過一定思考的積累，習慣思考自己的各種行為，排除不合理的地方，會發現很多時候仍舊會不自禁產生某些動作，尋找最終的根源，會發現所有行為原始促發力有三個，那就是「快樂、長進、全面性」。瞭解這些，就是摸到了本心的趨向，會逐漸生發出對本心的感受，那就是讓人生回歸原點以後人生的各種可能性。

十三、思考要繞遠路，把握最難的內容

思考要務實，把功課做足。男性要苦思，知道繞遠路，最終會發現遠路才是最近的路。還要濕潤自己的情感，很多地方都會女性化，女性在感情和全面的體驗方面有優勢。

在立志上，一定要挑選最難的去克服，瞄準最遠的路，這樣自己思考的內容會逐漸豐富起來，靈感也不斷湧現。這種尋找困難，很多時候還是跨學科跨思維的尋找，幫助自己在「功」上完成積累。

十四、對美的思考

美的思考，分思想和體質兩方面。

思想方面要有想像力，通過豐富的想像，比如讀書、尤其是音樂都可以體察思想裡不夠大度、完美的地方。思想圖像裡有猥瑣不合規，缺乏平整度和張力的圖像，要改過來，這是考驗人的反省能力、敏感程度和自我克制力的時候。如果夢見沒有張力的夢，要自我反省，從思想和行為找問題。

行為上一定要完美，舉止和動作要迅捷，過程要有動感，有很好的平衡感和圓潤感。身體鍛煉提供動力，各種運動要掌握平衡，最終會發現最簡捷快速的動作一定是很平衡、圓潤和有動感的，也是非常節省能量的，是美的。

這些東西想透了，使用熟練了，會發現思想和小孩子的思想一樣純淨，邏輯感性、靈動真實並能解決問題，動作、行為和小孩子的行為一樣自然靈動，但是沒有小孩子的不平衡感。反過來，美的思想和動作，能夠促進人進行更深層次的認知和長進。最終，這種美感都是通過個人氣質表現出來，和人的生理相互影響，提升整個人的動感，似乎能順應各種情景模式，是感性的，也是性感的。

以上是外形上的美，其感受更像是「健碩」、「灑脫」。另外一些比較性感的美，更注重細胞層面的和諧，像是通過細胞內分泌來影響到人的感受。這些最終一定是影響到人的生理，在細胞層面表現出飽滿感，從情感上表現出濕潤感。

十五、性感和感性

感性本身就是性感。思想要性感，有吸引力。思想性感，表現為有豐富的想像，完美的轉折，總體是情的豐富與靈活運用，有好的情境代入感，能夠流暢和迅速轉換各種情景模式，有些時候感覺像是演員，在表演文藝場面。必須要讓自己的意識流變得乾淨，以積攢能量，減少頭腦中的穢物，減少逬濺感血腥感，減少不平整，柔和內心，達到行為和思想的流暢，內外的通達和一致，心思和行為的統一，兼修內外，以便達到感性。

十六、自己是思路和思維的集合體

人在不斷的思考中，逐漸向內，會翻越思緒、思維集中的某個層面，像是某個突破一個稠密的小行星帶。過了這個階段，退回中心，視角變得廣大，就會看見更廣闊的空間。

要不斷追究自己是什麼，自我是什麼，在這個過程中，是一直向自己內心退去，進而看見更多外在的東西，也就能更全面看待自己尚未解決的思緒。某些當時迫切的情緒、把持的道理，就能放在更大更客觀的框架內去進行思考，這些似乎是自身所有的東西都成為外在的東西。自己便可以有條理地去解開紛繁的外部思緒，如果是整理對具體事情的看法，也就很投入、很專注。而在熟悉這種方法後，很可能在具體解決某件事情的時候，再跳出來看待自己這時候的狀態，挖掘自己是什麼，似乎看見自己是雜亂的思路集合體，某些能夠高速呈現某種反應的，是由各種看似不相干的思路綜合起來的「思維」，類似於「體性」，是更接

近精神層面，體現思考特徵的「體性」，是意識汪洋中的「高速路」。自己必須不厭其煩地，來整理其中的各個模糊和混亂的思考和認識，改善思維的構架。在這個階段，很重要的特點是「跳來跳去」，自身的位置在不斷變化，從各個角度——尤其是反面的角度去審視自身的狀況，這是思考的「功」，有「功」才有「進」。

看到自己是思路思維的集合體，自己似乎是「空」，自己是不存在的。這時候還遠未能發現本心，發現自己存在的意義。這是探尋「我」是什麼的一個階段。

處在意識的汪洋中，會很難擺正自己的位置，要花很大的精力，才能給事情找到一個合適的解決方案，但只要努力，只要有許多次深入和成熟的思考，就會很快進步。等過了這個階段，自身的思維思緒調節比較合適了，遇到某些事件，要辨明是非，就不再糾纏於外在思維思緒的混亂，經過簡單的兩三次「反觀」思考，就可以立刻找出自身應處的正確位置，可以在很短的時間內，挖掘出對事情最中正的評價，這個時候，才算是真正有了獨立意識。

人是思維和思路的集合體，雜亂無章，其中某些大的趨性，就是體性，思維是體性的心理體現，要改變自己的思路，增加認知，改善自己的反應——尤其感情反應，感情要有理智，最終會發現感情的行為指向長進會有更好的解決方案。過程增加知識的全面認知的全面很重要，能幫助自己正確調理邏輯，避免失誤。只知道邏輯是非還遠遠不夠，這是窮理，同時要增強感受，增加帶入感，更加身臨其境，並陷入感受和糾結，這是格物，似乎身體也隨之糾結，通過身體變化，強化認知在自身的實踐，似乎最終不僅改變的是思維習慣，更是身體的變化，性情反

應能力得到了優化。

十七、專業化和非專業化

這兩者主要在調節自身思緒，改善自身思維的過程中的感觸。專業化先於非專業化。專業化就是在思考一件事的時候，要專注，要從各個角度去推敲它、瞭解它，找對入口，更要深入，去尋找它的「可延展性」。從各處推敲只是接近它，只有找到了可延展性，才算對這件事自身有了真正的瞭解。但是，專業化只是讓人知道了它「可能」怎樣，讓人找到了它的潛在的動向，但是不能真正評判它，這時候就要用到「非專業化」，在對思緒思維的調節中，就是用「跳出」的方式，結合其它知識，從別的知識、別的科目的角度，去思考這份延展力所處的整體的環境。因為不拘泥於所知、所見、所識，並能調換角色，從已有的力中挖掘出新的回饋，甚至可以幫助其它知識的增長。

十八、可延展性

人在思考的時候，不能僅僅是「聽說」，而是要加入自己的思考，結合各種角度，推敲各種可能性，來瞭解這件事。最終的結果，並不是如外界那樣體現了這件事本身，而是把這件事分解掉，拆解掉，重新組裝，雖然最終可能仍舊使用同一個詞彙，但是內部的「形式」已經不同，自己看到的是事情的「可延展性」，能夠知道它會向哪裡發展，因而更能擺正這件事，讓別人

也順從自己的理解。這時候，為了不被自己蒙蔽，就要使用「非專業性」，自己對自己進行否定，來從這件事和其它事物的聯繫及抗衡中，發現更多可能性。「非專業性」是突破科目限制的重要方法，讓人有交叉思考的方式，在外界看起來就是可小可大，從微觀到宏觀，從物理到人文之間可以隨意轉換。可能外界摸不透，但是自己有識別能力。

概括來說，「專業性」就是一種「窮理」的心態，深入的狀態。「非專業性」是格物過程中的全面認知，將知識延展，找到其定位，延展其效用。

可延展性體現的是對事物的真知，知是理論上知，道理上知，知道其來源，行是能實踐、有拓展，拓展出延伸物，明晰其發展，包容其發展，達到知行合一就是真知。

十九、精神能量

人在思考的時候，總是要在某些地方發力，有時候感覺思考進行不下去了，似乎能量不夠用，但這時候越是更加進行深入思考，自身的能量分泌能力就得到了鍛煉，越能夠幫助自己以後更加有深度地思考。很多時候，感受到自身的思考是被能量驅動，有時候逼著自己去思考，有時候卻又感覺想思考卻後勁不足。如果精神能量充足，會快速有序思考問題，對各種是非進行調動、調位、拔起、推敲，混亂中又有序，讓混雜交錯的事情得到比較規整的梳理。有些不能解決的問題，可能會存儲起來，以後在合適的時候會被重新調出。而有些思考，可能會拉長、錯位，注意力轉移到別的方面了。

二十、思考能量、生理能量、心理能量

人的各種分泌物、激素等共同作用形成精神能量，精神能量是原材料，能夠形成思考能量，一定要「苦思」，努力思考，促進自身能量的補充與轉化。

第一，人的思考能量是非常細化的，有促動自身向各個角度衍伸自己的思考的能量。除去自身聰慧程度，在熟悉某些思考的方式後，跳出這些「思考方式」去觀察這種思考方式，會發現有細微的能量來促進自己進行思考，自己這時候就要努力延伸相應的思考，鍛煉的是對能量的引導甚至分泌。而在大的方面，會感覺到這些思考能量來自於幾個大的「精神能量」。精神能量是「功」，是發動力，讓人在各種糾結中完成自身的長進。能將精神能量轉化為思考能量的，是自己的智慧，要依靠思考來完成轉化。如果轉化不成思考能量，就會被排泄出去。

第二，對於大的「精神能量」，自己要有意識去節省它們，去消耗它們。也就是說，當你感覺到自身的精神能量的時候，要因勢利導，讓它們儲蓄並流通，就像蓄洪並灌溉，要充分利用精神能量的每一寸，直到它們全部消耗在自己的思考當中。這是一個拼智慧和勤勞程度的過程，那些真正勤勞的人，會讓理智先於情感變化，毫不放縱，從外部環境的一絲一毫的變化中，來引導自身精神能量，去思考事情、體察事情。精神能量是不針對具體事情的，在很多思考、很多情境中都適用，關鍵的就是要用強大的智慧來達到「蓄洪」，用勤勞來達到讓每一份精神能量都消耗在思考上。

從科目之學的角度，多思考，多進行思維的鍛煉，讓自己的思維變得更敏捷。人文的角度，從這個人自身去看，他比較敏

感，但是從不敏感的外部人去看，似乎這個人反應慢，遲遲不對一件事下定論，也不敢為天下先，其實他不僅在對外部事情的是非進行辯證，更是對自身在進行優化。到了最後，這個人想通的時候，可能說一些不相干的話，似乎很愚蠢，似乎很中庸，似乎不敢承擔對事情有觀點帶來的麻煩，其實這個人只是發現面對的事情已經不是這個事情本身了，問題是不存在，解決方案是在別的方面，如果真的要有觀點，需要從別的方面，從更大的角度延伸出整套解決方案。熟悉這種思維方式，以後在遇到社會問題的時候，會思考出治國方略。

第三，對於男性來說，可以通過自己的勤勞，來熟悉對精神能量的蓄洪和灌溉，其中需要很好的克制力，有時候需要很強的克制力。如果克制力不足，那要逐漸學會延展，柔化內心，似乎把流動的精神能量向外少量排放成氣狀，放出光芒，增加自身對外部世界美好的感悟和體驗。這種柔化的狀態，就像站軍姿、站樁時候，通過自身細微的靈動，減少疼痛和疲勞感，最終還是通過對內以及少量對外，來把精神能量充分「化解」。熟悉精神能量的運用，一定是要用思考和繼續鍛煉等方式將它「化解」。包括男性對自身情欲的克制，對生理衝動的克制。到了比較高的階段，是能夠主動減少情欲的發洩，一直到生理自主的發洩（參考節欲篇）。而女性在這方面比較難辦到，女性的生理能量比男性要強大，但是缺少結構性的制約，能量能讓女性產生不斷的思考，但是缺少突破性思考，決斷力不足決定對精神能量的感受和克制不足。乳液和經血都屬於生理能量難以充分化解，只能排泄出去的產物。

佛教中有漏種子與無漏種子的區別，可能就是說是不是會漏掉精神能量、心理能量。

生理能量更為外在，是生理上能看見，它是精神能量的載體，是稀釋的精神能量，除了精神能量，裡面還含有成為身體動力的多種物質。精神能量很精微，因此些許的生理排泄都會帶有大量的精神能量。能夠節約生理能量、精神能量，有節省它、通過自身努力來化解它的意識，就會比較高效。

二十一、如何使用能量

心理能量是精神能量被承載、等待轉化為思考能量時候的狀態，它更貼近細胞內部的分泌和分解，不可見，只可體悟。如果心理調節不好，會引發精神能量的渙散，在自身體內形成能量的對沖內耗，形成微觀層面的身體內環境不協調，產生成為不適合人體吸收的東西，排泄出去，比如從腸道排出，比如成為體味。生病時候的鼻涕等也會帶有相關能量。

心理能量除了能轉化成思考能量，幫助自己進行細微的思考，還有一部分是可以轉化成推動力，比如鍛煉身體的意識力，是推動人各方面上進的能量，我們不如稱之為「念力」，它不像思考能量那麼細微，但是能推動大方向的延展。念力和思考能量結合，可以形成想像力、情感力等通道。

生理能量和心理能量關聯度很大，由於人的生理是在不斷產生能量，而且趨向於產生多於所需的能量，以彌補潛在的流失，尤其是在食物充足的情況下，很多身體能量都用不掉。其中精神能量只能通過轉化為思考能量來化解，部分精神能量轉化為念力，可以和要排除的生理能量結合起來用，通過鍛煉形成毅力。多餘的生理能量需要排泄，最好的方式是通過鍛煉，鍛煉身

體是生理自主對能量進行了篩選。而在鍛煉過程中，如果通過自己的念力和思考來進行篩選，那效率會極高。就像知道自己想吃什麼，每個人都對自己應當如何鍛煉，有一定程度的感受，只是和心理能量結合的不同，導致的區分程度不同。這是心理和生理進行協調的過程，在鍛煉中不斷增加自己的毅力、耐受力等能量的自主使用通道。通過有意識的鍛煉，來達到均衡，讓人的體質更加協調，體態也更好，能量均衡，思維也更靈動。

等生理能量、思考能量、念力等形成想像力、情感力、毅力、耐受力等各個通道後，自己就會少一些糾結，逐漸適應能量的高效利用。但是前期是要通過各種糾結和促進來形成這些通道的。

二十二、消除怪癖好：不充分使用能量會產生陽貨被漏掉

對於那些很難被人自身化解，只能通過排泄的方式離開人的身體的能量，看起來很可惜，其中最自然的是女性的乳液和經血，也只能如此。這些能量，我把它們命名為「陽貨」，是陽氣聚集的產物（女性生理能量充足，屬陽，在八卦中對應的是一根陰爻兩根陽爻，因對這些能量的利用和男性產生差異，所以從外表形成人們對男陽女陰的「誤差」判斷。除此以外，在對能量的使用中，都有不進則退的表現），會對人的心理產生腐蝕的作用。

因為對這些陽貨的制約習慣形成「勢」，如果習慣排泄部分生理能量或者心理能量，哪天思維受阻，這些其它的精神能量

都會隨著這條排泄管道一起出去。就像一個木桶，最短的木板決定水流的高度，無論是玩遊戲、縱欲、夢遊還是其它一些怪異的癖好（這些癖好甚至不由自主，能體現當事人的智慧有問題，進而體現為生理似乎有問題，是不「慎獨」缺少對自己身體的「覺悟」的體現），都在釋放精神能量，除非哪天覺悟後努力從這方面給自己極大的克制，否則很難再給自己帶來某些方面的突破。

這些能量的使用，在外部形態上不會有太大的制約，比如有些人腿腳殘疾，或許會形成抖腿等習慣，這是身體在自己排泄能量，如果發現這種習慣，即使是腿腳不好，也要用其它的鍛煉方式，來促成能量的優化利用。不能把自己當成殘疾，更不能把自己當成有怪癖好的人。興趣要大，不藏私情的怪癖好，不追求荒誕的物品，不要把自己的怪癖好當作自然，真正的個性是在明心見性後才能培養的

人需要不斷的突破，需要思考上不斷的突破才能高效，無漏種子的覺悟能力很強，即使陷入某些對精神能量的喪失，也能夠及時悔悟，節省能量。君子慎獨，能處處檢省自己，不留小癖好，不隨便吐痰，不通過罵髒話喪失心理能量，不隨意發火，也不會有體味（通過心理調節生理內環境的一個結果），獨處的時候很自然，能夠把生理和心理能量節省下來，調伏身心。聖人可能會發火或其它看似過分的情緒起伏，但那是有目的的發火和情緒起伏，調節自身氣質和「義知」，已經超脫常人的「無明業火」。

二十三、保持饑餓感和適度疲勞

多餘的能量偏酸性，蓄積在人體會腐蝕人的精神，所以要瘦身，並保持饑餓狀態，最主要是從心理上達到這種狀態，多思考，一直保持高度學習和思考狀態，能達到整體的精神饑餓感。生理上，減少食物比通過鍛煉來達到空腹的感覺，效果要差很多，生理上也要體會到整體的饑餓感。通過節食很難達到真正的饑餓感，普通的節食是有雜質的饑餓感，在饑餓的同時會有其它部位能量的蓄積，身體內部不通達。就像一個胖子通過節食，可能餓到的不是皮下脂肪，而是肝臟，效果很不準確。而通過長時間鍛煉，尤其是同時考驗思考能量的競技類的鍛煉，能夠逐漸把無用的能量消耗掉，調動淤積的地方，讓腸胃達到真的「空」，達到很切實的饑餓感，這樣腸胃消化能力也會提升。也要有這種體會，就是身體似乎變瘦小，更加靈動，甚至不願意感受到身體存在，但是那段時間很可能肌肉仍是在增加。能量的使用越高效，越是要達到「無我」的感受，提煉出精神以及向上的態度。

不管是生理還是心理，雜質的積累都會讓人難以感受整體的饑餓感，生理和心理都需要勤鍛煉，增強自身對能量的消化能力，防止雜質破壞自己的整體協調性，腐蝕自己的精神和肉體，削弱敏感度。

以上的各種思考思維方式，都是經過長期練習後逐漸熟練掌握的，這個時候，自身能量會高效運轉，自己不用耗費太大的精神去導引它們，而是顯得很自然。就像不專業的運動員在進行某項運動的時候會很費力氣，但是專業的運動員，在進行這項運動的時候會花費很少的能量來達到更好的效果。天人合一的時候，相當於能量自主運轉，靈感自然湧現。

二十四、意識流要乾淨

　　腦子裡的圖型要乾淨，避免欲望的不乾淨，增強代入感，甚至用新圖像對抗舊圖像，比如看見肉就想到屍體，直到自己對某一圖型減少不理智、不乾淨、不美的反應，看見事情，都要想到美，想到健康的精神，想到全面的認知，增加純粹的感受，這樣就增強了自己的覺悟能力，達到善，達到善的連續。善知識，知之良端，能把人帶入越來越深的思考，進入好的聯想和想像情境，最終越來越熟練，感受到自己整個意識流都是乾淨的。

第四章：大學

大學更接近於心靈補償，以及心靈意識的開拓，將潛意識做成一定程度可控。我稱大學為「有象無理」。

一、白日夢、逸思

白日夢就是深度的「走思」，大多數情況下這是人的自然生理反應，人體在自我進行疏導，和夢的作用有些類似。適當的時候可以推助「走思」，因勢利導。約束太過放縱的思考，推助有衝擊力的思考，讓精神更銳利。

世界是有底色的，根據底色，有不同的色彩呈現度，這些都是根據人的感情來調節和實現的。白日夢，是身體氣質的自由流動，要因勢利導，讓思緒乾淨，自己利用其趨勢，攻克障礙。

逸思和白日夢差不多，就是「安逸情況下的思考」，是深度的白日夢，更具想像力的白日夢，這其中牽涉到了感情的培養。感情是身外之物，通過安逸的思考，回憶過去，整理現在，想像將來，將自身的思考能量和外部的環境結合起來，進行自然和有深度的想像，就能夠整理自己紛亂的思緒，培養出很多的感情。

需要通過很多的思考來增強自己的反應能力，經常坐著思考的人在這方面有優勢，尤其是學生，其作用和打坐差不多。經

過長時間訓練，自己通過身體來進行的思考比較敏捷，很小的外部衝擊，就能在心理上引發很大很長的思緒。把這些思緒整理好，就成為自身的一部分。

比較深度的逸思，是在自身比較熟練的情況下，通過視覺、聽覺等方式來達到的。比如音樂，通過聽音樂，增強自身的想像力和聯想能力，一定程度上讓視線「模糊」，進入對感情世界的整理，通過感情的波動，帶動周圍事物，和周圍的事物互動起來，感情便寄託到現實裡了，周圍的事物變得更加有情。另外是讀書，通過仔細體會作者的筆觸，故事中人物的感情，推及自己的感情，會由很小的內容引起自身很大的感情聯想，有的時候，甚至很難把一個故事讀完，通過別人的故事，其實看到的是自己的內心世界，看到的是自己感情的變化、糾結，想像中的風雨雪、幼時的感情、對異性幻想中的浪漫都可以出現，看到的一句話都可以引發大的聯想。自己要主動推動這種感情變化。感受到了某種感情，就要集中注意力去推動它、理解它、修改它。有時候感覺這種集中注意力已經很脆弱，很容易被破壞，就好像自己潛入了水中，有溺水的感覺，呼吸也變得缺乏，頭腦中某些部分被遮罩，似乎某些地方供氧不足，有些地方供養充足，以至於要擴大。

二、偏見

看待一個事物，尤其是感情，不要用正面去看待，而要旁敲側擊，把微小的事物放大，同時不失去對整體把握的情況下，仔細打磨某個細節、某個情境、某個感情。這和專攻某個數理問

題一樣，專注且要花費很大的精神去思考，但是這種「偏見」更側重情感，要用想像力去開拓，讓某個微小的感覺像開出燦爛的花一樣。可以用佛教較深入的「觀想」來對比這種「偏見」。時間長了以後，自己的感情會更加豐富，能承載自己的生活。

三、冥想

「偏見」是一種「進入」的狀態，它的「功」在於「冥想」。通過冥想，擴大某個場景，來調節「情」，像是在窒息中看到某些光亮擴大。

利用「偏見」進入某種感情模式和感情通道，在這個通道中進行各種細微的變化，像是某些思維窒息了，某些思維卻活躍起來，這就運用了「冥想」。「冥想」是在某種通道中深入想像的方法，可以牽涉外物，但是在比較少牽涉外物的情況下，可以讓這個通道裡晦暗的地方變得明亮，微小的地方變得龐大而豐富。

這也是人進行有深度的思考的過程。人在深入思考的過程中，有時間長短的分別，有些思考本來應該很長，但是卻在某個地方卡住了，這往往是有「跳出」的感受。舉例，王陽明的弟子在思考的時候，如果突然想到事情的終極是「空」，跳了出來，加入了身體的感知，那麼突然就卡住了。其實人一直追問的應當是「不空」，到了終極，「空」會自然湧現，但是這種「空」不是王陽明弟子當初感受到的身體的「卡住」，「卡住」是想像力匱乏和思考斷裂的表現。

如果你有了「冥想」的感悟，說明你對深度思考的時間長

短，有了比較好的控制力，對不同的通道的變化，也會有很強的控制能力，能夠從某個通道進入另一個通道。這種深度挖掘自身認識的過程中，能夠對潛意識有比較好的挖掘和訓練。

四、易感

易感不是方法，而是在天人合一時候的一種感受。

易感是感情豐富以後，容易被外界感染的一種心境。這時候自己內心是廣大而且細膩的，身體自然而且柔軟，內心被氣狀的情感情愫包住，似乎對外界有著充分的把握，能夠預先知道事情的將來，感情預先進入某種情境通道。這時候自己的大腦是潤澤的，思緒飄忽，從小事中能夠生出大感情，從普通的問題中能看到更細微的是非，大小結合，能產生很玄妙的想法。可以說，易感是人逐漸進入天人合一狀態的過程。

有了易感的心境，能夠用這種心境來增加自己的體驗。這時候自身性情糾結的地方不多，可以依靠易感來快速撫平，就像是用很輕鬆的方法勤打掃自身的塵埃。天人合一仍舊有糾結，但是消除糾結似乎不會耗費太多的心神能量，非常自然。增加自身體驗的過程中，似乎有一些情感是很難直接實現的，比如消除某些類型的「害怕」。你可以通過登高來消除身體的震顫，提高心氣，但是易感中難以消除的情感，比如把自己帶入「有鬼」和「刺殺」的情境中，仍舊是會感受到心跳加速等症狀，這些是「良性」症狀，是自身柔軟的一種體現，絕大部分的這種情況，是由於人的身體結構造成的，比如心臟保護系統相對脆弱。這時候受本體的限制比較少，多進行相應的體驗，可以體察身體和心

理的關係，認識自身心理和思維的本源，發現身體運作的奧秘，分解本體，凸顯本心。

在易感中會對自身情感進行審視，挖掘自身情緒的來源。因為這些感情都比較深刻，能夠很大程度脫離具體的是非，多數情況下，感情可以運用到多種場景，可以就多種具體事情延展開。但是一些大範圍的情緒，比如下雨和晴天有較大的區別，運用的感情會有較大變化。在自己進入用感情體察世界的程度後，可以將影響自己感情運用的外在事物審視一下，挖掘感情裡更根本的因素，通過冥想等方法，減少不長久、不正確的情緒，讓自己的感情更具有普適能力。

最終，一定會有這個感受，那就是「心是怎樣，世界就是怎樣」。自己能夠融入外在的變化中，感情有預知，延展有靈感，算是天人合一的感受。

注：易感的感情細膩，對細節把握能力很強，看起來是想像力過剩，有時候是無痛呻吟，有時候反應突然，有時候看到天空飄舞的棉絮，似乎一下子就要熱淚盈眶，很多都是自身的自發反應，有其效用。因為是情愫主導，雖然不會產生太大的錯誤，但畢竟有很多混亂。一定要知道，自己的這些混亂，最終一定要讓自己實現長進。也就是說，處在天人合一中，仍舊要用一部分精力來促進長進，有上進的意識，這樣會讓自己一直處於比較好和有高度的狀態。

如果說玄妙一些，就是處於太極，在不斷想要促進更多認知的時候，雖然不會真的有更多認知，但是會有其它的靈感給你。問一實、得十虛，出一「功」得十。要避免直接「得」感受，運用「偏見」的力量，就會進入「無極」。

在增加自身體驗的過程中，很多看起來是反應過度。而自

己想像的事物，很多還都是沒有用處。比如可能會有一種感受，就是想要把這種感情印象化，比如看樹葉，想讓樹葉變得更綠更透徹，似乎要發光，實際上這是沒有效果的，只是自己的感情延展出來而已。這時候人的感情和思維也變得非常迅速，想要把人看透，別人的一個表情、一個動作都看在眼裡。如果是感情，想要通過自己的感情變化或者表情變化，將別人的思緒吸引到某種想像的情境當中，如果是動作，能夠看到別人思緒的由來和走向，進而能夠提前佈局。感情方面從男女的對視中可以充分體現，雖說看起來更多時候是自作多情。動作可以從競技體育中充分體現，當然這時候自己的體質好是前提。總之，這些努力看似沒有成果，但是會在更多地方體現用處，要用功去做。

五、自得

「自得」和「易感」一樣，看起來都軟噠噠。人在學習的每個階段都有自得，它似乎是人的身體或者思維的自然反應，也有其作用，其中最明顯的一個作用，就是固化已有的認知，將它的核心強化，通過自得的變化，來延展其可能性，而且這種延展大多數時候都是有很誇張的成分，讓人忽略掉周邊的各種牽連，看起來像是意淫。對於自得，在前期要有充分的自制力，讓自己的想像有邊際，讓自己的精神用在長進的正路上，同時要有想像力，將其延展的時候，加入另外的影響因素，進而去思考另外的因素，增加自己的知識，準確定位正在為之自得的知識。在學業不精的時候，比如小學——尤其是初學的時候，自然會從自得中挖掘其機制和作用，有時候突然反觀，發現自己正在自得的東

西地位其實很低，這種自得完全沒有意義，這時候這種「突然的醒悟」，可能就是因爲挖掘到了新的「得」的路徑，進而通過自己的再次深入思考，獲取新「得」。

所以，初級的自得有兩個方向，一個是固化已有的知識並延展其行爲能力；第二個，是幫助自己通過意淫的方式獲得新的知識，獲取新「得」，它往往是以拋棄舊的「自得」爲階梯的。

第一個方向不能完全脫離第二個方向，在延展的過程中，其實就是在挖掘新「得」，因爲要借助新的認識來準確定位自得的內容，將它強化。如果新「得」過於耀眼，才會拋棄舊「得」，進入新的認知情境中。

以上所述都是很初級的自得，或者說比較虛假的「得」。我們現在要說的自得，是大學中的自得，和初級的自得已經不像是同一個詞彙了。這時候的自得更多是在感情方面，自己在進行辨析的過程中，是有目的地去延展，很難說會像上面的自得存在走錯路的可能。

大致來說，感情中的自得有以下的幾個作用。

1、**形成感情和個性**：情愫，也就是本性，它的屬性是飄渺而不傷人的，具有「不確定性」，它自身有凝聚的趨向，凝聚後成爲感情和個性。讓這種凝聚變得很合理、很理性，其依靠之一便是自得。用冥想來感受其搭配不當的地方，用理智來梳理，成功以後會有「自得」的感受。小孩的情感頻率很快，這種自得的效果能加快自身頻率，感情也變得單純快捷。

2、**彌補損傷**：自己在回憶過去受過的損傷，在感情上將它梳理清楚以後，還需要「哀憐」來將自己柔化，彌補缺陷，最終還要通過「自得」來將獲得的感情固定，強化認知，增加自主能力，增強覺悟，確定這裡會產生更強的「增生」。有些損傷的彌

補，會有「哀而不傷」、「恨而不怨」的感覺，反而有某種充實感，消除了心理陰影，黑暗的部分放光，自己也超越了過去，這就達到了彌補損傷的效果。

3、增加幸福感：這是很自然的反應，正常感情上的自得，能夠優化各個感情之間的聯繫，理順其出場順序，增加飄渺的幸福感。其在身體上能直接感受到心臟跳動的變化。

六、意淫，心靈彌補

過去某些強烈的不好的經歷，構成現在比較嚴重的潛意識缺陷，有些回憶，想起來會很痛苦，但是這種能引起自己痛苦的「過去」是一定要克服的。必須要在某個時間把它挖出來進行消化，否則當時帶來的某些情感缺陷或者交際缺陷，會一直陪伴自己，影響自己可以到達的人生高度。最好的方法，和坐在教室裡思考一樣，用意淫的方法，想像現在的自己如果回去當初，會怎麼做，如果強大的自己現在回去，又要有哪些突破。等把自己意淫的東西加入到過去，感覺對過去有了很好的把握，甚至感覺「改變」了「過去」（其實只是改變了自己過去的認知），那麼就會樂觀許多，這時候再通過深度的思考和想像，努力把握過去好的場景，進行情感化的思考，將過去的好的細節擴大，擴散到自己對過去的回憶，以至於自己有充足的好的想法能融入到過去，那麼就算彌補成功了。

七、童年色彩，哀憐，哀而不傷，意淫等用法

通過回憶過去，回憶過去的感情，回憶過去受到的傷害，仔細體會當時感情，第一，體會感情，從各個角度去觀察它，體會自己當時的心境，體會別人的意圖。這裡分成好壞兩種感情。

如果是好的，及以感情為主，可以將它感情化，盡量不依靠現在的平淡感悟去定格它，而是用當時豐富的感情，來從各方面體會當時的眼光和心情，這是搜索和收集感情的過程，同時，可以以現在的情況去體察它，但是只是推動自己知識的長進，增加自己的視角，幫助自己體會當時的感情。

如果是惡事件，還要分成淺惡和深惡，這兩者均以傷痛的姿態，存在於自己的潛意識深處，淺的只是被自己埋藏起來，深的地方甚至自己都不記得，但是仍舊能挖掘出來，需要通過不同的思考方式去進行挖掘。淺惡牽涉蒙昧和無知，在安逸情況下，能夠充分去體察當時的情境，重新整理思緒，從各個角度去體察當時自己的處境，自己行為的是非、蒙昧、可糾正和拓展的地方。這種思慮要非常深，深刻到自己似乎身處當時的窘境，必須現在解決這個問題，以至於最終自己似乎真的解決了這個問題，而自己由當時的尷尬所引起的性格上的軟弱，都可以在這個過程中得到克服。

在逸思中，多由外界時間引發自己的思考，可以是小說引發的思考，可以是電影引發的思考，可以是由體育活動中的感情衝突引發的思考，可以是由日常生活中的磕磕碰碰和心裡覺得不舒適的地方進行的思考，它們都可能牽涉到自己性格中的無知和缺陷。而更大的缺陷，可能會引起自己在遇到某事的時候產生不

夠公允，讓自己產生很大偏差的行為後果，這個時候也要依靠安逸狀態下的思考，回憶這件事，回憶過去，可以從最近的事情向前思考，可以從小時候的事情向後思考，可以針對某些類型的事情進行集群思考，通過挖掘自身性格的問題，找到缺陷的來源，比如其中最重要的是家庭的原因，還有很多自身遭遇的問題，都可以追本溯源到可以通過修改來逐漸完善的層次。在淺層的惡當中，甚至只需要增強自身體質。在深一些的惡當中，會用到「哀憐」，其中很多惡看起來沒有辦法解決，自己遭遇的痛苦太深刻，這時候好像心在流淚，也好像自己真的要流淚，臉都要變得扭曲，但是只要通過正確的方法去思考這件事，通過層層推進來挖掘事情的本源，會逐漸到達容易解決的境地，最後不能解決的地方，就可以通過「哀憐」來平撫感情。

「哀憐」最深刻的地方是對自己的哀憐，也可以是對想像中事物的哀憐，也可以是自己的冷漠無知或他人的冷漠引起可憐人受罰帶來的惡，這種區分不是太明顯，他人的遭遇也可以抽象為自身的遭遇，存在於命理當中。「哀憐」是濕潤的，用想像力來彌補自身所受的挫折，增強自身感情能拓展到的範圍，用能力的增長來彌補傷痕。這是讓自己變「貴」的過程，曾經的缺陷讓自己遭遇苦惱，變得輕賤，能力和感情上造成缺憾，從命理上會遭受外界帶來的更大損害。通過這種深刻的思慮，和對自己的哀憐，能夠彌補缺口，讓自己重新變得乾淨純潔，變得獨立，變得尊貴和貴重，相應自己在各個角度的潛力也會就此得到開發，曾經閉塞的視聽會就此打開，讓自己的感情向各個方向延展開。

還有更加凌亂或者更深的惡，這就要下面第二種方法。

第二，用已有的知識和能力去消化這件事，這是在對前者進行感悟的同時，需要一直要使用的方法，感悟自己曾經錯誤的

做法，感悟可能帶來的危機，用現在的知識和能力去分析當時的情況，感悟自己當時感情的各種可能性。最終的狀態，是用成熟的理智來去除以往的蒙昧，但是保留當時的感情，這時候的感情經過洗滌，經過理智的考驗，更加能夠保險，可以長期貯存在自己身上，給自己帶來快樂。

對於過於凌亂的經歷，就是要用現在的理智和能力，來讓自己深入當時的情境，發現各種可能，明白對錯，留下感情。而在很多時候，自己並不能深入這件事，似乎排斥當時的事，這時候就要用到強力藥物「意淫」，就是想像如今有理智、有能力的自己，重新回到了過去的某個時刻，這時候的自己會怎樣去玩轉當時的情況，比如自己有錢、有力量、有操作能力以後，回到過去會怎樣去做，能夠把握住哪些東西，從而在感情上產生愉悅感，獲取比較成功的體驗。真正能夠熟練彌補自身創傷的人，遇到這種太深的創傷，往往可以達到這種境界，就是想要改造自身的記憶，把如今的自己強行植入到過去的情境，或者把過去自己的行為重新編織，達到某種感情狀態後，能夠成為自身記憶的一部分，這個時候的自己就超脫過去的體驗，也超越了過去體驗給自己帶來的損害。

以上技法掌握熟練，最終會讓自己的過去變得更加豐富多彩，讓現在的自己更加炫美。一個人之所以成為現在的狀態，並不是因為當下，而是因為過去。未來難以猜測，當下難以把握，只有過去才是自己真正擁有的東西。到了自身傷痕被比較好地彌補，在通過回憶過去掌握了非常多的感情，並享受這些感情的時候，會有一個體驗，那就是感情上的「感恩」和理智上的「不感恩」。

八、感恩：感情上的感恩和行為認知上的不感恩

簡述：你的感情是很珍惜自己的每一個經歷的，它們是自己感情的發端。但是同時有理智上的不感恩，因為，你知道如果自己重新回到當時，你仍舊是會感覺非常痛苦的。感情上的「感恩」，讓你的思想變得豐富多彩，自身非常有吸引力，而理智上的「不感恩」，能夠讓你的精神更加明朗積極，知識更加端正。

詳解：感情上的感恩和行為認知上的不感恩。感恩是因為修改了過去的不好的遭遇，讓自己重新「回到」過去，從另外的視角體察當時的事情，獲得更好的感受，彌補損傷，獲取靈感，體察各種可能性，發現善美的地方。但是知道當時的處境仍舊是不美滿的，是難受的，所以有行為和理智上的「不感恩」，這種感受會引發一個副產品，就是自我同情的感受，但更關鍵的，是對當時情景可能會帶來的善美的把握和享受，這種把握和享受，是豐富自己的「情」，讓自己的感受更加豐富的工具。人的「情」和衣服一樣，是外在和需要裝飾的，有些「情」會丟，有些「情」不夠美觀，需要自己去改變。

　　從作用來說，「感恩」的作用是讓你有了充足的自信，脫離了缺陷，從過去的不好的經歷，得到了情感和認知上的「增生」，反而成了自己的資本。而「不感恩」的認知，證明你的「感恩」不是病態的，而是健康的、獨立的、經過加工和優化的，是已經充分消化和被自己應用的「感恩」。有了「不感恩」，你就能有充足的行為能力來應對類似的處境，幫助處於相似處境的人。這裡關鍵的就是「獨立」，如果你沒有獨立意識，認識到不感恩，那麼你的感恩可能是錯誤和病態的，遇到相似的

處境，可能會讓自己陷入無知覺，再次被惡的遭遇侵害。感恩和不感恩，成為一個錯綜複雜的絲網，讓你在近距離觀察過去好的東西的時候，有足夠的安全隔離那些不好的東西，讓自己保持清晰正確的認知。

九、節欲：增強氣質

1、以「積極上進的心態」來轉化情欲力量：更好的節欲，更容易的節欲，在於讓自身的情緒樂觀起來，讓自己的認知更加細膩，把精力放在長進上。有了長進的理念，這個時候身體對異性的欲望可以轉化為想像，幫助自己開脫生活中好的情境。好的和上進的心態會自然促進對情欲的消化利用。

2、純淨的精神愛情，美好的生活希望：一定要讓這種想像變得純潔，脫離肉欲，以純精神的想像為主，感受異性溫柔多情的地方，也就是對美好愛情的嚮往。另外，對未來保持美好的希望，能在大格局裡和長時間內，讓人保持對情欲利用的正確方向。小孩子大多都有不切實際的、對未來的想像，但是會逐漸認識現實。如果及早把這種想像做成自己的精神世界，可以一直保持對情欲的較好的利用。

3、淨化意識流：小孩容易追求純真愛情，到了後來，對事物的思考占比較多，情欲則成為附贈品，像是激素，讓人在長期奔跑的過程中增加了動力，能更長時間堅持更高的速度。這時候對異性的想像更加突出精神想像，讓自己即使無意識的對異性的渴望的每一個細節都變得乾淨。男性的情欲左衝右突，會將人的意識中雜亂的東西翻騰出來，這時候加以消除，是淨化自身意識

流的好方法。

4、情欲是特效物品，要利用情欲，玩弄情欲：人的意識流總是有太多污垢，而對情欲的善用就像強力除塵劑，能夠打掃多少就是多少，量的作用引起整體感受的躍進。等到意識流變得十分乾淨的時候，仍然要努力追求更加乾淨。這其中要利用以上的技巧，不斷用好的心態和想法，來促進情欲的感覺向理想化的角度轉變。情欲沒有特定的方向，大多時候是無規則自然向下流的，一定要向上利用它，提高心氣，提高氣質，去消化它，玩弄它，和情欲糾纏鬥爭，並不僅僅是簡單地壓抑它，壓抑它是為了讓它流向更好的方向。

5、情欲的特效，提高氣質：節欲越多，越是最緊張的時候，對自身氣質的培養也是最為高效的時候。一個人多節欲，將情欲轉化為想像力，用理性監督這種清掃，努力控制它，把它用到更好促進自身認知、想像力上，會自然增強自身氣質，變得更加多情善感，也會變得很有吸引力。追求感性，就越是性感。只要自身仍舊有肉欲的想像，就還有可以善化的地方，自己就要一直堅持不隨意浪費情欲，不讓它變得下流雜亂。在很緊張的狀態後，生理的飽滿帶來的是生命的飽滿，會有較強的幸福感，加上長久的身體鍛煉，全身協調一致，動力很足，自己的思緒會更加敏銳，意識會更加清晰，頭腦更加健全。這種氣質的提升感是整體氣質的提升感，似乎提高了整個人的品質，好像脫胎換骨，變得優於常人，優於舊的自己。

6、情欲不會完全消除：對於男性來說，節欲最終的結果，是由心理的騷動注意到生理的騷動。而生理的騷動，會引發人在思想和生理兩方面的感受。人在節欲的最終，不手淫，也不隨意漏掉自身能量，而是努力使用它、善用它，那麼精神變得更為強

大。男性生理的飽滿在思想方面的表現，是感受到女性更加多姿多彩，身體更加性感，思緒非常可愛，每個動作和思緒似乎要放出光芒。節欲的人這時候仍舊會努力改善自己的想法，努力淨化意識流，但是對女性的感受仍舊會更加強烈，其表現在，對女性稍微的觀察，似乎會引發生理上的「生長」的感覺，對女性身體的美，有更多從生理自發引發的認識，思想上則似乎讓自己的審美格調提升了很多，會對女性某些特質有親切感、貼切感，似乎要拉近距離，而最終這種感覺也提升了自己的吸引力。這時候對情欲的疏導是很艱難的，但是仍舊要疏導，追求精神和身體的獨立，每一次疏導，每一次對自己的約束，都會讓自己的生命品質有著更大的提升。

情欲仍舊會留下一部分，作用於生理。夜晚由於這部分情欲能量的作用，陰莖變得腫脹麻木，自己焦躁難忍，睡不著覺，但這種難受已經不是男女情欲的難忍，而是生理的膨脹甚至說是物理的膨脹，僅僅是需要釋放出來。如果這種焦躁對正常生活作息產生影響，可以酌量排除，但仍舊是要節制，達到稍微的減緩困難就可以，因為之後還要在短時間繼續體會精神膨脹的滿足感。

7、對情欲向好處的轉化要一直堅持：情欲就是人生高峰時期的潤滑油，能帶來青少年純淨的想像力，這是增強自身氣質的特效藥。不僅在情欲方面不能浪費，在其它的方面，也要有這種不浪費的精神，尤其在對時間的認知方面，不能因為時日難熬就想讓時間快點過去。對於任何困難的事情，看起來不順暢的事情，都要勇敢積極，有善意上進的心，在艱難的時間內，認識時間的寶貴，把握每一個細節，讓時間變得更長更富有感情。對任何困難的細微思考，都將打開自身的感情庫，讓自身的學習效率

變得更高。明心見性的高原體驗中，即使較為困難的時間，都可以被無限拉長，因為有感情的變化和思考的靈動，時間的感受會逐漸變形，似乎感情能讓過去的時間和現在的時間換位，而現在的時間，可以變得很長，自身的感情也會變得和孩子一樣。

十、氣質要有「高度」

　　培養氣質要注意，氣質一定要有「高度」，讓沉積在腹部、零散地映射在頭腦中的氣質鬆散和流動，上升到心肺，更加統一和協調，這樣自己的心神也就更加明朗，自身的特質看起來就稜角分明。對於美的認知也會提升，讓眼睛生情，體會出動態和靜態的美。其過程是，當你感覺到自身氣質鬱積，要遮擋凌亂的胡思亂想，通過有想像力的思想，將這些鬱積的氣質打碎，用想像力將其延展，增強自身認知和魅力，提升眼界，感受類似於「君子慎其思，貴其身」。理想是小孩子最好的信仰，能夠把握住其中上進的情結，步步高升，是對整個人氣質的提升。

十一、品性

　　一個人能在情欲中對自己進行疏導，改善不良的思緒，淨化意識流，做到慎獨和節制，那麼在提高自己對女性認知的同時，也會提高自己的品性，讓自己整個人的品質得到提升。品性能在節欲中得到提煉，但是它會在生活的其它方面同時影響人。一個善於節欲、健康節欲，順應男女的自然而且充分利用其能量

的人，能夠在提升自身生命品質的同時，增強品質，增強品性，也就是讓人的性格特質變得更加協調、更加純粹，更少低級趣味。品性對一個青少年的發展很重要，世俗的成年人對品性的敏感度會降低。

十二、音樂的三個層次

音樂要認真聽，聽到比較投入的地方，身上會出汗。

第一個層次，借助音樂整理白天繁雜的思緒，似乎在聽音樂，但是根本沒融入曲調，而是在節律中，將白天的各種問題不斷帶入思考中，將白天的事情思考清晰。其中或許是人際關係的紛爭，或許是行為言語的不合適，或許是對某個問題的分析和思考。由於這些思考很紛亂、很能佔據大腦，所以對音樂缺乏感觸，只是依靠音樂的跳動來幫助自己推進思緒。不要放棄對重大問題的思考，即使思考不透，也要在潛意識裡為它保留一個位置，這樣能在有靈感經過的時候挖掘出來繼續思考。

中間層次：或喜悅或柔情，琢磨某些感情和感受，將它們印象化，貼合到自己的感情裡。

第二個層次，能夠跟隨音樂節奏，進行深入想像，勾起各類感情，回憶起過去，回憶起過去的想像，回憶起過去的感情。回憶起過去的問題，然後將這些問題思考消化，可以讓過去的感情重新回到自身。回憶過去的各種恥辱和榮耀，過去的各種生活的感情碎片，將碎片打磨拋光妝點，回憶起過去已經忘記的東西，甚至回憶起埋藏在潛意識裡很幼小時候的事情。這時候不論想像的事情是真是假，它的感情已經成為你的一部分。這種回憶

類似於催眠，能夠在半睡半醒之間，將過去的事情重新回憶起來。

喚醒自己，除去意識障礙的好方法。抓住障礙，仔細打磨：一定要在能夠意識到還有問題和可想像的空間的時候，不讓自己睡去，而是繼續尋找不夠理性的地方、蒙昧的地方、回憶中有所欠缺的地方，然後再度清醒，進行那個角度的思考。一定要保留這份感觸，即使在半睡半醒之間，能夠因為某些意識的問題而突然醒來，依靠強有力的意識思考，去處理這件事情。

人的夢境分為有圖像的夢和沒有圖像的邏輯思考，如果白天對某些類型的事情，進行了系統化的學習和思考，但是一直沒有理解，可能會在晚上一直進行邏輯思考，在夢中感受到邏輯思辨。但是依靠夢境還不能充分解決問題，就可能突然醒來，這時候第一時間還是會感覺到，頭腦裡正在進行激烈的邏輯辨析，而醒過來，就像是潛水太久，上來透透氣，轉化一下夢境角度。

在第二階段的除障礙方面，要依靠白日夢一樣的感受，來搜尋頭腦中不通暢的地方，然後會突然警醒，用邏輯來思考和辨析，解決它。有些障礙大，或許會非常警醒，然後心情有較大變化。有些障礙小，進行簡單的解剖和拓展就可以。

有些時候，就像是夜空中飛著各類障礙，自己抓住某個以後，就開始仔細剖析，直到解決它。

這相當於正在改造自身的夢境，有這種意識，能夠將自身的思考帶入之後的睡眠中，改善睡眠品質，成為有理想的睡眠。最終的睡眠狀態，是喜悅、安逸、甜美，身體自然。這也會改善人的生理內環境，有不好的睡眠習慣的人，比如打呼嚕，可以通過這種方法去改善，如果有打呼嚕習慣，那麼這樣的人是很難達到明心見性的，必須通過睡眠這一關。這時候的睡眠，甚至成為

拓展自身能力的方法，睡眠成為有目的的練習和休整。只要你睡前勤快思考，睡眠就會為你所用。這個時候可能會缺乏夢境，如果有夢境，會有掌控感，早上起床也會有非常好的感受，生活態度很積極。

一定會有的感受，也是一定要關注的，在第二個階段，如果能夠深入，那麼身上一定會出汗。這個時候，也會感覺身體的機能很好。

第三個階段，努力想像，構建完整意識世界。最初想像未來，想像某種生活情境，甚至將這種情境轉化為自己的生活，形成自己的一個感情世界。如果想像力不足，那麼會追隨音樂的高音部分，隨意在不同音符之間切換。能把音樂分解，隨著自己想想的音調進行思緒的開拓。在音樂中找到各個感情通道，在不同通道之間切換，在通道裡分解和重組感情。

這和讀書有相似的地方，最初可能會覺得音樂有不和諧的地方，但是後來，只要音樂不是特別有問題，都可以沿著音樂進行自身的想像，這時候已經超出音樂本身了，甚至對於你不斷在聽的音樂，也可能會產生陌生的感受，你不再會意料到之後的音樂應該是什麼樣子的，而是從音樂的每次音調轉變中，似乎都能發現新奇，發現不一樣的地方，感受到音樂怎麼會這樣有靈氣。跟讀書一樣，這時候你發現的已經超出音樂本身，你發現的靈氣不是書的寫作者或者音樂創作者的靈氣，而是你自己的靈氣。對外，你可以自己有創造音樂的感受，把音樂複雜的變化看得很簡單，如果能認識音譜，可以自己利用夢境創作音樂。

重要的是感情世界，在這個感情世界中，利用情欲的力量，可以較為容易打造一個愛情世界，甚至這個愛情世界，也只是利用你以前有過的感情重新組裝起來的。這個愛情世界可以給

你源源不斷的感情寄託，甚至讓它超出正常世界，想像的世界可能更真切，那些感情十分真切。

這個時候是培養自己的藝術修養的時候，這時候一定會對音樂有很強的感受能力，想要創作自己的音樂，而且可以憑藉夢境來創造音樂，如果知道怎麼記錄音樂，總會有一些音樂可以被自己記錄下來。

第四個階段，是夢的階段。不牽涉音樂，這個階段，人可以改造自己的夢境，可以意識到自己在做夢的同時，仍舊是讓夢境順利發展，甚至借用夢境來實現自身的一些突破。比如白天看電影，看到別人從懸崖跳下，心中掛念，可能會把這份掛念帶入夢中，體會到從瀑布上掉落。不僅能夠體會當時的心理糾結，也能體會到跳躍時候的真實感受，這些感受在白天是沒有充分預料到的，在夢中卻能真實感受到，這些體驗已經超出了自己的意識層面。處於這種層次，會對飛行有著很強烈的喜好，會經常夢見自己在空中飛行，這是一種情感通道類型的飛行，能夠從空中感受到不同世界的變化，流暢而喜悅，有很戲劇化的轉換效果。但是如果夾雜其它不好的感受，某些時段思緒沒有被充分整理，或是心氣有問題，可能會感受到高處的寒意和懸空的孤獨，也會感受到力量不足、難以飛行的感覺。如果是雜亂的思緒、不通達的思緒很多，可能會遇到空中的困境，比如各種電線或者飛鳥、樹枝，也可能遭遇地下的阻撓，比如有人或怪物抓捕自己，或者地下是污濁陰暗的河流。

如果有牽掛的人或物，也可以在夢中解決，比如和某人約會，十分理智地向對方表述自己的某些觀點。這是圖像夢和邏輯夢的結合，有調理感情的作用。

這個時候，即使是夢境，在很多方面也是非常理智的，在

夢中也是相當有克制力的。可能外界的催眠對處於這個階段的人難以起到作用。他會自己在思維的不同層次間轉換，在各種感情通道中切換，用夢境來達成某些論斷，把白天難以解決的問題放到夢中去解決。如果情欲力量很足，又可以用夢境來調節白天的情感，在夢中也變得乾淨，用夢境的通透度來檢查自身思維的純淨程度。

夢境會隨著自己的情感進行變化，自身的記憶或者興趣，會讓自己抓住夢境中的某些關鍵點。夢境是自己的氣質在身體流動，而意識和潛意識的敏感程度，能夠讓自己把握某些特別的地方。比如高原體驗要有高峰的感受，就可以通過夢境來體驗高峰，因為白天有很多換位思考，對事情有充足的把握，如果心中有掛念，可以用夢境來拓展自身的認識，從瀑布上掉落是其中之一。利用夢境整理自己豐富的情感，會有非常有拓展能力的體驗，體會自己預想不到的效果。

十三、夢會告知你體質和感情在流失

有些夢表現為感情的回憶或體質的回憶。回憶靠現實的圖像拼接邏輯思維，如果體質減弱或喪失感情能力，會在夢中某個時刻強烈表現一次，如果覺察和懷疑，就要好好想想，把它轉化為條理清晰的圖型放在意識層面，增強感情意識，或者增強體質鍛煉，否則很可能會降低到更低層次，弱化自己在這方面的能力。如果喪失後不及時補充，會在比較低的層次達到新的平衡。

應該努力有較好的長進狀態，在較高層次比較不安分，比較低層次的安分好一些，是速達太極的要求，但不要拘束於較高

狀態。如果缺少時間來豐富感情或者鍛鍊身體，不能保持較高層次的安分，到達了較低層次的安分，那麼也要有意識把喪失的東西較粗劣地保存在深的意識中，某天還可以通過較深層次的冥想，把這種能力挖掘出來。這種較深的除障方法，不僅能鞏固已有的感情和體質，還可以從很小的訊息再彌補回更大的訊息，修復漏洞彌補殘缺。

　　以跑步為例，如果有一段時間不跑步，可能會夢到自己在夢中努力跑步。如果更久不跑步，可能會夢到自己在夢中努力跑卻跑不動，動作也不協調，姿勢臃腫，這時候是自己跑步的能力在喪失，進而是身體勻稱和氣質流通出了問題。憑藉自己的感覺，如果這時候開始努力跑步，體質會向上衝一段，釋放掉積攢的能量，然後繼續穩步上升。如果這時候沒有再跑步，這點蓄積的能量會被排出去，體質會降到較低的層次。

　　感情方面，如果在夢中有一段非常離奇的感受，持續時間很短，但是很能給自己震撼的感覺，根據其具體情境，在相應的方面的感情正在喪失。需要做的是努力思考這時候的感情，思考這個感情所處的情景模式，再去糾正現在的某些感情趨向，挽留這種感情和感受。或者自己在夢中出現了以前擁有的某種感覺通道，從某個感覺中看到了某個閃亮的世界，那也是感情在流失，需要鞏固。

　　以上是不健康狀況下對自己的省察，如果是健康情況下，通過夢境來提升感情，夢中的感覺持續時間還算長，也讓人感覺很舒適，那麼在白天起床甚至起床一段時間後，需要繼續回味其中的情境，來增強對這份情境的把握。如果是處於健康和不健康之間，那麼這種感覺只是來引起你的注意，還沒有打定主意一定要走，你需要調節它們。

十四、構建自己的意識世界

構建一個自己的意識世界，以自己觀想的好樂善美爲基礎。其中讀書、思考、冥想都是幫助自己構建世界的方法，在睡覺前的音樂中，可以仔細體會自己構建世界的情境。不同人可以有不同的世界，可以有任何類型的世界，不論是大雪中感覺不到冷，還是有翠綠到發光的樹葉，都可以去想像，關鍵的是對自己感情的整合和梳理。另外，各種氣味也能引起感情的變化，比如童年時候聞到的某些氣味，這些也可以融入自己的感情。以善知爲導向，有上進心態，對生活有美好的期望，都能幫助自己觀察到新奇世界。自己對它們的冥想，尤其通過音樂對具體情境進行搭建，能夠幫助自己將這些感情固定在一個體系當中。

十五、錯亂的意識

到達太極，人會有非常多的奇思妙想，比如對自身的思考中，想到將自己的人格分裂，其實只是分裂出了各類感情，用更加多維的方式去對待某些事情，增加對生命的體驗，或許會增加自己的憂鬱感，整體的人格不會因此分裂。還會感覺想要擁有超能力，並想要通過某些方法和路徑來實現超能力，最終只是白費力氣，可是能增加自己的感知力，能夠更加集中自己的精神。可能還會想要增強自己的更多感知力，比如熱感知，比如隔著很遠的地方料想當時正在發生的情況，這時候確實會如同飛翔一樣，讓自己的思維在想要到達的地方掃視一遍，你本身對想要掃視的地方已經很熟悉，並在思維中多次對當時的場景和自己的感情進

行思辨了。甚至想到預言，這只是通過自己的感覺，綜合了自己的知識，想要看到未來的結果。想要靈魂出竅，去別的地方遊覽，想要把這些東西轉化為視覺可見的，但仍舊白費力氣。想要飛起來，但是只是緊湊了自己的經脈和氣質，讓自己對自身細微氣質的流動循環有了更好的把控。這些奇妙的想法並沒有錯，它的作用體現在自己未能料想的地方，很難直接滿足自己的本意。

十六、個人有意識和集體無意識

如果上文所述感情延展到現實當中，是將要到達天人合一的高原體驗時候的感受，也是「至人」的感受，可能會有非常多的零碎散亂的觀點，不分大小，可能由宏觀突然變得非常微觀，從微觀變得非常宏觀，缺乏結構，但是卻是你最真實的感受。由於缺乏文理的約束，這些觀點表述出來會很怪異，但是在當時的情境下，你周圍的人看你仍舊可能還是比較有靈氣的，你看他們也有靈氣，但是大多時候這種靈氣，只是你自身的靈氣，覺得「人人都可以做聖人」，那是因為你看到了別人的「情愫」，也就是本性，這些東西是靈動和純粹的，不傷人，從情欲中更能感受到女性豐富的「情愫」，但是他們本身是很難預料到這些東西的，他們自身有很多的障礙，不能讓自己體會到這些有潛質的感情，感情是斷續的，這些東西「至人」卻難以感受到，以為別人仍舊是連續的和通透的，至人心態仍舊向上，仍舊高看周圍的人，別人行為即使怪異，也只是不理解。但是可以預料到很多東西，不管是集體的還是個人的。比如「集體無意識」，會從自己感受到的個人的有意識，以及他們在行為上表現出的無意識，感

受到「集體無意識」的挫敗感，整個人群集體是缺乏調理，效率低下，缺少真實道理存在的空間。雖然能預料很多東西，但是自身仍舊是難以改變心態，去真切體會別人的苦悶的，自己喜歡的是天人合一的通透感受，對外界的苦悶，可能會由最初的不明白，到怒其不爭，一直到同情。

十七、把時間過慢

要有意識地把時間過慢，人間有很多痛苦，但是當你把邏輯分析透徹，減少不必要的痛苦，剩下的生活中的閃光點會要求你把時間過慢，以增加更多的人生體驗。

這時候要借助兩種方式，一種是把握樂觀心境，另一種是選擇生活裡的善知。

心境要把握住「情」，借助易感和冥想等方式，進入各類感情通道，這種情是增加的體驗，很多是通過潛意識想像等方式增加的感情體驗，最好是在易感的階段，讓潛意識情感自然流露到周圍的事物上。它要求你在意識到自己要把時間過慢的同時，將思緒放在光明的地方，讓自己的思緒活躍起來，盡情體會生活中快樂和能幫助自己長進的內容，在同樣的時間增加比別人多出很多的體驗，這是「延長」時間。

善知能增強好的體驗，靠意識層面的主動，來讓生活中好的方面放大，總體是增加自身的「聯想」能力，將更多材料放入同一時間段，在潛意識感情自然湧現的同時，通過自主的努力，進行高效率的調理分配以及調用，增加「多重經歷」，這是「折疊、重合」時間。

在把時間過慢的過程中，要把握住兩點，一個是專注，這是物理性拉長時間的方法，在努力思考問題、深入思考問題的過程中，體會其快樂，延長快樂情愫的延展。另一個是冥想，是意識性拉長時間的方法，進入感情通道，提高感情效率。這兩種方法都要求自己能夠深思、深入，用聯想的方式，將各種情愫在最短的時間內帶入同一個空間。

十八、體性

人的體性是雜亂無章的，但是歸結起來，大致是常常掛在人嘴邊罵人的話：騷，賤，傻逼。這三種體性讓人的思緒不明，並暗含很大的羞辱，讓人的整體品質下降。它是人的思緒懶惰和智慧不足的表現，需要不斷思考，用思考來戰勝身體的懶惰趨向，不斷反觀自身，挖掘內心蒙昧的地方，把這三種不好的體性梳理清楚，提高自身的意識水準，提高自己的覺悟，看到萌發的羞辱，進行改善，這樣便能改變「命」。

十九、命理、運命

易性、改變體性，就是在改變自己的命理，明晰自己的本性、塑造自己的個性是在運命。自己的命理同時又和覺悟相關，有更多的覺悟，就會改善自己的命理。這也和身體的覺悟相關，敏銳自己頭顱對聲音的感觸、兩鬢的感應能力等，都能夠改善自己的命理。

二十、心性：快樂，長進，全面性

人的行為有很多的原因，但是仔細追究自己行為的每一個原因，理順外部邏輯，改觀想法，優化體性以後，最終又要從個人思想精神的細節上尋找原因。而根據這些思想精神，經過條分縷析，挖掘其原始動能，簡化其內核，會發現有三個趨向：快樂，長進，全面性。自己的任何行為都由這三者促動。如果沒有把自己的行為歸結到這三者，那是還沒有分析清楚事情的真實狀況。

快樂是人細微的促動力，會給人的行為指明方向，也是人在沒有外部問題糾纏時候，本身行為具有的趨向或者促動力。

長進是人遇到問題時候的最終解決方案，所有問題都在自身的長進中，得到了最終的解決或者協調共存。

全面性是「綜合」能力，牽涉到處理複雜問題的能力，要通過全面自己的知識和知覺來達到好的「綜合」。它會影響一個人的認知能力，也決定了尋找解決方案的路徑，如果所知所感不夠全面，會做出錯誤的判斷，從而影響解決方案的有效性，會再次讓自己陷入更新的糾結。如果達到了「全面」，可以更好更連續地對問題進行細究，來達到最終的解決。這三者是相輔相成的，是心的三個屬性。

二十一、本性：「不確定」情愫

本性就是「情愫」，在人明心見性後會對它有更好的感悟。

第一，情愫是不傷人的，不牽掛於外物，它直接觸動心中柔弱多感的地方，所思所想幾乎不受外界規則限制。

第二，它具有「純」的特質，很少涉及現實的是非，也不涉及過多的好惡。如果自身有某些好的特質，需要將它與物欲脫離，純化其內核，成為自身心靈和意識的動向。情愫是心的靈動的地方。

第三，情愫具有生命力，能體現人的行為的潛力，具有非常多的可變性。因此，情愫的屬性是「不確定情愫」，在情上，具有多種潛能，在行為上，具有各種可能性。但是常人的情愫往往被體性阻撓，讓感情和行為顯得矛盾而且低劣。

第四，它是散亂的，細微的，微小的，是構成個性和感情的原初和原料。

第五，它是真正個性的來源。通過對它的調理，能挖掘出自身的幸福感，也會以更加直接的方式，來達到對事物真實的感觸和把控。

第六，對情愫的認識越真，個性越明顯，自己也會顯得更單純，更「萌」，同時所知卻更真實。

第七：它能引發「易感」，讓人樂於助人，感受到「善」的情感。很多社會公德都出自於情愫，並且情愫讓這些行為和公德更加自主、更加自然，更靈活多變。

自己對情愫感受越強，越能直接感觸到別人行為的來源，又看到他們行為的無章法，看到他們的行為在細微處如何受情愫操控。可能這個時候，自己並不知道別人不知道他們的行為受情愫操控，自己借助他人的這種情愫，讓自己顯得更真更萌。之所以如此，是因為你可以從別人的情愫中，感受到他們的能力，能感受到他們的潛力，他們隱藏的對事物最真實的感受，這是一種

趨向，他們並不會眞的按照情愫的邏輯繼續走下去，尋找到眞理，但是你能從中感受到眞正道理的存在，感受到那種趨向，並獲取靈感，以爲他們很聰明很眞實，就是王陽明弟子感受到的「大街上人人都是聖人」。他們並不能從自身的這種行動中，直接感受到事物的本眞道理，他們其實會無視這種情感帶來的眞實感受，相反是你從他們身上獲取了靈感，最初你並不認爲這種靈感是自己的功勞，而是認爲它們是別人的功勞，這是自身經驗不足，存在盲點的體現，可能會汲汲於讓別人也一同感受到你的眞誠，你以爲把握到了別人的眞實心理，但是其實離他最終會選擇的行爲有很大距離，別人會藏起自己應有的行爲，並作出根本不相關的動作，體現爲選擇出錯，並可能會把你當成傻子。因此，剛剛明心見性發現情愫的人，不要汲汲於去勸導別人，而是先修正自己的行爲，導理自己的文理。

二十二、情愫的外延

在人的情感層面，多數要受到情愫的影響，而不是受道理的影響。自身是否受道理影響，也屬於自己的情愫特質之一。培養趨向於明理的情愫，培養趨向於易感的情愫，能夠讓自己的行爲更高效，更達到事物的眞正道理。

情愫延展操控體性：人的情愫是細微的、純粹的、散亂的、沒有章法的，這些情愫會傳染到自身的某些體性，操控一些身體的感受。某些類型的情愫聯合起來操控身體以後，會產生一些萌系欲望，比如對異性的愛慕，想要接觸，但是大多數仍舊會停留在精神世界，繼續享受精神帶來的特殊感受，這樣的感受才

會更真實、更長久、更靈動和具有變化，甚至不惜通過想像來延展這種情感感受，進入個人的「臆想」。

情愫的缺點，想像力豐富卻不真實：在外在的「缺點」方面，這些人是富有想像力的，他們的感情也不真實，某些外部的動作可能只是試探，只是通過試探來讓自己進入某些情景模式，讓自己沿著某條線展開更深的想像力。他們看來，外部可能會是不完美的，自己的觸發不會引起更加華美的結果，反而可能會看到粗俗的結果，但心裡在尋找完美，但是變得很「憂鬱」，這是招人煩的地方，分別其好壞，可以看他是不是有著更好的希望，是不是對別人有愧疚感，是不是真的讓自己培養了更多吸引人的特質。

情愫的外延，凝聚為情感：如果是好的，那這些「情」仍舊是促進了自身對事情的認知，讓自己不僅顯得萌，更是顯得很「性感」、很「感性」、很「知性」。這些「情」會調理自身的氣質，讓自己顯得更加雅致和具有吸引力。這些「情」會讓自己形成特殊的氣場，改善自己的動作，增強動作連續性，也能增強自身的統一，活化細枝末節，讓氣質和血液流到肢體的細枝末節，讓這些細枝末節也變得靈動。女性有這種情感模式，會顯得感性裡透露著性感。

二十三、個性

如果把握住了情愫，那麼情愫的多變和本真，會讓人樂於培養自己真正的個性。真正的個性，是不傷人的，是本真的，其構建來自於靈感而不是炫耀感。由於情愫直接體察萬物，聯想能

力強，其連接方式超過了初級的「理」（初級的「理」是有認知障礙情況下，通過邏輯思考才可以挖掘出來的道理。因有其來源，有其邏輯通道，其延展也受到限制，更多時候是某一角度的觀望，並非「眞理」），能以更眞實的方式，讓自己產生某些對外物的直接反應，產生快捷方式，而且這種反應和連結很迅速、很準確，便成爲自己眞正的個性。這些個性看起來不像是對自己過去的處理外物的快捷反應的改善，由於由靈感主導建設，這種個性更像是新生的產物。

二十四、情

與情愫相比，情感比較粗重，成片凝集。如果情愫是水汽，那麼情感就是雲。情感是在平時通過思考和冥想等各種方法獲得的，並不完全是由情愫延展而來，情愫只是讓這些情感更加獨立、更加外在，也因此讓這些情感更規整，更多變，更少牽涉雜質。情感的屬性，就是「情」，而「情」的純粹狀態，即使情愫。情愫是情感的架構。

在思想上，情的思考和延續會衍生出很多類型，對別人的關懷，對善意的易於理解，都算是「情」的產品，但是對這些產品要學會把控，用在值得用的地方，否則外在效果不會很好。

「情」——尤其是可以調用作爲外感物品的「感情」，是外物，可培養、可積攢、可丟失。想明心見性，對它的調理必不可少。明心見性以後，又要依靠它來和外物對接。所以對感情的培養是要一直做的，要找到好的感情培養方法，不僅是《明至書》裡教給你的方法。回憶自己的童年，抓住生活某時刻帶光

點，在偏見中體會感情，睡覺中除業障，這些都是要靠自己的「功」來積累的。

二十五、「萌」特質和「可愛」感悟

「萌」是情愫的體現，至純，至眞，具有不確定性，是減除自身污垢、求眞求精後的結果。「可愛」的作用和「自得」、「自憐」有些類似，有鞏固作用。在人節欲至深，增強氣質的時候，會有「可愛」的感覺，而且是感受他人的可愛較感受自己的可愛更多，由心性主導其感悟。「可愛」的感悟有排除污垢，增強自身氣質的協調性，鞏固氣質，增強機體的活力和感知力的作用。要將「可愛」的感受純化，以對異性的「可愛」感受爲例，身體激素主導的感受不是這裡所指的「可愛」，經過邏輯整理和節欲的休整，通過「思想化」找到高純度的「可愛」感受，這時候附帶的身體激素的促進是裝飾品，顯得更燦爛一些，鞏固氣質而已。

「可愛」增強人的感覺後，可以引導到其它感覺上的延伸，其感受是「聚集心神」和「發散形體」的，比如可以認識到一塊石頭的燦爛可愛，此爲「欣賞」，而形體上有擴大感，可以和石頭拜把子。「可愛」能夠引導人認識「物性」，認識天地自然的一些「個性」。其中動物比植物的表現突出，植物比無生命體更突出，有的樹木長勢和周邊其它的會不一樣；有些植物和小型動物有「萌蠢」的特質，容易被人騷擾，其中植物容易「手足無措」，小型動物容易「執著堅持」。同時在「可愛」感受之外還要增強認知，比如小型動物是不會認爲自己是「執著堅持」

的，它們可能本身就比較困頓，所以努力。

二十六、寄生：天人合一的感情尋找寄託

很多人都會很萌，但是很多人是不理智的萌，天然萌，而明心見性的人是有理智的萌，是興趣點不同看起來顯得無知的萌，是洞察事理以後真正的萌。一些現在很萌的人，可能接觸到繁雜的事物，接觸到社會的無情磨礪，會變得非常滄桑，自身的特質會被消耗太多，變得不萌不美麗，但是明心見性的人把這種萌，種植到自己的行為和思想中，成為自身的屬性，會繼續萌下去，這並不影響明心見性的人的生活。當明心見性的人發現別人並不是真正有理智，雖然本質由情愫驅動，在細微的地方體現出行為的沒有章法，但是在行為上卻相互欺壓、壓榨，顯得又不符合情愫驅動的規範，這個時候知道別人的行為是真正無知的，自身理智也就變得嚴肅。

但是既然被別人的情愫所吸引，自己能從別人的情愫裡找到鮮明的特質，幫助自己來培養心性，就會繼續進行這種體察力和感悟，但是並不汲汲要求別人的理解，不要求別人繼續長進了。這個時候是自身比較寂寞，但也不是完全寂寞，只是在別人不知道的情況下，繼續享用別人的萌系特質，成為思想上的「寄生者」。加上情愫本身的特質，樂享其情卻無緣由，或許這就是佛教的「覺而有情」。這種情從人群中、從周圍事物中能如同頓悟一樣感覺到，但是很飄渺，不容易把握，但是給人很永久的感覺。感覺間隙，似乎人間的一切糾結的是非，都是空而且無意義的，這種感受才是自己真正追求的，是人生意義所在，可是這種

感情又要依託於世界這個外殼，依賴於這個外殼的安定祥和，以展現那些飄渺持久的感情。這些感情像是感情通道裡一朵朵盛開的小花，不易覺察，是可以從歌曲中聽到的某種感情的純化，是孩童時候的想像，是現實世界的異化，是真實世界之上的另外維度。

一個人應該努力達到明心見性的萌，不應該通過讓自己變得無知來保持孩童的萌。在大人看來孩子很萌，可能在孩子自身的理解中，自己的「萌」，是很無知、很無恥、很讓人沮喪的，或許是家人教育不好，或許是自身認知空白，或許是受到性激素的驅使，如果不突破蒙昧的束縛，讓自己先擺脫當初的無知，那麼自身的這個特質會讓自己的精神變得萎靡不振，行為驕縱無知，自身的幸福感也無從談起。大多數人越長大、越混帳，但是也可以越長大、越可愛，這種可愛可以透到整個人的氣質中。

萌特質要通過明理、明心來達到，如果知覺不足，當你主動擁抱某種萌特質，可能會削弱你的知覺，讓你處在某種虛假的情景模式中。所以，從理智上線克服自身的體性束縛，克服無知的束縛，變得理智明理，逐漸凸顯自己的精神能量，才能感受到真正的情愫特質。君子淡然裡面有情愫，但是還需要更進一步進行把握。

聖人一定要體察到情愫的作用，知道別人的行為來自於知覺的不敏銳，知道他們行為的無規律（這樣就會知道他們沒有真正壞的本意），知道他們並不能正確選擇自己幸福，但是能看到他們的潛力，未來在做聖人的時候，就可以「孩之」，看到自己為人也可能因為這些障礙而存在導致錯誤的可能，看到他們的行為錯誤或者無奈或者失落導致自身被損害，能夠產生很大的同情。「情愫」就是「人之初，性本善」的「本性」，讓人有各種

情感和行為動作，是善行為的主要構成。在他們受苦和浪費情愫兩方權衡，聖人會選擇救苦導善，而不對別人有太苛刻的要求，「君子成人之美，不成『己』之惡」，人之惡往往就是「己」之惡的潛在。成人之美，是自己性之純。

二十七、易感

關於易感，上文有敘述，這裡從情愫方面進行闡述。

易感憑藉的就是情愫，憑藉的是「萌」，由自身思想的靈動出發，能從各種事物中體察到好的一面，進而引起精神的收穫，甚至身體的觸動。比如其中一個感受，易感到深處，感覺瞳孔放大，眼神在震動，想要哭泣流淚，但這似乎是卡克，很快就會調整回正常狀態。易感針對的可以是人，可以是天氣，可以是正在思考的感情問題，可以是動植物，對象不特定。

二十八、感恩

關於感恩，上文有敘述，但是在感受到情愫之後會有深刻感悟，這裡引用以上所述的一段。

精神上的感恩和行為認知上的不感恩。感恩是因為修改了過去的不好的遭遇，讓自己重新「回到」過去，從另外的視角體察當時的事情，獲得更好的感受，彌補損傷，獲取靈感，體察各種可能性，發現善美的地方。但是知道當時的處境仍舊是不美滿的，是難受的，所以有行為和理智上的「不感恩」，這種感受會

引發一個副產品，就是自我同情的感受，但更關鍵的，是對當時情景可能會帶來的善美的把握和享受，這種把握和享受，是豐富自己的「情」，讓自己的感受更加豐富的工具。人的「情」和衣服一樣，是外在和需要裝飾的，有些「情」會丟，有些「情」不夠美觀，需要自己去改變。

二十九、本心

認識本心，需要先把所有的行為找到依據。人的行為有很多出發點，仔細分析所有行為，尋找最終的根源，會發現所有行為都有三個來源，那就是「快樂、長進、全面性」。在上文已經把它歸結為「心性」。

本心把握不住，似乎是空，似乎無我，但是能感受到其效果，就是人在明心以後，似乎回歸孩童，發現自身的各種潛力，發現人生可以走向許多的方向。人一直在增加外部經驗，但是這些經驗可能都是無關緊要的，是虛假的，反而是通過體察內心，簡化外在道理，回到問題的原點，才發現人生具有很多的方向和道路，自己可以有非常多的可能性。概括來說，就是發現了「自己」或「同類人」的潛力和學習進步的方式。這種路徑是很短很直接的，借助這種認知，可以在很多地方快速深入，到達結果，比如做音樂家的同時，還可以做物理學家、哲學家等。

以上是外在表現，說到內在表現，並不會有非常深刻的認識，只是認識到「自己」可能不存在，但是自身又有太多局限，比如不容易變成壞人，但又不知道局限從何而來，最終只是摸摸胸口，體會到「本」和「心」兩個字。「心」似乎是知覺和趨向

的來源，「本」是感覺它是所有行為和感情的本源，這個本源雖然不導向最終結果，中間會經過一些處理，但卻如同宿命一樣構成潛在的結果，它是人的潛能的邊界。探尋本心，這個過程是向內的，需要多加練習，不斷尋找「我」的存在的痕跡，尋找自身存在的價值的來源，這樣能引發更多的外部反射，讓「我」的特性更加外在和明顯。

到了本心的階段，還有一個領悟，就是人都是天生的，自身的努力在這裡已經起不到作用，只能依靠各種天分來促成自己的行為，似乎人人都是有材質的，難以更改，後期的行為總是會遇到某個門檻或者高高的阻礙，會遮擋住自己的視線。自己有無力感，似乎也有某些阻擋，自己也有看不到的地方，或許會有「有漏種子」、「無漏種子」的感悟，感覺某些人可以達到某些程度，能看出別人發揮出潛力後，最高可以達到什麼狀態。這種感悟最終的衍生品，就是讓自己在看人方面很準確，可以憑藉別人的行為、心性、品性，來大致明白他未來的命運甚至遭遇。明白本心，同情心和幫助別人成長認知的覺悟會增長，可以因材施教。

三十、純精神化

無論何種欲求，最終挖掘，都會歸結到端正個人思想，以正心來觀察事情，會得到更根本的結果。最終，會有這種感覺，就是任何事情都要歸結到個人精神思想上才算尋到根底。任何期望，也都在思想精神上得到映現，才算真的尋到了出路。這時候，就是個人的純精神化，身體調和，精神凸顯，萬事萬物都可

以在自己的精神世界找到合適的位置，通過想像力也可以滿足自身的欲求。這種精神會讓自己逐漸建立起自己的精神世界。

通過對「理論」的探尋和構建，能夠讓人更貼近這種純淨深化的感受。如果沒有在理論上尋到緣由，把它印象化到自己的思維意識中，那麼幾乎是沒有找到「眞理」。追求「理論」是精神化的「功」，用功多了、熟練了以後，就容易感受到這種趨向，同時，知識和精神上觸類旁通的能力也會提高。

三十一、氣質

是氣也是質，是人的行爲的最終促動力。人的意識和想法都只是掌握方向，眞正能促動人發出行爲的，是氣質。如果沒有氣質，那麼人幾乎什麼動作也做不出來。

人認識自身行爲的「空」後，仍舊會採取行動，而且有很多不由自身意願發出的微小的動作，這些動作都是自己難以控制的。除了身體的某種震顫，各個身體部位間不協調地各自行動，還有思想的流光，眉目之間的神情。這些行動缺乏長時間的連續，而是氣息的不協調感，以及難以壓制的隨意動作。這些動作都是「氣」在微小層面的促動。這些氣息存在於人的整個身體中，來自於腹部，調和於心臟，能夠明神，能讓思想顯得光彩照人。把握這些微小的震動，可以讓人的身體和精神整體更加協調。

這些促動力確實是「氣」，在人身體中醞釀，讓人有眞實的思想流動，有身體以及細胞的活動，有些活動甚至很難受思想主導，只能通過思想感悟它的動作，感受它在身體裡的隨意，甚

至是恣意妄為，有些流動方式可能會引人發笑。在思想觀察它的時候，同時想擺脫它的束縛，擺脫方式之一，就是屏息，這時候感受到思想是空的，但是氣又會觸發到人的思想動作，人也不能長期屏息。在屏息的時候，感受到的是腹部是充滿的，心氣是調和的，思想是安定的，但是還有「氣」促成的不安分，自己想要擺脫「氣」的束縛。或許這就是「胎息」，在憋氣快要到達憋不住的程度的時候，表面通過腹部稍微收縮和擴張順應人的呼吸，但是並不呼吸空氣，來達到自身的某種獨立的協調。人如果是在水中做出這樣的動作，目的是調整自身狀態，減少行為和思緒的混亂，讓大腦更清晰，減少氧氣的消耗。總體來說達到的效果是讓自身氣質更協調，更能協同一致，自身更充足，有人用「震動頻率一致，能量耗費變得極低」來形容這種狀況。但是經驗少的人，很難有更長時間的屏息，越是想要通過屏息來感受這種「神」與「氣」的分離，越是會感受到它們的碰撞，最終可能在憋不住的心的震動甚至發笑中再次呼吸。雖然屏息效果不顯著，也不知道有什麼結果，但是這種屏息凝神是需要多練習的，這種感受也需要多體會，除了讓自己更協調，還會讓自己更加神采奕奕。

同時這種「氣」又具有細微的流動感、質粒感，因此是「質」。它可能有氣味，但是氣味很微弱，在腹部心臟部位有統一的感受，氣味很淡，但之後不知道流向何方。可能是古人體察到的經脈當中，引導人的血液運輸。在思想層面結合呼吸進行調節，能夠「明神」。

三十二、思想受氣質的約束

　　這裡的氣質，是固定住某些思維方式，讓自己的呼吸吐納有一定的規範，形成直接的反應力，形成「快捷方式」。這是很貼近個人的行爲表現的，到了深刻的地方，甚至想要改進自身的條件反射。有些條件反射顯得很沒有道理，是有些蒙昧的，但是又需要快速，這時候培養一定的氣質，來讓自己達到快速反應，自己會很樂於這種成就和反應。

　　這裡所說的快捷方式不只是個性，還包括各種動作。這種動作可以成爲某個人的符號，但是不應當認定爲個性，而且越是精準，就越是要用到同樣的動作。

　　這種「氣質」是對之前的道理和情感的綜合整理，形成行爲反射，在眞實需要的時候會自己進行培養，身體和情感兩方面都會有。比如在某些體育活動中，知道怎樣的行動方式會更省力，把在某處的所得用到其它方面，比如把足球場上的閃轉騰挪用到生活上，增強自己的感覺能力，在快速行走的時候，在拐角就要和別人撞到的時候，可能瞬間跟跳舞一樣突然離別人很遠。還可能培養自己的感覺能力，比如想要預料到離自己很遠的地方發生著什麼，似乎跟預言一樣，可能某時候這種感覺突然會很準，比如王陽明在山洞中靜坐的時候，突然感覺朋友要來拜訪自己，於是讓僕人去接朋友，竟然在指定的路上相遇了，但大多數時候是不準確的。

　　這些氣質在自己感受可能會有些「酷」，但是在別人看來可能會很奇怪，又可能會引人發笑，也可能引起性情惡劣的人的反感，因爲有些反應看起來是反應過度，但在氣質培養者看來，是增強了自身的敏銳能力。

　　如果仔細追究氣質和行為的關係，可能會發現記憶存在於身體當中。調用記憶，分析和綜合記憶的能力，都與身體存在很大的聯繫。如果身體有某些部分的缺失，會喪失某些分析和綜合記憶的能力，某些記憶也會逐漸退化，總體是喪失某些「知覺」。

三十三、用腦袋頂思考

　　平時思考的時候，要用腦袋頂去思考。思考的動力來自於身體的氣質，但是在腦袋裡整理，好比笛子，身體是氣，頭腦掌管口徑的開合，吹奏出樂曲。頭腦形成非常多的、能夠開合的窗口，身體的各種氣質經過大腦產生行為，掌管好其中各個窗口的開合，能夠讓自身氣質和行為達到和諧一致。

　　如果想要有充沛的動力去思考，在這個過程中，體能最好是透支的，身體有一定程度的疲勞，體質很好，氣質通透，這樣能讓自己的想像力延伸，感受豐富，思考的內容由外在牽涉內部。身體並不妨礙自己思考，如果是由身體的不足引發的思考，自己用頭腦經過思考以後，會想到如何改善身體。

　　人的身體一定要節儉，減少不必要的能量攝入，減少阻礙，讓體質通透，這樣才能更好感受到思想上、氣質上的阻礙，進而通過思考來克服這些東西。如果按照精神能量的說法，應當用思考將自身的能量全部消化掉。

　　人在晚上聽音樂、進行想像的時候，更是要用腦袋頂進行思考，排除身體自身氣質湧動產生的內耗，讓所有的精神集中在腦袋頂，推動自身潛意識中各種圖景的變化。在身體安定的情況

下，要努力達成思想的靈動，以思想帶動身體的自主調節。

如果精神能量下流，釋放在身體，就好像進入一片汪洋，在飄蕩中自身損耗很大。精神集中在腦袋頂，能夠通過調節氣質，自然調節身體的反應，用精神來調動身體。王陽明弟子說想到「空」的時候，身體好像突然梗住，腦子裡一片空白，這是很不健康的表現，是想像力的缺失和思考的阻塞。越是想到萬物皆空的時候，越是要仔細尋找更細微的是非，思考不空的地方，通過自身的努力，讓能量集中在思考上，而不是集中在附和頓悟上。別人的教化是路標和水，自己的走動才是帶自己走向對岸的方式。等能量耗盡，事情想通透，那「空」也只是意識附加感受，而不是某種結果。

因為要不斷從周圍尋找靈感，要不斷思考，尋找是非，積累功，所以最好是在人群中，在人口密集的社區進行思考，這樣會有非常多的靈感。採集別人善和柔情的地方，幫助自己快速成長。做足「功」來達到速成，比以不準確的方式去感受、體會和撮合，要快速很多，也就是每個人都要尋找自己的學習、修煉方法。也要利用情欲的力量，純化內心，理順能量，消化掉自身能量，幫助自己增功。這是在家修行，比出家要迅速許多。可是世俗有太多不盡如意的地方，要一直走在正確路上比較難。中國人體質通透，內心有理、有太極，可以用這個方法來實現積累，其路徑還是看自己。遠邊民還是先修身和行，多體悟。總歸，是心出離，意在家，以行積功，苦思樂修。

用腦袋頂思考，會排除身體對自身的干擾因素，如果是加油鼓勁類的身體思考，或者太注意身體反應，會阻礙思想的流暢思考，甚至思考會哽住。採用無為而治，注重思想思考，以思想來帶動身體氣質流動，身體會找到更好的運作氣質的方法。

第五章：出離太極

　　出離太極的過程是一個人承擔自身社會責任、以聖賢公認的一些道理治理世界和國家的過程，類似佛家的「倒駕慈航」，需要完成從「學者」到「行者」的轉變。這個過程要增加自己的行動力，增加一些強制力。學者最高層是「無形」，那麼作為行動者，需要一些「變形」，產生具體的、可以變化的實體智慧，來作用於社會。其中「道德仁義禮」是比較公認的「大器」。人在太極或者說學者的最高層，並沒有準確區分出「道德仁義禮」這些有具體名稱和名象的東西，在使用的時候可以有。

一、一些方法

1、思考量

　　人在俗世，是否能夠進展順利，是不是能對某件事在社會上進行更精確的定位，消除自身的認知障礙，是由思考量決定的。僅僅讓內心通透，單單憑藉智慧，只能是讓自己在真實道理上的認知更快速，但是不能讓自己變得「正確」，也不會幫助自己過好生活。需要累積「思考量」，累積功力。

2、增強行動力：把世界看得多低，自己就有多高

　　善知常進，速至太極，過程借助了很多欲求。憑藉自己的

覺悟高，思維敏捷，能夠快速打磨出合適的心境，但是這種狀態是不夠穩定的。大器需精修，出離治世會遇到很多苦惱，因為知識不夠，行為會顯得混亂，行動力不強。這個時候，在一段時間裡要通過看低世界的方法來提升自己。把世界看得多低，自己就有多高，行動力就會有相應增長。這個過程是培養「義知」，由慈逐漸生勇，用忿怒來保持覺悟的不喪失。雖然會思考到很多激憤和沮喪的事，但是不能被障礙，知識和認知仍要增進，心態仍舊要擺正。看低世界只是一時的方法和手段，最後還是要靠增加知識來破除，最終還是明理治無為，認清楚自身的責任，打通前進的道路，成就功德。

首先，是離心離德，真實體會和融入社會。如果外部條件很差，能夠帶動自己迅速融入混亂的世事當中，這時候自己的知識和經驗都很缺乏，會在很多地方碰壁。自己是憤怒的，對自身的調養和之前相背離，會在肝肺中積蓄怒氣，由此來保持對事物的敏銳知覺。可以到處試探，以此來推動自己的成長，讓自己認識到社會生活的各種是非，社會的結構，行業的分化，這是以「格物」的方式增強對社會的理解，輔之以書本上的「窮理」。「格物」的心法最重要，「窮理」不能讓自己的壓力減少，只是起到舒緩忿怒，引導思維走向的作用，同時會有更多顧慮和忿悶的地方，仍要勇敢去用這些來推動自己的思考。

在這個過程中，所得會比較少，最主要是開拓出認知的方向。要逐漸學著看低社會，抬高自己的認知，堅定自己的認知，並由補充這些認知，據此開拓出新的認知，再變化自己的認知。培養更多的本能反應，對不合公義的行為有相應的反射，這個過程是逐漸調節出來的，會形成骨骼，成為未來自己的行動力。

3、義知

義知是「明勢、得仁」的方法，通過串聯各種「可能性」，在頭腦中樹立因果，微觀的是非中體會到宏觀的牽連，明白大勢，並主動融入大勢，對不義的行為有堅決的抵抗意識，能夠在庸庸碌碌的世事中精神抖擻，勇敢堅定。時間累積，經驗增多，就能通過義知來掌握主動運勢的方法，那就是「仁」，這是中和各種小的因果和宏觀的「可能性」，挖掘自身是非和遭遇，通過並不算束縛的糾結，將它們在自身醞釀，取其善端，接受自身責任，發現的「運勢之道」。

培養義知。或由自身細微的遭遇而起，或由他人的遭遇而起，追本溯源，想解決之道。這個時候，對更多的社會內涵進行體會，分清楚是非的根本。對很多的是非，不僅是挖墳掘墓，更是掌握包容力，讓它們相互抗衡，自己掌握熟練的程度。這個過程會很長，認知會很真、很獨創。

有些「義知」，能讓自己和於事，減少自身不必要的損耗，但是其本質在理不在情，不是向不義的事情屈服，只是讓自己在更大的因果環境中把握大勢。有些「義知」是讓自己更加不和於事，從各種浮華虛假的表象中抓住大勢，把握住關鍵的因果，看起來自己格格不入，但是自己的知識特別具有拓展能力，具有顛覆小勢、成就大勢的潛力，能引起有義之士的警覺。

認識到自身的責任，知道聖賢在對待遭遇中的公允評判，拋棄不必要的欲求，拋棄不永恆的渴望，履行自身的責任。或由恨而起，或由情而起，或由欲而起，最終都歸於愛人。

4、真知很少

真知其實少得可憐，人與人的溝通也非常低效率，即使自

己用不多的時間去用於知識方面的長進，也不會落下太多，更多還是操作層面的事。主要的目標，應該放到對大眾的幫助上，成為聖人。

因為要不斷從周圍尋找靈感，要不斷思考，尋找是非，積累功，所以最好是在人群中，在人口密集的社區進行思考，這樣會有非常多的靈感。採集別人善和柔情的地方，幫助自己快速成長，以功來達到速成，比根據已有結果去以虛誕不準確的方式去感受，要快速很多。也要利用情欲的力量，純化內心理順能量，幫助自己增功。這是在家修行，比出家要迅速許多。可是世俗有太多不盡如意的地方，要一直走在正確路上比較難。中國人體質通透，內心有理、有太極，可以用這個方法來實現積累，其路徑還是看自己。遠邊民還是先修身和行，多體悟。總歸，是心出離，意在家，以行積功，苦思樂修。

5、體會民心

百姓心中存有很多善的可能，民心代表社會潛在的、向更好方向發展的可能，在其所能成，而不在其已成或將成。聖人掌握「仁」、「禮」等工具，能導引社會向其能成的善美的方向。

百姓行為具體來看雜亂無章，如果陷入其中，自己也會成為惡現象的一部分，聖賢需要跳出來，「惡」不是民心。

6、體會仁

初次體會仁，可以用自己的同情心、慈悲心，從社會化的小事件引起自身貼切的感受；從窮苦人的言行中感受到悲憫；從周圍百姓可憐的生產生活方式中感受到慈和悲，並能從大的視角和宏觀的行政治理中挖掘其改善方法。仁是這種由微入宏觀，再

轉化成理和義知，能從行政上給予百姓福祉的感悟，但是很少直接涉及到行動，需要轉化成治政理念和行動準則「禮」以後才能減緩其悲痛。仁，常常對窮苦悲憐的人們有切膚的感受，自身有壓迫感，同情心無處不在。

7、體會天理

小理體現為線條狀或者環狀，是邏輯。大一些的理能體現出感情和大眾道德，比如高尚、善良等理念，沒有確切解析方法，但它們是大一些事情的解決方案。在這些「理念教」之上，又有更多更大的不講理、不講道德，甚至成為社會常態，然而仍有天理穿插其中，這是更上層的解決方案，但是大多數時候看起來又像是折衷方案。我稱這些似乎是折衷方案又似乎是解決方案總體體現出的理念，其中固定可執行的部分為「天理」，它是終極的「理」，是萬理之皈依，但是它似乎已經不是常規的「理」了，只是各種因果產生的「可能性」體現出的「大理」。借助它能產生「義知」、「禮」等行為方法。

二、自然

自然包括人可認知的和不可認知的地方。其中不可認知的地方，受限於人的身體和心靈結構，不能為人所知，只能不斷猜測。猜測是有必要的，在此之下，可以重整關於「道」的認知。

三、認知的天花板

學者向上到太極，把遇到的所有問題的道理都領悟完了以後，會碰見瓶頸，難以有新的長進。如果還想獲得新知識，用原來的思維去推進是很難的。這時候需要對外用情御物，以情來體會萬物趨勢，這時候內心是充盈的。還可以專心雕琢某個事情的道理，但是不會獲得結果，反而如同碰到了天花板。越是朝天花板鑽研，周圍落下許多的頓悟。這些頓悟就像是美麗的天花紛紛下落，天花亂墜，自己遲早會被它吸引，並按照天花的指引獲得情感和認知的豐富。

四、道

「道」是把自然之物能夠被人認知的部分進行篩選和接納，它大多數是一種心理感受，是一種基礎元素，需要整合後為人所用。

五、德

「德」是把道進行整合重組。德有兩個對立形態，動與靜、善與斷等。其中動、善等能夠更好組合基礎元素，靜、斷等能夠沉澱和拆分。這兩種狀態都是不固定的，隨時在進行。

六、和

「和」是在德的基礎上的第三種狀態，能夠粘合各個元素，構成有形的認知。

七、仁

動、靜、和三種狀態可以構成有形的狀態，其中能形成的最好器具是「仁」，在一些認知裡，它是一個輪狀物，能夠產生光明。「道」、「德」是對自然的一種認識，並不會有作為，「仁」可以作用於萬物，但是不直接作用於萬物。「仁輪」中間有一個孔，是「義」。

八、義

「義」是「仁」對萬物進行梳理後的輸出，它是噴發狀，沒有頭緒，有力量，難辨其善惡。

九、中

「義」作用於萬物，需要「中」進行梳理，與萬物相和。掌握「中庸之道」，可以發揮「仁」的能量。

十、禮

「禮」是治國大器，是通過外在道理對自身思想和行爲進行約束後的輸出行爲，能夠以最小的成本和動作，對外物產生整體、連鎖的影響，改善大局。

十一、樂

行爲動作合乎禮，作用於人群，改善社會關係，百姓和樂，能夠在道德文化等方面提升爲政效率。

十二、敏

「覺」偏重於「自覺」，「敏」是「覺他」。聖賢敏於事理，能夠通過外界微小的不合情理產生爲政認知；敏於覺悟，能夠感受到不和諧問題與自身的關聯。通過改善自身狀態和發佈相關行爲，杜絕問題的惡化，在更多問題上產生和美的改善。

十三、信

君子的行爲要信實，利用以上工具，反復對自己的認知進行切磋琢磨，達到切實可行。通過頓悟知其可行，行而有果，知與行達到自然、合一。

十四、誠

內觀其心：多種角度觀察自身，

外固其行：誠意，誠其意，認識到自己真實的感受和意念，將它表述出來，是應用的方法。

國子監校歌

天之中，在北央，巍巍不動萬星傍。
國子勤學致太極，路雖無常心有常。
天朝上國，道德之邦。祖宗傳教，順承萬方。
修身齊家治天下，省身爲道志恒常。
萬物有倫綱。

地之中，在華疆，恪守中道百國王。
國士勉志向仁心，思繁行簡民安康。
天朝上國，仁禮之邦。聖賢承垢，化奉民祥。
經世濟民塑社稷，民心爲帝志恒仰。
萬民無低昂。

國家圖書館出版品預行編目資料

內聖外王的智慧：給大人物的現代治國策 / 天際雲著. -- 初版.
-- 新北市：華夏出版有限公司, 2022.12
　　面；　　公分. - -（Sunny文庫；275）
ISBN 978-626-7134-61-0（平裝）

1.CST：言論集

078　　　　　　　　　　　　　　　　　111016061

Sunny文庫　275

內聖外王的智慧：給大人物的現代治國策

著　　作　天際雲
印　　刷　百通科技股份有限公司
　　　　　電話：02-86926066　傳眞：02-86926016
出　　版　華夏出版有限公司
　　　　　220 新北市板橋區縣民大道 3 段 93 巷 30 弄 25 號 1 樓
　　　　　電話：02-32343788　傳眞：02-22234544
E - m a i l　pftwsdom@ms7.hinet.net
總 經 銷　貿騰發賣股份有限公司
　　　　　新北市 235 中和區立德街 136 號 6 樓
　　　　　電話：02-82275988　傳眞：02-82275989
　　　　　網址：www.namode.com
版　　次　2022 年 12 月 1 版
特　　價　新台幣 560 元　　（缺頁或破損的書，請寄回更換）

ISBN-13：978-626-7134-61-0
《內聖外王的智慧》由天際雲授權華夏出版有限公司
出版繁體字版